MW00698104

DU MÊME AUTEUR

Aux Éditions Gallimard

LA GLOIRE DE L'EMPIRE (« Folio », *n° 1065*).

AU PLAISIR DE DIEU (« Folio », *n° 1243*).

AU REVOIR ET MERCI.

LE VAGABOND QUI PASSE SOUS UNE OMBRELLE TROUÉE (« Folio », *n° 1319*).

DIEU, SA VIE, SON ŒUVRE (« Folio », *n° 1735*).

DISCOURS DE RÉCEPTION DE MICHEL MOHRT À L'ACADÉMIE FRANÇAISE ET RÉPONSE DE JEAN D'ORMESSON.

DISCOURS DE RÉCEPTION DE MARGUERITE YOURCENAR À L'ACADÉMIE FRANÇAISE ET RÉPONSE DE JEAN D'ORMESSON.

ALBUM CHATEAUBRIAND (*Iconographie commentée*).

GARÇON DE QUOI ÉCRIRE (*Entretiens avec François Sureau*) (« Folio », *n° 2304*).

HISTOIRE DU JUIF ERRANT (« Folio », *n° 2436*).

LA DOUANE DE MER (« Folio », *n° 2801*).

PRESQUE RIEN SUR PRESQUE TOUT (« Folio », *n° 3030*).

CASIMIR MÈNE LA GRANDE VIE (« Folio », *n° 3156*).

LE RAPPORT GABRIEL (« Folio », *n° 3475*).

C'ÉTAIT BIEN (« Folio », *n° 4077*).

Bibliothèque de la Pléiade :

ŒUVRES

Ce volume contient : Au revoir et merci – La Gloire de l'Empire – Au plaisir de Dieu – Histoire du Juif errant.

Aux Éditions Julliard

L'AMOUR EST UN PLAISIR.

LES ILLUSIONS DE LA MER.

Suite des œuvres de Jean d'Ormesson en fin de volume

JE DIRAI MALGRÉ TOUT QUE CETTE VIE FUT BELLE

JEAN D'ORMESSON
de l'Académie française

JE DIRAI MALGRÉ TOUT QUE CETTE VIE FUT BELLE

GALLIMARD

Il a été tiré de l'édition originale de cet ouvrage
quatre-vingt-dix exemplaires sur vélin rivoli
des papeteries Arjowiggins numérotés de 1 *à* 90.

σὺν ὅλῃ τῇ ψυχῇ εἰς τὴν ἀλήθειαν ἰτέον

Il faut aller à la vérité de toute son âme

PLATON

PERSONNAGES

MOI : Magistrat intègre, sévère, bienveillant, ironique. Dans les milieux intellectuels et à la mode, souvent surnommé *Sur-Moi* avec une ombre de dérision en raison de ses hautes fonctions et de l'idée qu'il s'en fait.

MOI : C'est moi. Plaisirs, travail, ambitions, foutaises et Cie.

ENTRE AUTRES : politiques, artistes, écrivains, journalistes, femmes du monde, putains, fonctionnaires nationaux ou internationaux, chauffeurs, médecins, banquiers, éditeurs, marins, mannequins, facteurs, soldats, chômeurs, hôtesses de l'air, escrocs, génies, etc.

(Le cumul est autorisé.)

DÉCOR

Le décor est le monde.

Avec ses mers, ses fleuves, ses montagnes, ses forêts, ses palais, ses châteaux, ses jardins, ses vieilles pierres, ses églises et ses temples, ses synagogues et ses mosquées, ses échangeurs et ses ponts, avec ses lois partout les mêmes et avec ses visages innombrables et toujours différents dans l'espace et dans le temps, il fait peur et il est beau.

ACCUSÉ, LEVEZ-VOUS !

MOI : Accusé, levez-vous !
MOI : Même assis, je ne tiens pas debout.
MOI : Alors, restez assis.
MOI : Merci.
MOI : Mais ne vous vautrez pas.
MOI : Je tâcherai de me tenir aussi droit que possible.
MOI : N'en faites pas trop.
MOI : Juste ce qu'il faut.
MOI : Vous savez pourquoi vous êtes là ?
MOI : Aucune idée.
MOI : Aucune idée, vraiment ?
MOI : Vraiment.
MOI : Pas la moindre ?
MOI : Pas la moindre. Je suis là, c'est tout.
MOI : Pas d'inquiétude ? Pas de soupçons ?
MOI : Mon Dieu…
MOI : Vous êtes né…
MOI : Oui.
MOI : Vous voyez bien !
MOI : Ah ! évidemment…

MOI : Quand ?

MOI : Mes parents m'ont souvent assuré que j'étais né le 16 juin 1925, quelques jours avant l'été, entre la fin de la Première Guerre mondiale et la grande crise tout aussi mondiale. Mais, franchement, je n'en sais rien. Ce n'est pas beaucoup plus qu'une rumeur qui court, appuyée, je crois, sur des liasses de papiers qui se répètent les uns les autres. Sans aucune garantie. Mon identité me paraît souvent très floue et plus proche d'une fiction juridique que d'une évidence scientifique.

MOI : Où ?

MOI : J'ai longtemps essayé de faire croire que j'étais né dans l'Orient-Express ou à Rumeli Hisar, sur la côte européenne de la Turquie. C'est-à-dire nulle part. Ou partout. Citoyen du monde. Cosmopolite. Je crois, en vérité, être né à Paris, rue de Grenelle, dans le 7e arrondissement. Il faut bien s'accrocher quelque part. Je suis français. Et fier de l'être. Mais, à quelques semaines à peine, je me mets à voyager. Je pars pour la Bavière. Je parle allemand avant de parler français. Et si je chantonne quelque chose autour de mes quatre ou cinq ans, ce n'est pas :

> Ainsi font, font, font
> Les petites marionnettes...

mais :

> *Hänschen klein*
> *Ging allein*
> *In die weite Welt hinein...*

MOI : Nom et prénom ?

MOI : Jean, Bruno, Wladimir, François de Paule Lefèvre d'Ormesson.

MOI : Jean, passe encore. Le Baptiste ou l'Évangéliste ?

MOI : Le bien-aimé. L'Évangéliste.

MOI : Mais pourquoi Bruno, pourquoi Wladimir et pourquoi François de Paule ?

MOI : Bruno était un prénom courant dans la famille de ma mère. Wladimir était le prénom du frère cadet de mon père. Mon père s'appelait André. Mon oncle Wladimir est né en Russie où mon grand-père était en poste. Et nous descendons tous d'une sœur de saint François de Paule. Tous les Ormesson depuis quatre ou cinq siècles s'appellent François ou Françoise de Paule.

MOI (consultant ses notes) : D'après plusieurs témoignages, vous auriez droit à un titre ?

MOI : J'appartiens à une famille, probablement d'artisans, qui acquiert un semblant de notoriété au XVIe siècle. Parmi d'innombrables greffiers, notaires, juristes, intendants qui formeront la caste modeste et orgueilleuse des parlementaires, elle se met, avec un esprit d'indépendance, au service du roi. L'histoire commence à la fin du XIVe siècle, du côté d'Enghien, avec un Pierre Lefèvre. Elle se poursuit avec Olivier Ier, conseiller de Michel de l'Hospital et président de la Chambre des comptes. Charles IX veut le mettre à la tête de ses finances, mais Olivier d'Ormesson refuse la charge.

— J'ai mauvaise opinion de mes affaires, aurait dit le roi, puisque les honnêtes gens ne veulent point s'en mêler.

Après des Adam (?), des Jean, des Nicolas, des André,

la gloire de la famille est Olivier, troisième du nom, qui laisse un *Journal* bien connu des historiens et joue un rôle important dans la seconde moitié du XVIIe siècle. Vantons-nous un peu. Un dicton courait à l'époque : « Courageux comme un Guise, spirituel comme un Mortemart, honnête comme un Ormesson. » Dans leur lutte contre Fouquet, maître des finances, protecteur des arts et lettres, seigneur de Belle-Isle qu'il a plus ou moins fortifiée et de Vaux-le-Vicomte, le plus beau château de France au temps où Versailles n'existe pas encore, Louis XIV et Colbert sont convaincus que le rigoureux Olivier d'Ormesson sera leur meilleur instrument pour abattre le fastueux surintendant qui commence à les inquiéter.

Coup de théâtre, longuement commenté dans ses lettres à sa fille par Mme de Sévigné, proche des Ormesson et amie dévouée du mécène de Vaux-le-Vicomte : Olivier d'Ormesson juge, en son âme et conscience, que Fouquet, assurément coupable, ne l'est pas beaucoup plus que tant d'autres – notamment Mazarin ou Colbert lui-même, ennemi juré de l'accusé. Il ne mérite pas la peine de mort. Olivier d'Ormesson opine pour l'exil. Mécontent de tant d'insolence, le roi « commue » l'arrêt d'exil en prison à perpétuité et envoie Fouquet, sous la garde de d'Artagnan, devenu d'ailleurs son ami, dans la sinistre prison de Pignerol.

Désavoué, ruiné, déchu de toutes ses fonctions par un Louis XIV rancunier, Olivier d'Ormesson est mis au ban de la société. Au siècle suivant, les Ormesson n'en obtiennent pas moins du roi, pris peut-être d'un remords rétrospectif, un titre héréditaire : l'aîné de la famille est marquis. Théoriquement, au moins. Plus tard, la République ne reconnaît, du bout des lèvres, que les titres de prince et de duc.

Les cadets, dont je suis, n'ont d'ailleurs droit qu'à des titres de courtoisie, c'est-à-dire à rien du tout. Chateaubriand a réglé l'affaire une fois pour toutes en distinguant dans l'histoire de ceux qui se disent ou qu'on appelle les *aristocrates* trois étapes successives : l'âge des services, l'âge des privilèges et l'âge des vanités.

MOI : Profession ?

MOI : Comme vous y allez ! Cette question-là, je me la suis posée toute ma vie.

Suffisance, peut-être, orgueil, arrogance, je crois pouvoir dire : écrivain. Je suis un écrivain français au temps où les écrivains français, hier encore triomphants à travers le vaste monde, sont en voie, sinon de disparition – il y en a encore beaucoup, et peut-être de plus en plus –, du moins de déclin : ils comptent moins aujourd'hui qu'il y a un siècle ou deux. Je suis le dernier des Mohicans. Un chef-d'œuvre en péril. Une fin de dynastie. Une espèce de dinosaure menacé d'extinction. Il me faudrait des pages et des pages pour expliquer ma réponse.

MOI : Ne vous montez pas le bourrichon. Commençons par le commencement. Vous arrivez en Bavière. Pourquoi ?

MOI : Mon père était diplomate. Il appartenait à une tribu encore autorisée, en ces temps-là, à rouler, avec des plumes sur la tête, dans des carrosses traînés par huit chevaux blancs et entourés de cavaliers en uniforme de parade. Sept ans après la fin de la Première Guerre, la République espérait séparer la bonne Bavière de la mauvaise Prusse. Pure illusion. Si une ombre de résistance se manifeste à Hitler, ce sera plutôt dans les vieilles familles aristocratiques de Prusse. Un ambassadeur représente la France à Berlin. À Munich, il devrait n'y avoir qu'un consul. À la rigueur, un consul général. Mais pour servir les rêves, vite déjoués, du gouvernement français, mon père est ministre plénipotentiaire en Bavière.

MOI : Quel est le rôle de votre père ?

MOI : Mon père, dont j'ai longuement parlé dans plusieurs de mes livres, était un conservateur ou un ultraconservateur en matière de mœurs et un chrétien de gauche en politique. Un disciple du *Sillon* et de Marc Sangnier. Il était ardemment républicain et ardemment démocrate. Avec une nuance de jansénisme. Il combinait un conservatisme social, un idéalisme politique et une extrême rigueur morale. À la façon de ses maîtres, Aristide Briand, Louis Barthou, Philippe Berthelot, il était partisan du rapprochement franco-germanique. Il admirait la culture allemande. Très ennemi de la guerre, au bord parfois de l'antimilitarisme, il croyait avec force à la réconciliation entre les adversaires de la tuerie de 1914.

Sa mission en Bavière est exceptionnellement longue : huit ans. Quand il arrive à Munich en 1925, Hitler, qui a raté son putsch, est en prison. Quand il quitte la Bavière en 1933, Hitler est Reichskanzler.

MOI : Quelles étaient les relations de votre père avec le national-socialisme ?

MOI : Exécrables. Si mon père détestait quelque chose, c'était la dictature. L'évolution de l'Allemagne et de la Bavière a été pour lui une déception et un chagrin.

MOI : Pouvez-vous me dire quelque chose de la vie quotidienne à Munich vers la fin des années 1920 ?

MOI : Mes parents s'étaient fait beaucoup d'amis en Bavière. Des Allemands et des étrangers. Parmi les collègues de mon père, il y avait un nom illustre : le nonce du pape, le futur cardinal Pacelli, qui deviendra Pie XII. J'ai souvent raconté l'histoire du déjeuner ou du dîner du nonce à la légation de France.

J'avais un frère, de quatre ou cinq ans plus âgé que moi. Il était plutôt solitaire et un peu sauvage. Je l'aimais et je l'admirais. Quand je l'agaçais trop, il m'appelait « le moustique ». Mes parents apprirent un beau jour qu'à dix ou douze ans il se faisait de l'argent de poche en jouant le rôle de ramasseur de balles sur les courts de tennis de Munich. Je me souviens de l'affaire comme d'un joli scandale aux allures de catastrophe.

Le matin de la visite du nonce, mes parents font la leçon à Henry. Il est prié d'être très poli, bien propre sur lui, les mains lavées, les cheveux coiffés avec soin, et de ne pas dire de gros mots. Le repas se passe à merveille. Henry se tient fort bien. La dernière bouchée avalée, mon frère, renvoyé dans sa chambre, prend congé de l'éminence en parfait gentleman. Il incline la tête avec respect, il baise l'anneau du nonce et il s'en va. Mais, sur le pas de la porte, il se retourne tout à coup et lance d'une voix de stentor :

— Au revoir, mon vieux !

Tout le monde fait semblant de n'avoir rien entendu. Mes parents sont effondrés. Mais ils espèrent encore que le désastre a échappé au nonce. Selon la tradition, mon père accompagne le futur cardinal jusqu'à sa voiture un flambeau allumé à la main. Et il rejoint ma mère avec accablement, mais plus ou moins rassuré par le calme apparent de l'illustre invité qui ne laisse rien paraître.

Quarante ans plus tard, mon frère, inspecteur général des finances, à la tête d'une mission au Vatican, présente ses respects à Pie XII dans une brève allocution. La délégation est en train de se retirer quand le Saint-Père fait un geste de la main vers mon frère, le retient un instant et lui demande :

— Vous ne dites plus *mon vieux* au pape ?

Mes parents, qui lisaient assez peu, de temps en temps des livres d'histoire et rarement des romans, aimaient beaucoup la musique. Munich les comblait. Ils écoutaient du Bach, du Haendel, du Haydn, du Mozart, du Richard Strauss – et des opérettes. Les noms de Bruno Walter ou de Richard Tauber me reviennent à l'esprit. Et, bien entendu, les refrains de Franz Lehar et de *L'Auberge du Cheval blanc* de Ralph Benatzky – *Im Weissen Rössel am Wolfgangsee* :

Das ist ein Traum, das ist zu schön um wahr zu sein...

Beaucoup de Français venaient à Munich rendre visite à mes parents. Parmi eux, un Rothschild, très lié avec mon père qui le tutoyait – familiarité très rare chez lui. Le baron Robert était descendu d'un taxi à la porte de la légation et mon père avait réglé la course.

— Qu'est-ce que je te dois ? avait demandé le baron Robert.

— Rien du tout, avait évidemment répondu mon père.

Mais dans les réunions où il emmenait son ami, il le présentait comme « le baron de Rothschild, dont je suis le créancier ». Nous nous amusions de peu de chose avec une sorte de naïveté.

La légation était située sur les bords de l'Isar qui arrose Munich. Il y avait, parmi beaucoup d'autres, deux endroits où se retrouvait la société élégante du coin : un hôtel, le Bayerischer Hof ; un restaurant, le Vierjahreszeiten où, un peu plus tard, Joseph Goebbels et sa femme Magda allaient installer leur quartier général et accueillir leurs amis – notamment les deux des six sœurs Mitford qui inclinaient vers le national-socialisme alors que Jessica se prétendait communiste et irait se battre en Espagne dans les rangs républicains : Diana, qui devait épouser Oswald Mosley, le chef des fascistes anglais, avec Goebbels lui-même pour témoin, et Unity, qui se faisait appeler Walkyrie, qui était amoureuse d'Hitler et qui allait se loger dans la tête une balle dont elle ne mourrait même pas. Les deux établissements contribuaient, avec la musique, la célèbre Pinacothèque, les boutiques de mode, les fêtes de la bière et de la saucisse, à la réputation de la ville qui se présentait volontiers comme un petit Paris bavarois.

MOI : Ne noyez pas le poisson. Parlez-moi plutôt de vous et de vos souvenirs d'enfance.

MOI : Contrairement à une réputation peu fondée, ma mémoire est médiocre.

MOI : Faites un effort.

MOI : Je ne fais que ça. Je ne me souviens vraiment que de ce que j'ai lu. Ce que j'ai vécu, en bien ou en moins bien, je l'oublie avec une facilité déconcertante.

Il me semble le plus souvent inventer ce que je prétends me rappeler. On a plus d'une fois accusé mes romans d'être des espèces de Mémoires. Si j'écrivais mes Mémoires, ils seraient un roman. Je me souviens du passé avec désinvolture. Je prépare l'avenir avec une sorte de nonchalance. Je ne vis que dans le présent. Mon témoignage sera suspect de partialité et d'invention.

MOI : N'exagérez pas tout de suite.

MOI : Mon existence à Munich tournait, en dehors de mes parents et de mon frère étroitement unis à moi et omniprésents à chaque instant, autour de deux personnes, toutes les deux allemandes : ma gouvernante, Lala ; un chauffeur dont je me souviens très bien, je ne sais trop pourquoi, Mederer. Fräulein Heller, que j'appelais Lala, me donnait des fessées avec une brosse à cheveux – côté poils dans les cas graves. Je la trouvais belle. Je l'adorais. Mederer m'emmenait me promener dans un bois où se tenaient des kermesses et où s'élevait une centrale électrique dont j'avais du mal à prononcer le nom allemand. J'avais cinq ou six ans. Une quinzaine d'années plus tard, pendant que nous déplacions nos petits drapeaux rouges sur la carte de l'Europe et que nous fêtions notre victoire aux côtés de Staline, je me suis souvent demandé avec tristesse et effroi ce qu'étaient devenus dans la tourmente et Lala et Mederer.

Mon père n'avait pas de fortune personnelle. L'argent ne l'intéressait pas beaucoup et l'ennuyait plutôt. C'est pour cette raison que le château de famille, Ormesson, à une quinzaine de kilomètres de Paris – Diderot le comparait, à cause de ses douves, à une bouteille de champagne renversée dans un seau à glace –, était passé aux mains de Wladimir, le frère cadet que mon père aimait tendrement. Très bien physiquement, très aimable, élégant et charmant, formé au Maroc à l'école de Lyautey, puis installé à Ormesson où il recevait le Tout-Paris avant de connaître une carrière brillante, Wladimir avait épousé une Cubaine qui portait le nom époustouflant de Maria Concepcion – ou Conchita – Guadalupe de Malo y Zayas-Bazan. Sa fortune ne prêtait pas à rire. Mon père n'était pas démuni pour autant. Il avait épousé la fille du propriétaire d'un autre château, plus vieux, plus grand, plus illustre qu'Ormesson et qui allait jouer dans ma vie un rôle considérable : Saint-Fargeau.

Je crois que le mariage de mon père et de ma mère – nous ne savons jamais grand-chose de la vie sentimentale et sexuelle de nos parents – était un mariage arrangé. Il allait se transformer en mariage d'amour. Je n'ai jamais vu mon père sans veste, sans col dur, sans cravate. Et je n'ai jamais perçu ni chez mon père ni chez ma mère la moindre velléité de regarder une autre femme ou un autre homme. Si quelque chose a marqué mon enfance, c'est l'amour. Un amour calme, sans tempêtes, sans fureur. Mais un amour fort. L'amour durable des parents entre eux. L'amour exigeant des parents pour leurs enfants. L'amour, mêlé de respect, des enfants pour leurs parents.

Mon père aimait beaucoup la compagnie des femmes. Une caricature le représentait entouré de femmes supérieures : une géante, une fille haut perchée sur un tabouret de bar, une femme de ménage juchée sur une échelle. Il les préférait aux hommes, qu'il soupçonnait souvent d'être malhonnêtes ou brutaux. À notre stupeur, lui que les chevaux intéressaient si peu avait acheté un chapeau melon ou peut-être même haut de forme pour accompagner aux courses une Argentine d'une beauté célèbre, Mme Martinez de Hoz. Mais ce qu'il aimait chez les femmes – nous en riions souvent –, c'était de converser avec elles. Et, même s'il ne roulait pas sur l'or, méprisant plutôt l'argent avec sincérité, son existence quotidienne et celle de sa famille étaient pourtant assurées puisqu'il gagnait sa vie en travaillant et qu'il était diplomate. J'ai passé une moitié de mon enfance dans des châteaux de famille et l'autre moitié sous les lambris dorés des salons de la République dans les pays étrangers.

MOI : Voilà déjà beaucoup de choses qui se mêlent et s'enchevêtrent : des mariages, l'argent, des châteaux, la République, la tradition et la démocratie. Il y a du louche là-dessous.

MOI : Rien de très louche. Il y a la vie. Elle est souvent compliquée.

D'origine modeste, fiers pourtant de leur lignée, les Ormesson appartiennent pendant deux ou trois siècles à la caste remuante et orgueilleuse de la noblesse de robe. Assez loin de la noblesse d'épée chère au duc de Saint-Simon et dont les grands noms remontent aux origines de la monarchie française, la noblesse de robe tient une place importante à partir du XVIe siècle aux côtés du roi et souvent contre lui.

Les Séguier ou les Lamoignon, exécrés par le même Saint-Simon, un peu plus tard les Maupeou, les d'Aguesseau, les Malesherbes, puis les Molé ou les Pasquier, leurs lointains héritiers, sont des noms qui se confondent avec l'histoire de France. Les Ormesson font partie de cette troupe, sans cesse ballottée entre principes et ambitions et qui s'enrichit peu à peu. Les uns et les autres participent avec enthousiasme aux Lumières et aux débuts de la Révolution. Et beaucoup d'entre eux sont victimes de la Terreur. Au XIXe siècle, leurs successeurs constituent le fer de lance de la bourgeoisie triomphante. À l'image de Louis-Philippe, fils de régicide et roi des Français, ils sont des espèces de bâtards déchirés entre une tradition à laquelle ils se rattachent et une démocratie qu'ils contribuent à installer.

Pour honorables et respectables qu'ils soient, ces représentants de ma famille de sang et d'esprit sont bien moins intéressants que les révolutionnaires d'extrême gauche ou que les héros risque-tout à la Bonaparte, à la Bernadotte, à la Murat, à la Moreau – peut-être même sont-ils moins intéressants que les réactionnaires renfrognés, désespérés et recuits à la Cadoudal, à la Bonald, à la Maistre, à la Barbey d'Aurevilly. Bien plus tard, Charles de Gaulle sera à lui tout seul le dernier représentant de ces trois familles à la fois.

Loyalistes, indépendants et proches du jansénisme vers la fin de l'Ancien Régime, libéraux aux temps de la Restauration et de la monarchie de Juillet, démocrates sous la République, les Ormesson ont servi tous les régimes, sauf l'Empire. Successeur de Necker, le père de Mme de Staël, un Ormesson est contrôleur général des Finances – sans grand succès... – en 1783. Assez vite, il cède la place à Calonne. Élu maire de Paris en 1792, il refuse le poste. Avant d'être guillotiné, un autre d'Ormesson contribue à sauver ce qui deviendra notre Bibliothèque nationale d'aujourd'hui.

Il n'est pas facile de suivre l'évolution de la fortune familiale au XVIIIe et au XIXe siècle. Ruinée par Louis XIV, il semble qu'elle se soit rétablie au XIXe. Un de mes arrière-grands-pères était l'heureux propriétaire de quatre villas sur l'actuelle promenade des Anglais à Nice, à peu près à la hauteur de l'hôtel Negresco. Malheureusement, il a eu l'idée funeste de les vendre autour de 1900. La crise de 1929 et le krach de plusieurs banques auxquelles nous étions plus ou moins liés par des liens familiaux n'ont pas arrangé les choses.

J'ai déjà indiqué, juge au-dessus de tout soupçon, que mon père attachait peu d'importance à l'argent. Aussi peu qu'à la météorologie, au sport, à la voyance, à la mystique, au snobisme. Il croyait au mérite, au travail, à la raison et à la démocratie. Nous avions des chauffeurs, des cuisiniers, des maîtres d'hôtel, des femmes de chambre et même des valets de pied parce que mon père avait un rang à tenir. C'était une habitude, un tic, une manie vaguement irritante : comme son père, comme son frère Wladimir plus tard, comme son beau-frère, le mari de sa sœur Yolande qui avait un peu de génie et, à l'instar de plusieurs femmes de la famille, un léger grain de folie, il représentait la France à l'étranger.

L'argent de la République, mon père ne le gardait pas pour lui. Il le dépensait au service de l'État dont il était le serviteur. Il se moquait de ses collègues qui faisaient grand usage de glace pour économiser le champagne ou qui rognaient sur les fleurs et sur les menus des dîners officiels pour se constituer des retraites. La représentation de la France, aux yeux de mon père, ne tolérait pas les mesquineries.

Il y avait pourtant quelque chose qui ne collait pas toujours avec son attachement passionné à la démocratie et qui ne cessait de m'étonner : c'était sa conception du *milieu.*

MOI : Le *milieu* ? C'est quoi, ça ? Parlez-moi un peu de ce *milieu* qui ne devait pas être, j'imagine, celui de la Mafia ni des mauvais garçons ?

MOI : C'était une affaire de langage, de tenue, de manières de table. Les Anglais du siècle dernier, autour des années 1960 ou 1970, avaient inventé la distinction entre *U* et *Non-U* – sans qu'on ait jamais su très bien ce que signifiait la voyelle *U. University*, peut-être ? Ceux qui en sortaient et ceux qui n'en sortaient pas ? Ou peut-être plutôt *upper class* et *non-upper class* ? Aux yeux de mon père, de ma mère, de mes grands-parents, de leurs amis et connaissances, en dépit des différences, souvent considérables, d'origine, de fortune, de religion, d'opinions politiques, s'imposait un code de conduite auquel il n'était pas question de ne pas se soumettre.

Une façon de s'habiller d'abord. Il y avait des tenues de cérémonie, de deuil, de voyage, de sport, de printemps et d'hiver. On portait le smoking, l'habit, le frac, des vêtements d'intérieur, des vestes de velours ou de tweed, des chapeaux hauts de forme, des feutres, des melons, des souliers noirs ou jaunes, des escarpins, des mocassins, des manteaux noirs et des houppelandes. Les femmes, naturellement, suivaient des modes changeantes, commandées par des couturiers qui s'appelaient Worth, Chanel, Lanvin ou Balenciaga – j'ai entendu un ami de mon père, Pasteur Vallery-Radot, qui s'en fichait un peu, dire que sa femme s'habillait chez Madeleine

chas, Carven, Fath ou Dior. Les romans décri-
se lasser les robes des femmes du monde, des
des aventurières, des vedettes.

aque classe sociale avait ses codes et ses tenues et il était impératif de s'y tenir. Les hommes pouvaient se vêtir à la mode de leurs pères ou de leurs grands-pères. Ils avaient aussi le droit d'innover – jusqu'à un certain point. Un soupçon d'originalité pouvait être toléré, entraînant une ombre d'ironie ou de réprobation. Le genre artiste, les styles campagnard ou dandy n'étaient pas exclus. Mais les règles restaient sévères. Il était impossible de porter une pochette assortie à la cravate ou une cravate à pois sur une chemise à rayures, et les souliers jaunes ne pouvaient être exhibés qu'après le Grand Prix de Longchamp.

Le langage était un domaine plus subtil encore que le vêtement. Une grossièreté de langage était acceptable sous certaines conditions. Il était permis de dire « Merde » ou « Connard », mais interdit de prononcer des mots tels que « Mince ! » ou « Au plaisir ! ». « Bonjour ! » au contraire, « Bonsoir ! », « Merci », « Pardon ! » étaient recommandés. Mais « Bon appétit ! » ou « Bonne continuation ! » étaient bannis avec rigueur. On avait le droit et peut-être le devoir de « causer », mais « échanger » était intolérable. On disait « dix heures du soir » et « après le dîner », mais jamais « vingt-deux heures », réservé à la S.N.C.F., ni « ce midi ». Nous prenions des petits déjeuners, nous déjeunions, nous goûtions, nous dînions, nous soupions, nous raffolions des raouts et des médianoches, nous croquions et nous chipotions, mais nous ne « mangions » jamais. La seule idée de « manger avec » Pierre ou Paul suffisait à nous révulser. La convivialité, la solidarité, le partage n'étaient pas notre fort. Nous discriminions. La comtesse Greffulhe

– Deux yeux noirs dans du tulle :
La comtesse Greffulhe –

et la comtesse de Chevigné traitaient Proust, qui les adorait toutes les deux et qui s'inspirera d'elles pour sa duchesse de Guermantes, avec méfiance et distance. Elles le trouvaient « collant », indiscret et bavard. Dans mon milieu, sauf mon père, on communiquait très peu, on ne parlait pas beaucoup. Ou on parlait de chasse, de fêtes, de mariages, d'enterrements – les enterrements, souvent assez gais malgré les larmes puisque les morts avaient la chance de voir Dieu, étaient des fêtes comme les autres – et du temps qu'il faisait. Le mieux, le plus souvent, était de se taire et de ne rien dire du tout.

MOI : N'en faites rien. Innovez.

MOI : Les codes du milieu culminaient avec les manières de table. Des pages et des pages, des manuels, des travaux savants ont été consacrés par des femmes du monde, par des ethnologues, par la baronne Staffe et par Claude Lévi-Strauss aux sacro-saintes manières de table. Les parents apprenaient aux enfants à ne pas parler la bouche pleine, à ne pas mettre leurs coudes sur la table, à peler les poires et les pêches, à se servir comme il fallait du couteau, de la fourchette et de la cuillère.

Aucun de ces instruments ne devait jamais, en aucun cas, reposer à la fois sur la table et sur l'assiette. Ils avaient le droit d'être placés sur la table. Ils avaient le droit d'être posés sur l'assiette. Mais jamais, au grand jamais, à la fois sur l'une et sur l'autre.

Le milieu, aux yeux de beaucoup ou de quelques-uns, et aux yeux de mon père, républicain et démocrate avec sincérité, était d'abord une façon de se tenir. Léon Blum, Sacha Guitry et le duc de Brissac se tenaient à peu près de la même façon. Et, en ce sens, ils appartenaient au même milieu. Léon Blum, peut-être avec un peu plus d'élégance et, bien entendu, de culture. Il était ami de Gide et de Paul Valéry. Sacha Guitry avec désinvolture et un semblant de provocation. Le duc de Brissac, parce qu'il était le duc de Brissac, avec un peu plus de sans-gêne et de laisser-aller bon enfant. Il était polytechnicien et il aimait Sully Prudhomme.

Le milieu culminait dans le mariage. On se mariait dans son milieu. Et de préférence avec un peu de fortune. La terreur des parents était de voir leur rejeton se marier hors de son milieu. L'erreur à ne pas commettre est de croire que le milieu se réduisait à l'argent. Mieux valait épouser quelqu'un sans le moindre sou mais de son milieu que quelqu'un bourré de fric mais hors de son milieu.

Il va sans dire, témoin du temps qui passe, que, si chère à mon père, la notion de milieu est l'une des grandes victimes du mouvement des idées et du changement des mœurs. Elle survit encore, mais pâlotte et à la marge. On n'imagine toujours pas le Premier ministre arrivant à l'Assemblée nationale en débardeur et en jean. Mais enfin chacun a tendance aujourd'hui à s'habiller comme il veut. Les règles sont devenues floues. Peut-être pas au Jockey Club. Mais à l'Académie, à l'église, dans les conseils d'administration, et même au gouvernement. La cravate est encore portée un peu partout. Mais un peu partout, elle peut aussi ne pas l'être.

Entre portable et McDo, les manières de table ne sont plus que matière à plaisanterie. Les choses changent si vite que les règles du savoir-vivre n'en finissent pas d'être bousculées, même dans les régions de la société où elles régnaient sans partage. À l'époque de mon père, il ne serait venu à l'idée d'aucun homme de son *milieu* – et de celui d'Édouard Herriot, de Léon Blum, de Sacha Guitry, de Maurice Chevalier – de rester assis à table devant une femme debout. Aujourd'hui, la maîtresse de maison ne cessant de se lever pour s'occuper de la cuisine, tout homme se prétendant bien élevé se doit de rester assis sous peine de ridicule ou d'affectation blessante. Tout le monde sait que les règles du langage se défont peu à peu et que chacun s'exprime aujourd'hui à son gré. Et l'idée de se marier dans son milieu est devenue pour tous les jeunes gens une sorte de conte de bonne femme pour enfants arriérés.

MOI : Vous parlez, vous parlez... Faut-il vous rappeler que nous sommes toujours à Munich et que vous avez entre six et huit ans ? Avez-vous des amis ? Des amies ? Un début de vie sentimentale – ou peut-être sexuelle ?

MOI : On voit bien, honorable Sur-Moi, que vous êtes de votre temps. Même à six ans, je suis déjà beaucoup plus vieux. J'ai beau fouiller dans ma mémoire – et pas seulement à Munich, mais aussi, plus tard, à Bucarest ou au Brésil –, ni ami ni amie.

Je ne farfouille pas sous la table, je ne m'enferme pas dans les toilettes, je ne joue pas au docteur. Je ne grandis pas à l'ombre de Freud. Ni du Gide de *L'Immoraliste* ou de *Si le grain ne meurt.* Mais plutôt du catéchisme, de la comtesse de Ségur, de Corneille et de Lamartine. C'est bien plus tard seulement que j'essaierai, tant bien que mal, et plutôt mal que bien, de me rattraper un peu.

MOI : Nous verrons cela en son temps. Tenons-nous-en plutôt, pour le moment, à ce que vous faites à Munich.

MOI : Ce que je fais dans une Bavière d'après-guerre ravagée, comme le reste de l'Allemagne, par une inflation galopante dont le spectre hante encore les esprits ? Je commence à apprendre l'orthographe et le calcul dans les jupes de ma mère.

L'orthographe, que j'ai pourtant naturelle, m'apparaît non seulement comme un cortège d'exceptions mais comme un abîme d'arbitraire. *Imbécile* et *imbécillité, chariot* et *charrette* me plongent dans des gouffres de perplexité. Et je me demande, je m'en souviens très bien, pourquoi 2 et 2 ne font pas 22 au lieu de 4. Et je lis. Je lis à peu près tout ce qui peut me tomber sous la main. Les affiches sur les murs, les ordonnances des médecins, les prospectus dans la rue, les journaux pour enfants. Tintin n'est pas encore né. Mes préférés sont Bicot et Bibi Fricotin. Un peu plus tard, les Pieds Nickelés.

Bicot, capitaine du club des Rantanplan, a une sœur, Suzy, qui est snob et des amis dépenaillés qui s'appellent Jules, Ernest et Auguste. Il joue au foot avec eux. Ou peut-être au base-ball. Quand il participe à un concours de pastèques et qu'il avale des pastèques jusqu'à la nausée pour décrocher le grand prix qui, tonnerre de Dieu !, sera encore une pastèque, je me tordais de rire. Quand, mécontent de sa sœur pour une raison ou pour une autre, Bicot lui déclare pour l'embêter devant le groupe de jeunes bêcheuses dont elle aime à s'entourer qu'il va dire à ces dames comment elle a découpé la culotte beige qu'il déteste dans le velours des rideaux, j'étais transporté de bonheur.

Les Pieds Nickelés, c'était autre chose. Avec les trois escrocs rigolards et flemmards – Croquignol au long nez, Filochard et son bandeau sur l'œil, Ribouldingue à la barbe hirsute –, c'était le poison de la transgression que j'absorbais sans me lasser. Je les suivais avec passion dans les restaurants de luxe où ils grugent le patron en fumant ses cigares, sur les plages à la mode où ils ratent leurs coups tordus et dans les voitures longues et rapides où, toujours hilares et goguenards, ils fuient les flics vers de nouvelles aventures.

MOI : Vous vous foutez de moi ? Ne perdez pas le temps du tribunal. Nous ne sommes pas là pour écouter vos fadaises. Comment se sont formés votre caractère incertain et votre personnalité plutôt douteuse ?

MOI : Je n'étais ni sanguin, ni colérique, ni mélancolique, ni imperturbable. J'appartenais à la famille bénie et maudite des grands nerveux qui sont le sel de la terre. Nerveux, mon père l'était peut-être plus encore que moi. J'ai cru comprendre, beaucoup plus tard, qu'il avait été soigné dans sa jeunesse pour des troubles nerveux qui se combinaient avec un rhume des foins carabiné dont j'ai hérité à mon tour.

Une des phrases que j'entends le plus souvent dans mon enfance est : « Le petit est agité » ou « Le petit est fatigué. » Le petit, c'était moi. Ma fatigue, aux yeux de mes parents, se traduisait par mon agitation. À la fin de notre séjour en Bavière, vers l'âge de sept ou huit ans, ma mère, un beau jour, fait venir un médecin qui me recommande, je l'entends encore d'ici, de me reposer « en ne pensant à rien ».

— Penser à rien, lui dis-je, c'est impossible. Je pense tout le temps à quelque chose.

Presque à rien, d'ailleurs. Mais, enfin, à quelque chose.

Je me rappelle vaguement la fille d'un tailleur de Munich qui doit avoir quelques années de plus que moi et qui porte une robe rouge. Elle me plaisait beaucoup. Je pensais souvent à elle. J'aurais aimé la revoir. Mais ce qui me marque, j'imagine, même à l'âge de six ans, beaucoup plus que les amours enfantines, c'est l'histoire en train de se faire. Et elle n'est pas très gaie. Dans l'Allemagne de cette époque, l'amertume de la défaite, les conditions du traité de Versailles, trop faible pour ce qu'il avait de dur, trop dur pour ce qu'il avait de faible, l'inflation, le chômage, la crainte du communisme, la désagrégation sociale font le lit du national-socialisme.

J'ai raconté plus d'une fois un de mes souvenirs les plus anciens. Je suis installé au balcon de la légation et je regarde défiler derrière un drapeau rouge avec une drôle de croix noire dans un cercle d'argent une troupe de jeunes gens qui chantent – très bien – sous les applaudissements de la foule. Entraîné par l'allégresse générale, j'applaudis à mon tour. Et, surgi soudain par surprise derrière moi, mon père m'allonge, avec beaucoup de douceur, la seule gifle qu'il m'ait jamais donnée.

Plus tard – j'invente peut-être le lien avec la scène que je viens de raconter –, mon père, qui était la tolérance même, m'explique qu'il y a une limite à la tolérance : c'est l'intolérable.

L'intolérable, je l'ai connu, jour après jour, au petit déjeuner. Vers la fin du séjour à Munich de mon père qui avait sauvé pas mal de Juifs allemands en leur accordant des visas et qui ne cachait pas son opinion sur Hitler, le courrier nous apporte tous les matins des lettres d'injures, des menaces, des photos du ministre de France découpées dans les journaux avec les yeux crevés. Je comprends entre six et huit ans que le monde, si calme et si rassurant entre mes deux parents, aux côtés de mon frère, avec Lala et Mederer, est délicieux et tragique.

Le Quai – le sacro-saint Quai d'Orsay, c'est-à-dire le ministère des Affaires étrangères – finit par s'émouvoir de la situation difficile de mon père à Munich en 1933, année de la prise du pouvoir par le national-socialisme. Il décide de l'envoyer à Bucarest, en Roumanie.

MOI : Vous avez détesté la Bavière ?

MOI : Je l'ai beaucoup aimée. En dépit de Hitler. Ses lacs, ses châteaux, ses églises baroques, ses Alpes au loin sont le décor de mon enfance. Ses garçons en culottes de cuir avec leurs larges bretelles – j'ai porté moi-même une de ces lourdes culottes qui vous transformaient en fils de Minos et de Pasiphaé – et ses filles blondes aux yeux bleus que nous apercevions rassemblés autour de la fontaine au cœur des villages que nous traversions à bord de la Renault conduite par Mederer, j'avais envie de les connaître et de jouer avec eux. J'écoutais mes parents parler de Linderhof, de Hochschwangau, de Neuschwanstein, les châteaux enchantés et délirants où Louis II de Bavière, le roi romantique et fou, petit-fils de Louis Ier, l'amant de Lola Montez, recevait Richard Wagner et sa femme Cosima, la fille de Liszt et de Mme d'Agoult. J'aimais déjà les mots et les noms venus d'ailleurs. Je rêvais de Nuremberg dont on me vantait les beautés, de l'Allgäu, de Berchtesgaden, appelé à devenir tristement célèbre, de Garmisch-Partenkirchen où les jeunes Bavarois allaient se livrer à un sport qui m'intriguait déjà : le ski. J'aimais surtout les lacs de Bavière aux noms pleins de charme et de mélancolie : l'Ammersee, le Chiemsee, le Tegernsee – théâtre, un an après le départ de mon père, de la première tuerie du national-socialisme : le massacre des S.A. de Röhm par les S.S. de Hitler –, le Starnbergersee. Mes parents louaient pour les beaux jours une villa à Tutzing sur les bords du Starnbergersee. Bien avant Saint-Fargeau et les forêts de Puisaye, un peu de mon cœur est resté à Tutzing que j'aimais à la folie, qui s'est changé en souvenir dans un temps disparu et que je ne reconnaîtrais sans doute même plus si me venait à l'esprit l'idée funeste de retourner à tâtons dans cette légende évanouie.

MOI : Ça va, ça va. Ne vous emballez pas. N'en parlons plus. Vous voilà en route pour les Carpates.

MOI : Nous avons entrepris trois fois le voyage de Paris à Bucarest. La première fois en train, grâce à une branche de l'Orient-Express. Trois jours et deux nuits en train de luxe, aux cabines entièrement de bois. Une espèce de rêve ambulant. La deuxième fois en voiture à travers la Suisse, l'Autriche, la Tchécoslovaquie – un pays disparu –, les plaines interminables de la Puszta hongroise et la Transylvanie. Tous les rêves et les charmes de la *Mitteleuropa*. Je suis un enfant de la Bavière et de la

Mitteleuropa. Quelque part en Hongrie, c'est-à-dire nulle part, nous nous sommes perdus et nous avons appelé à notre secours un paysan qui se trouvait là par hasard. Nous lui avons demandé en allemand où menait la route que nous avions empruntée. Il nous a longuement regardés et il nous a répondu avec calme :

— *Geradeaus.* « Elle va tout droit. »

La troisième fois, nous avons choisi le bateau. Nous nous sommes embarqués à Venise. Nous sommes passés par Istanbul où Rumeli Hisar et Anadolu Hisar, les deux tours jumelles élevées par les Ottomans sur les deux rives du Bosphore, m'ont plu au moins autant que Sainte-Sophie, la mosquée Suleymaniye ou Topkapi. Et nous avons débarqué à Constanza, en Roumanie, sur les bords de la mer Noire – la ville où Ovide, exilé par Auguste pour des raisons obscures, pleurait toutes les larmes de son corps et écrivait ses *Tristes* et ses *Pontiques* en rêvant des délices perdues de sa Rome bien-aimée.

C'était la première fois que, dans une espèce de brouillard très bref, je découvrais cette Venise où je devais être si heureux plus tard et revenir si souvent. J'avais neuf ans. Les palais, les musées, le pont du Rialto, l'Arsenal, la basilique Saint-Marc, l'invraisemblable palais des Doges, si léger vers le bas et si massif vers le haut, les splendeurs de la Sérénissime me passaient par-dessus la tête. Le souvenir que j'en garde est très vague. Beaucoup plus vague que celui de la tempête violente que nous réservait la mer Noire. La mer Noire, que les Romains, par antiphrase, appelaient le Pont-Euxin – c'est-à-dire la mer bienveillante ou hospitalière –, peut être redoutable. Je me souviens presque avec horreur de ces heures cruelles, non pas de peur, mais, pire, de mal de mer.

Nous débarquions. C'était le bonheur. Après avoir franchi les Portes de fer, un paysage inconnu s'ouvrait enfin à nous. Le Danube coulait au loin. Nous pénétrions en Valachie. Et nous arrivions à Bucarest.

Bucarest, en ces temps-là, était le bout, sinon de l'univers, du moins de l'Europe, et tout un chacun y parlait le français. Dans la rue, vous pouviez demander l'heure ou votre chemin en français au premier venu avec de bonnes chances de succès. Je suis retourné à Bucarest vers la fin du siècle dernier. Je me doutais bien que le français avait reculé. Je m'imaginais que l'allemand l'avait remplacé. C'était une erreur. Aujourd'hui, en Roumanie comme ailleurs, après un demi-siècle de tragédies et d'épreuves, la *lingua franca* est l'anglais.

Tout le monde, en 1933, parlait notre langue à Bucarest non seulement parce que le français régnait encore sur l'Europe depuis les traités de Westphalie, depuis Frédéric II de Prusse, ami de Voltaire, depuis la grande Catherine, amie de Diderot, depuis les précepteurs, les gouvernantes, les actrices, les cuisiniers français du XIXe siècle, mais aussi parce que la Roumanie était un pays non pas slave comme on le croit trop souvent, mais latin. Plus tard, au Conseil exécutif de l'Unesco, j'entendrai un président de séance, venu de l'Inde ou d'Amérique du Sud, classer les États membres par grandes régions culturelles : les pays anglo-saxons, les pays latins, les pays scandinaves, les pays germaniques, « les pays slaves : Pologne, Yougoslavie, Bulgarie, Roumanie, U.R.S.S... », et je verrai le délégué roumain se lever avec indignation :

— Monsieur le président ! La Roumanie n'est pas un pays slave, mais un pays latin !

Les Français, à cette époque, n'en savaient guère plus sur la Roumanie que notre président indien ou sud-américain. Il arrivait aux dépêches du Quai d'Orsay lui-même de confondre, à la fureur de mon père, Bucarest avec Budapest. Tout opposait pourtant la Roumanie à la Hongrie, profondément divisées sur le problème épineux de la Transylvanie, disputée entre les deux nations. Mais un point les unissait : à la différence de la Pologne, de la Bulgarie, de la Serbie, de la Croatie, de la Slovénie et de la Russie, ni la langue hongroise ni la langue roumaine ne sont des langues slaves : le hongrois est une langue finno-ougrienne, le roumain est une langue latine.

À partir de Trajan, les légions établies sur le limes de l'Empire romain ont laissé des traces profondes dans l'ancienne Dacie. Avec des emprunts nombreux aux cultures turque, allemande et slave, la langue roumaine, assez proche du portugais, est fille de la Rome antique. Au bout de quelques semaines, nous parvenions, sinon à lire le journal, du moins à comprendre sans trop de peine de quoi il retournait.

Très vite, mon père se sentit très à l'aise dans son nouveau poste. Je crois que les trois années qu'il passa à Bucarest furent parmi les plus heureuses de sa vie. La Roumanie, entre les deux guerres, était une petite nation récente, agricole, plutôt pauvre, encore à l'écart de la modernité mais détentrice d'une richesse qui commençait à compter : le pétrole. Dès qu'il avait été question de son transfert à Bucarest, mon père, toujours scrupuleux à l'excès, avait tenu à vendre, pour mieux rester au-dessus de tout soupçon, le peu de valeurs pétrolières qu'il détenait en Bourse. Sa décision ne lui coûta pas beaucoup. Il n'aimait pas la Bourse ni ceux qui y spéculaient. Et, tout au long de sa mission, son action fut, de très loin, plus politique qu'économique.

Il s'était lié avec deux hommes qui jouaient un rôle important sous le règne du roi Carol II, un Hohenzollern, fils de Ferdinand Ier : Gheorghe Tataresco et Nicolas Titulesco.

Tataresco était président du Conseil, mais le plus remarquable des deux était Titulesco. L'air d'un Mongol venu du fond de l'Asie, d'une intelligence brillante, très ami de la France dont il maniait la langue avec une rare perfection, Titulesco, qui avait présidé la Société des Nations, annonciatrice de nos Nations Unies et chère au cœur de mon père mais bientôt vouée à l'impuissance, jouissait, à cette époque, d'une grande réputation en tant que ministre roumain des Affaires étrangères.

Coincée entre l'Allemagne, à qui elle devait sa dynastie royale, et l'U.R.S.S. de Staline, la situation de la Roumanie à l'époque où Hitler prenait le pouvoir à Berlin était très difficile. Ses relations avec la Hongrie, déjà mauvaises à cause du brandon de discorde que constituait la Transylvanie, étaient devenues pires encore depuis que le régent Horthy, ancien aide de camp de l'empereur François-Joseph d'Autriche et ancien commandant en chef de la flotte austro-hongroise – d'où son titre paradoxal d'amiral dans un pays sans aucun accès à la mer –, régnait en dictateur à Budapest. Déjà lié à l'Italie de

Mussolini, Horthy n'allait pas tarder à se rapprocher de l'Allemagne de Hitler. La Roumanie, en revanche, avait établi sous le nom de « Petite Entente » des liens avec la Yougoslavie et la Tchécoslovaquie. Comme Nicolas Titulesco, mon père était très attaché à la Petite Entente à qui le rapprochement germano-yougoslave et surtout le démembrement de la Tchécoslovaquie à Munich en 1938 allaient porter des coups fatals.

Le problème majeur de la Roumanie à partir de 1933 était de survivre entre les pressions opposées de l'Allemagne nationale-socialiste de Hitler et de la Russie communiste de Staline. C'était un exercice sans cesse répété d'équilibre et de haute voltige. S'il fallait absolument choisir entre ces deux maux, entre la peste et le choléra, mon père, qui était très loin d'avoir des sympathies d'extrême gauche, penchait, dans l'urgence, comme Churchill et de Gaulle plus tard, et comme Titulesco, pour un rapprochement avec l'U.R.S.S. Il pensait que le péril le plus grand et le plus immédiat venait de Hitler qui accumulait mensonge sur mensonge et d'un national-socialisme dont il avait pu mesurer l'insatiable appétit.

À plusieurs reprises, mon père fut invité à participer en observateur au Conseil des ministres roumain. Il tirait de ce privilège et de cet hommage rendu à la France satisfaction et fierté.

MOI : Vous aviez entre huit et onze ans. J'imagine que cette haute politique passait un peu au-dessus de votre tête, que vous ne compreniez pas grand-chose à ces jeux du pouvoir et que vous reconstruisez après coup tout ce qui vous échappait en ces temps-là ?

MOI : La politique était mêlée intimement à notre vie familiale. Les noms des Duca, des Bratianu, des Iorga, des Maniu, m'étaient, à dix ans, aussi familiers que les noms de Briand, de Barthou, de Chautemps ou de Blum. Et je me souviens très bien de la soirée du 9 octobre 1934 et de l'accablement de mon père à la nouvelle qu'il venait d'apprendre.

MOI : Quelle nouvelle, enfant prodige ? Que s'est-il donc passé de si important pour vous le 9 octobre 1934 ?

MOI : Le 9 octobre 1934, le roi Alexandre Ier de Yougoslavie, en visite officielle en France, et Louis Barthou, fervent défenseur de la Petite Entente, partisan d'une alliance contre Hitler avec l'U.R.S.S. et ministre des Affaires étrangères dans le gouvernement Doumergue, sont assassinés à Marseille par les oustachis ultranationalistes d'Ante Pavelitch. Pour mon père, c'était un désastre et la fin de grandes espérances. Je le vois encore effondré sur une chaise et pleurant à chaudes larmes. Ce moraliste conservateur en avance sur son temps était un grand nerveux comme moi, et plus encore que moi, et un sentimental rentré.

MOI : Si vous le voulez bien et si votre implication autour de neuf ou dix ans dans les arcanes de la politique internationale vous en laisse le loisir, j'aimerais beaucoup en savoir un peu plus sur votre vie à Bucarest entre les deux guerres et sur les souvenirs personnels que vous pouvez en garder.

MOI : Au cœur de Bucarest courait l'avenue la plus célèbre de toute l'Europe de l'Est : la Calea Victoriei. Sur une place au bout de la Calea Victoriei s'élevait un hôtel mythique, construit dans les premières années du

XXe siècle sur le modèle de l'hôtel Meurice et du Ritz à Paris : le fameux Athénée Palace, centre de toutes les élégances, de toutes les conversations et de toutes les intrigues. La résidence était située, et l'est toujours, je crois, strada Biserica Amzei. Un escalier de quelques marches menait à un jardin qui me paraissait immense et où nous avions le droit de nous promener et de jouer, mon frère et moi. Une photographie de l'époque, que je garde comme un trésor, représente mon père entre ses deux fils sur les marches de cet escalier. Mon père est en uniforme. Henry et moi portons une tenue assez étrange qui est censée s'inspirer des costumes d'Eton. Cette photographie n'est pas la seule à me rappeler les jours évanouis de mon enfance. Sur une autre, prise à Munich, je respire, demi-nu, à l'âge d'un an ou un an et demi, une rose effeuillée. Sur une autre encore, un peu plus tard, je suis déguisé en Indien. Une troisième, toujours à Munich, reproduit un tableau où, coiffé à la Jeanne d'Arc, je suis vêtu, presque en fille, d'une espèce de blouse rouge. Le nom de l'auteur du tableau, une femme peintre allemande, me revient soudain à l'esprit : Tina Ruprecht, ou quelque chose comme ça. Une quatrième – jamais trop de jalons sur le chemin de la vie, jamais trop de souvenirs, jamais trop de sentiments – me représente en enfant de chœur aux côtés de mon frère et de mon cousin Jacques dans la chapelle du château de Saint-Fargeau.

À l'intérieur de la résidence de France à Bucarest, je me souviens, au premier étage, d'une sorte de mezzanine, d'un balcon arrondi, d'où il était possible d'observer les allées et venues des invités en train de pénétrer dans la légation. Mon frère et moi, nous nous y installions volontiers en spectateurs ironiques. Un soir, le dîner a été troublé par un phénomène terrifiant qui se produisait dans la région à intervalles réguliers : un tremblement de terre. Les lustres se balançaient au plafond, les murs se fendillaient, la vaisselle tombait à terre. Les invités restaient assez calmes : ils étaient habitués.

Mes parents recevaient beaucoup. Parmi les silhouettes familières figuraient notamment deux femmes exceptionnelles, célèbres en leur temps, bien oubliées aujourd'hui et avec qui mon père s'était lié : Marthe Bibesco et Hélène Vacaresco. Elles poursuivaient l'une et l'autre de leurs assiduités mon père qui les appréciait et les aimait beaucoup l'une et l'autre. Et elles se détestaient avec une belle ardeur.

Ces deux dames éminentes n'étaient pas les seuls sujets roumains à illustrer la langue et la culture françaises. Tzara, le fondateur du groupe Dada à Zurich pendant la Première Guerre était d'origine roumaine. Le sculpteur Brancusi ou l'historien Mircea Eliade, auteur du *Mythe de l'éternel retour* et des *Techniques archaïques de l'extase*, étaient eux aussi à la fois roumains et français. Et je devais, plus tard, beaucoup aimer et admirer Emil Cioran, le moraliste désespéré et allègre, auteur du *Précis de décomposition*, des *Syllogismes de l'amertume*, de *La Chute dans le temps*, et Eugène Ionesco dont *La Cantatrice chauve, Les Chaises, Le roi se meurt* ont été autant de triomphes.

— C'est embêtant, dis-je un soir à Cioran au retour d'un dîner, maintenant, vous qui vous plaigniez tant du monde et qui méprisiez le succès, vous voilà fêté et célèbre.

— Ah ! me répondit-il, heureusement, j'ai un ulcère.

Frappé de la maladie d'Alzheimer, il devait mourir de bien autre chose. Peu de temps avant sa disparition, François Nourissier lui apporta sur son lit à l'hôpital un bouquet de violettes. Il prit les violettes et il les mangea.

La plus célèbre de toutes les Roumaines à Paris fut la comtesse de Noailles, que Maurice Barrès admirait tant. Auteur du *Cœur innombrable*, des *Éblouissements*, de *L'Honneur de souffrir*,

> Mon cœur, mon pauvre cœur, qui eut tant de courage
> Pour ce qu'il désirait...

ou

> La joie qui m'envahit quand c'est vous qui souffrez...

elle était née Brancovan, vieille famille roumaine d'origine grecque.

Très belle, très cultivée, la princesse Bibesco appartenait, elle aussi, à une famille illustre, alliée ou liée à de grands noms français. Un autre de ses membres, un cousin de Marthe, fils d'un hospodar de Valachie, était un ami très proche de Proust. Inspiré surtout par Robert de Montesquiou et peut-être par Bertrand de Salignac-Fénelon, le personnage de Saint-Loup dans *À la recherche du temps perdu* emprunte quelques-uns de ses traits à Antoine Bibesco. À l'occasion d'un voyage d'Antoine en

Belgique, Proust avait pondu quelques vers de mirliton qui ne sont pas passés à la postérité :

Imbibe, imbibe, Escaut,
Imbibe un Bibesco…

En Roumanie, Marthe Bibesco habitait aux environs de Bucarest une propriété de famille où nous nous rendions souvent : Mogosoaia. À Paris, installée quai Bourbon, au bout de l'île Saint-Louis, elle allait devenir intime de tout ce qui comptait alors en France et ailleurs : Proust encore, Cocteau, Mauriac, Paul Valéry, Henry de Jouvenel, le père de Bertrand, qui devaient jouer l'un et l'autre un rôle dans la vie de Colette, Vita Sackville-West, épouse de Harold Nicolson, homosexuel, ministre de Churchill et auteur d'un fameux *Journal*, Violet Trefusis dont les amours avec Vita Sackville-West inspirèrent Virginia Woolf – elle-même éprise de Vita – pour son roman *Orlando*, tous les Rothschild, et surtout l'abbé Mugnier, surnommé « l'apôtre du boulevard Saint-Germain » ou « le petit frère des riches », avec qui elle devait échanger une correspondance célèbre, publiée sous le titre : *Vie d'une amitié*. À l'issue d'un dîner élégant, un fêtard de ses amis lançait à l'abbé Mugnier qui avait brillé de tous ses feux :

— Ah ! l'abbé, on vous enterrera dans une nappe !

— Oui, répondait l'abbé, mais ce sera une nappe d'autel.

Vers la fin de la vie si ardente et si pleine de la princesse Marthe entre Bucarest et Paris, le général de Gaulle lui rendit hommage :

— Pour moi, vous êtes l'Europe.

Avant de se rapprocher de la France jusqu'à se confondre avec elle et écrire dans notre langue plusieurs ouvrages qui ont connu leur heure de gloire – *Le Perroquet vert, Catherine Paris, Au bal avec Marcel Proust* ou *Katia*, biographie romancée de la princesse Dolgorouki, maîtresse puis épouse morganatique du tsar Alexandre II –, elle avait entretenu, notamment avec le *Kronprinz* Guillaume, des amitiés allemandes que lui reprochait amèrement sa rivale, Hélène Vacaresco.

Beaucoup moins favorisée que Marthe par l'histoire et par la nature, mais profondément francophile et, elle aussi, d'une intelligence brillante, Hélène cultivait avec succès un art volontiers délaissé par les femmes depuis la Renaissance italienne et la Révolution française : elle était éloquente. Elle avait proposé à mon père une conférence dialoguée qui fut prononcée, sauf erreur de ma part, à la salle Pleyel à Paris. Le thème était *L'Amour et l'Amitié.*

— Vous parlerez de l'amitié comme Cicéron, lui avait-elle dit. Je parlerai de l'amour comme tout le monde.

Un jour, à Bucarest, Marthe Bibesco invita mon père à dîner pour tel ou tel jour.

— Ce soir-là, lui répondit-il, je ne peux pas : je dîne avec Hélène.

La princesse ne cacha pas son mécontentement.

— Au moins, lui lança-t-elle, ne vous trompez pas. Le devant, c'est le côté où il y a la broche.

MOI : Revenons à vous. Que faites-vous à Bucarest ? Qu'espérez-vous ? Que pensez-vous ?

MOI : Ma mère ne suffisait plus à me dispenser son enseignement. J'étais flanqué d'une institutrice comme dans les films des années 1930. Je l'avais vue avec méfiance succéder à Lala que j'avais perdue dans les larmes et dans le désespoir.

Elle s'appelait Mlle Ferry-Barthélemy et elle allait m'accompagner pendant plusieurs années. Je suivais toujours les cours par correspondance de l'école Hattemer, installée alors, je crois, rue de l'Université à Paris. Je travaillais plutôt bien et je ne détestais ni la grammaire, ni l'histoire, ni les textes classiques. J'avais un peu plus de mal avec le calcul et surtout avec les sciences naturelles. Mes parents avaient fini par abandonner leur ambition de m'apprendre le piano. Peut-être, à ma honte et à mon grand regret, étais-je une espèce d'imbécile notamment musical à l'image de mon respectable grand-père paternel que sa carrière diplomatique amenait à écouter assez souvent une *Marseillaise* qu'il ne reconnaissait jamais et qu'il confondait volontiers, au moins selon une légende familiale, avec le *Boléro* de Ravel. On m'a souvent reproché ma fausse modestie. La vérité est que, dès l'enfance, non seulement la musique, mais la danse, la peinture, l'architecture, la fête elle-même avec ce qu'elle peut avoir d'officiel et d'obligatoire, tout un pan immense de notre fameuse culture, m'était étranger. Il a été question à plusieurs reprises de me confier le ministère de la Culture. Ce n'était qu'une rumeur. Et, grâce à Dieu, elle était infondée. J'aurais été à coup sûr un détestable ministre.

Ce qui m'occupait surtout, c'était d'éviter d'aller jouer au palais royal avec le prince Michel, le fils du roi Carol, qui avait à peu près mon âge. Là aussi, mes parents renoncèrent sans trop tarder, pour des raisons assez particulières, à me contraindre à cette corvée. Ils nourrissaient un culte pour la très belle reine Marie de Roumanie, petite-fille à la fois de la reine Victoria et du tsar Alexandre II, et mère du roi Carol. Sa photo, ornée d'une dédicace affectueuse, a longtemps trôné, à Bucarest, puis à Rio et enfin rue du Bac à Paris, sur la table de ma mère. Mon père, en revanche, réprouvait avec une douceur implacable le comportement du fils de la reine, qui affichait ouvertement sa liaison avec Magda Lupesco élevée à la dignité de maîtresse officielle avant de finir en épouse de son royal amant. Il ne tenait pas vraiment à me voir fréquenter une maison, fût-elle régnante, où se déroulaient de telles turpitudes. Ces scrupules, aujourd'hui invraisemblables, faisaient bien mon affaire.

Je devais retrouver plus tard sur ma route la flamboyante maîtresse roumaine à Saint-Domingue ou à Haïti où m'avait envoyé une mission de l'Unesco. Je découvrais avec ravissement que le journal local confondait allègrement deux légendes assez éloignées l'une de l'autre mais entourées toutes les deux d'une sorte d'aura mystérieuse : Lupesco et Unesco.

Ce qui me plaisait le plus, c'étaient les voyages officiels où j'accompagnais mes parents dans les différentes régions de la Roumanie. En Moldavie, alors encore roumaine, et en Bucovine où m'éblouissait la splendeur des églises orthodoxes recouvertes, à l'intérieur comme à l'extérieur, de fresques du XVe ou du XVIe siècle : Sucevitsa, Moldovitsa, Voronetz... À Sinaia, au cœur des Carpates, où les jeunes Roumains commençaient à s'initier aux plaisirs de la neige grâce à d'étonnants skis en bois sur lesquels les chaussures étaient fixées de façon définitive par de longues lanières qui ne laissaient aucun jeu à la cheville ni à la jambe. Dans les propriétés reculées des Brancovan où nous nous rendions en hiver sur la neige dans des traîneaux tirés par de grands chiens ou par des chevaux. On voyait au loin des points noirs qui se déplaçaient assez vite sur la neige. C'étaient des loups. Peut-être seulement aux fins de m'amuser, nous disposions de morceaux de viande crue que nous jetions négligemment par-dessus nos épaules pour éviter d'être attaqués par ces monstres féroces qui, de toute évidence, avaient d'autres idées en tête que de nous dévorer.

Dans la Roumanie de cette époque, encore largement agricole, les vieilles familles traditionnelles – les Bibesco, les Brancovan, les Cantacuzène, les Ghika, les Cuza, les Stirbey... – continuaient à tenir une place importante. On raconte qu'au cours d'une réception au palais toute une série de Ghika sont présentés au roi Ferdinand, le prédécesseur de Carol II : le prince Constantin Ghika, le prince Georges Ghika, le prince Nicolas Ghika... Arrive le tour d'un garçon de sept ou huit ans, le prince Michel Ghika.

— Si jeune, murmure le roi, et déjà Ghika...

L'établissement était menacé moins par une extrême gauche très faible en ce temps-là – un jeune ouvrier de dix-huit ans du nom de Nicolas Ceausescu entre au parti communiste en 1936 – que par la Garde de fer de tendance fascisante, détestée par mon père. Bientôt, la Roumanie devra céder la Bessarabie à l'U.R.S.S. de Staline et la Transylvanie à la Hongrie de Horthy, bientôt le roi Carol II instaurera un régime dictatorial annonciateur de la prise de pouvoir par le maréchal Ion Antonesco qui engagera le pays aux côtés de Hitler dans la guerre contre l'U.R.S.S. Mais mon père n'est déjà plus là. En 1936, le premier gouvernement de Front populaire, réunissant socialistes et radicaux, avec le soutien sans participation des communistes, s'est installé en France sous la présidence de Léon Blum. Il élève mon père à la dignité d'ambassadeur de France – le nombre d'ambassadeurs avant la Seconde Guerre ne dépassait guère la quinzaine – et l'envoie au Brésil.

MOI : « Mon père ! Mon père ! » Vous n'avez que ce mot à la bouche et vous l'agitez comme une crécelle. Au fond, vous avez un père…

MOI : Oui.

MOI : … et vous en abusez. Vous avez de la chance d'ailleurs de voir encore flotter son ombre au-dessus de vous. Sans lui, vous n'êtes presque rien. Et peut-être moins que rien.

MOI : C'est bien possible.

MOI : Il y a des choses chez vous que je n'aime pas du tout.

MOI : Moi non plus.

MOI : Vous savez quoi ?

MOI : Ma taille, peut-être ? Elle n'est pas haute. Ou peut-être mon nez ? Il est gros.

MOI : Ne plaisantez pas. Ce n'est ni le lieu ni le moment.

MOI : Loin de moi l'idée de plaisanter. J'aurais beaucoup aimé être grand. J'étais tombé sur une photographie qui représentait Cary Grant et son ami Randolph Scott en pantalons et chandails blancs. Elle m'a fait longtemps rêver. J'aurais souhaité leur ressembler.

MOI : Vous plaidez coupable ?

MOI : Coupable de quoi ?

MOI : Comment « de quoi ? » ! D'abord, vous êtes le type même du privilégié...

MOI : Je ne l'ai jamais nié. Les artistes souvent, les écrivains parfois, les politiques presque toujours aiment à se prétendre non-privilégiés. Je me souviens d'un candidat à des fonctions importantes qui se présentait comme « fils de cheminot ». Son père était président de la Compagnie internationale des wagons-lits. J'ai toujours reconnu que j'étais né avec une cuillère d'or dans la bouche.

MOI : Une cuillère ! Toute une batterie de cuisine, oui ! Châteaux. Fortune. Hérédité. Mariages. Études. Carrière. Bourdieu aurait vu en vous le paradigme et l'archétype sur quoi fonder ses théories. Mais il y a plus grave.

MOI : Plus grave ?

MOI : Vous ne vous exprimez pas trop mal. Et vous savez ce que Roland Barthes disait du langage ?

MOI : Pas du tout. Je n'ai pas beaucoup lu Bourdieu, Barthes, Sartre que je ne mettais pas très haut, ni les tenants de la nouvelle critique. Sauf exception – *Les Mots*, par exemple –, ce que je connais d'eux ne m'a jamais enchanté. Ils me barbaient un peu. Je préférais Feydeau, Oscar Wilde ou Wodehouse,

MOI : Wodehouse ?

MOI : La principale invention de Wodehouse est un *butler* de génie du nom de Jeeves qui passe son temps à tirer son patron Bertram Wooster des situations impossibles où, coincé entre ses tantes Augusta et Agatha, le malheureux ne cesse de se fourrer.

MOI : Ça ne m'étonne pas de vous et de votre légèreté. Barthes assurait que le langage était fasciste. Il y a du fasciste en vous. Ce n'est pas par hasard que votre souvenir le plus ancien est une adhésion au national-socialisme.

MOI : J'avais cinq ou six ans…

MOI : L'âge ne fait rien à l'affaire. C'est votre vérité qui parlait. Je ne serais pas surpris d'apprendre que vous ayez trouvé assez belle la cathédrale de lumière des grandes fêtes de Nuremberg et que vous ayez eu un faible pour Ernst von Salomon, pour *Les Falaises de marbre* d'Ernst Jünger, pour *Notre avant-guerre* ou pour *La Nuit de Tolède* de Robert Brasillach. Coupable ! vous dis-je, coupable !

MOI : Ni Jünger ni Salomon n'étaient favorables au national-socialisme. Et je ne me sens pas coupable. Ou, du moins, pas coupable de sympathie pour le national-socialisme. Mon père…

MOI : Cessez de vous abriter derrière le père qui vous sert d'alibi. Allez-vous, un de ces jours, vous détacher un peu de lui et vivre votre propre vie ? Assez de l'histoire de la gifle ! assez de l'histoire du repas avec le futur pape ! Nous les connaissons déjà depuis longtemps. Vous quittez la vieille Europe. Il est grand temps de vous mettre à votre compte.

MOI : Je n'ai encore que onze ans…

MOI : Il y a beaucoup d'enfants, à onze ans, qui sont déjà quelque chose. Vous, qui n'êtes presque rien, vous arrivez en Amérique du Sud, au Brésil. Ah ! bien sûr, vous n'êtes pas Rimbaud, ni Lautréamont, ni même Cendrars ! Et pourtant, quelle aventure !

MOI : L'aventure commence avant même de débarquer à Rio de Janeiro, alors capitale d'un Brésil où Brasilia, ville nouvelle, créée de toutes pièces dans les années 1950, n'existe pas encore. Les avions, eux, sillonnent le ciel depuis le début du siècle et la Première Guerre mondiale leur assure un développement spectaculaire et une popularité croissante. Mais aucune ligne commerciale ne relie encore le Brésil à la France. Pour se rendre en Amérique, la seule solution est le bateau et la traversée de l'Atlantique Sud demande près de trois semaines.

Nous prenons au Havre un navire qui, quatre ans plus tard, entrera dans l'histoire : le *Massilia.* Souvenez-vous : en juin 1940, le pays s'effondrant, un certain nombre de parlementaires, parmi lesquels Daladier, Mandel, Mendès France, Jean Zay, s'embarquent à Bordeaux sur mon cher vieux *Massilia* pour une tragicomédie qui va les emmener en Afrique du Nord où elle se terminera en drame.

En 1936, à l'époque où le Front populaire arrive au pouvoir en France, la vie est encore très calme à bord du *Massilia* où la cuisine et les cabines de première classe sont dignes des meilleurs hôtels. Les voyageurs s'installent à bord comme pour une villégiature. En trois semaines, des liens se tissent. Des habitudes se forment. Des amitiés s'ébauchent. Des amours naissent. Honneur suprême : nous dînons plusieurs soirs à la table du commandant, le « pacha », maître à bord après Dieu. Le jour, étendus sur des chaises longues, nous lisons ou nous bavardons. Ou nous jouons, sur le pont, à des courses de petits chevaux de bois qui avancent à coups de dés. Loin de toute agitation et de toute obligation, un peu de repos et un peu d'ennui vaguement émerveillé. Une sorte de rêve ambulant sur la mer. Un îlot mobile dans l'espace. Une parenthèse dans le temps. Parvenues par radio, des nouvelles de France et du monde sont distribuées sur des feuilles volantes. Vapeur et communications en plus, nous sommes plus proches des caravelles et des bateaux à voile d'hier que des Boeing et des Airbus de demain. Nous nous souvenons du cher Henry J.-M. Levet, déjà bien oublié, et de ses *Cartes postales* :

> L'*Armand Béhic* (des Messageries maritimes)
> File quatorze nœuds sur l'océan Indien.
> Le soleil se couche en des confitures de crimes
> Dans cette mer plate comme avec la main.

Au coucher du soleil, mi-sceptiques, mi-excités, nous guettons, légende ou réalité, le fameux rayon vert. Après le *pot au noir* – une zone de pluies et de calmes tropicaux entre cinq et dix degrés de latitude nord que j'ai longtemps baptisée avec conviction le *poteau noir* –, le passage de l'équateur est l'occasion de festivités et de mascarades, genre courses en sac et déguisements, plus ou moins réussies. Bon enfant, toujours débordé, le commissaire de bord s'évertue à faire régner sur mer pendant vingt et un jours une atmosphère de gaieté un peu voulue et surjouée.

Le plus clair de mon temps, je le passe aux côtés d'un chef mécanicien délicieux qui m'a pris sous son aile et en amitié. Je suis petit, assez frêle, plutôt vif, très naïf. Il me montre ses machines, s'occupe de moi, me fait rire.

Mes parents sont enchantés et le remercient chaleureusement de me prendre en charge. Je me garde bien de leur dire qu'il m'a proposé avec gentillesse et sans la moindre obstination, sous des prétextes artistiques, de me photographier tout nu. J'ai refusé. Avec simplicité et avec fermeté. Quand mes parents, à la fin du voyage, lui expriment à nouveau leur gratitude pour tant de soins amicaux, je me demande en silence si leur naïveté ne l'emporte pas sur la mienne.

Les femmes m'ont toujours beaucoup plu. Je crois qu'il m'est arrivé de plaire un peu à des hommes. Bien des années plus tard, en khâgne à Henri-IV ou à l'École de la rue d'Ulm, j'ai beaucoup aimé Jean Beaufret. De quinze ou vingt ans plus âgé que moi, c'était un jeune philosophe très doué qui avait contribué à faire connaître en France Martin Heidegger, à qui il était allé rendre visite dans sa retraite de la Forêt-Noire où s'ouvraient, comme autant de clairières dans l'opacité de l'Être, les fameux chemins forestiers connus en allemand sous le nom de *Holzwege.* Il m'épatait. Nous nous promenions tous les deux le long du boulevard Saint-Michel et il me faisait en toute simplicité des propositions qui n'étaient guère dissimulées. Je bredouillais que, non, franchement, ça ne me disait pas grand-chose. Alors, il insistait :

— Ce n'est pas parce que je t'enculerai trois ou quatre fois…

— Tant que ça ? demandais-je.

— … que tu passeras de l'autre côté.

Un peu plus tard, à Londres, où j'étais censé apprendre l'anglais à dix-neuf ou vingt ans et où je passais mon temps, enfermé dans une chambre d'hôtel minable, à lire *Aurélien* et *Le Paysan de Paris*, ce qui me manquait le plus, c'était une douche ou une baignoire. J'étais tombé par hasard, je ne sais plus trop comment, sur un Français plutôt plaisant qui avait la chance d'être descendu au Ritz. Il me proposa d'y venir prendre un bain. J'acceptai aussitôt avec beaucoup de gratitude.

La salle de bains du Ritz me convenait tout à fait. J'y passai avec délice, me pomponnant et traînant, une bonne demi-heure, ou peut-être un peu plus. Quand je sortis de mon bain, le Français – ou bien était-il belge ? – m'attendait de pied ferme, nu comme un ver, un peignoir à la main, dans la salle de bains d'abord, puis dans la suite qui était spacieuse et où le divan et la table de verre me servirent de remparts.

MOI : Il doit y avoir en vous quelque chose d'homosexuel. Avec sans doute une pointe de perversité. Vous n'avez jamais cédé ?

MOI : J'aime beaucoup les homosexuels. Au point que quelques-uns de mes amis m'ont nommé, il y a quelques années déjà, homosexuel d'honneur. Ce qui m'a valu une lettre d'une baronne qui, énumérant plusieurs épisodes de mon existence, depuis les liens de mon père avec Léon Blum jusqu'à mon diplôme d'honneur, en passant par des événements que nous rencontrerons plus tard, honorable Sur-Moi, terminait son poulet par cette exécution capitale : « Je ne vous serre pas la main. »

De Socrate et d'Alcibiade à Proust et à Gide, en passant par Michel-Ange, je trouve souvent les hommes qui aiment les hommes plus vifs et plus amusants que les hommes qui aiment les femmes, que j'ai pourtant tant aimées. J'ai souvent partagé des appartements ou même des chambres avec des compagnons de la manchette à qui me liaient des amitiés qui me restent très chères. Mais la seule idée de laisser qui que ce soit franchir mes Thermopyles ne m'a jamais traversé.

Je ne sais plus à quelle époque – sans doute vers la fin des années 1970 ou au début des années 1980 – je me trouvais au Maroc avec un de mes neveux. Nous étions installés pour quelques jours en famille à Marrakech et nous avions poussé tous les deux une pointe jusqu'à Zagora, puis jusqu'à Ouarzazate où la nuit était tombée tout à coup. Revenir très tard à Marrakech ne me disait rien qui vaille. Il y avait un hôtel à Ouarzazate. J'allai trouver le directeur et lui demandai, en m'excusant de n'avoir rien réservé, s'il disposait encore d'une chambre pour mon neveu et pour moi. Il me répondit :

— Oh ! bien sûr, Monsieur d'Ormesson ! Avec plaisir. J'ai déjà reçu, dans ma jeunesse, M. Gide et son neveu.

Une histoire qui m'avait amusé me revenait à l'esprit. On raconte que Gide, accompagné d'un de ses neveux, tombe par hasard sur un jeune homme à qui il avait été lié quelque temps plus tôt. Il présente les deux garçons l'un à l'autre.

— Ah ! dit l'ancien au nouveau, moi, c'est l'année dernière que j'étais le neveu d'André.

On raconte encore que Gide en Algérie ou au Maroc, après avoir couché avec un très jeune Arabe à qui il n'avait pas révélé son nom qui ne lui aurait d'ailleurs rien dit, lui avait offert un cadeau très modeste en ajoutant :

— Je te donne peu de chose. Mais quand tu seras plus grand, tu pourras te vanter d'avoir été très cher au cœur de François Mauriac.

Vers la fin de notre traversée survint un événement mineur et, pour nous au moins, presque sensationnel : on appela mon père au téléphone. Était-ce le commandant, le commissaire de bord, mon cher chef mécanicien ? Non. C'était le ministre brésilien des Affaires étrangères qui appelait de Rio le nouvel ambassadeur de France pour lui souhaiter la bienvenue au Brésil. Nous avions des plaisirs simples. Le coup de téléphone en pleine mer à une époque où la technique était encore dans l'enfance nous agita tous beaucoup pendant un bon bout de temps.

Après une vingtaine de jours de voyage sans autre horizon que la mer toujours vide et toujours recommencée, l'arrivée en bateau à Rio de Janeiro fut un de ces enchantements dont le souvenir illumine toute une vie. Le navire entra lentement dans la baie de Guanabara, passa devant le Pain de Sucre, longea d'un côté Niteroi, de l'autre la montagne du Corcovado surmontée de la statue géante du Christ. Le soleil brillait avec force. Mon cœur éclatait. Nouveau Michel Strogoff, version équatoriale, sur le pont du *Massilia*, je regardais de tous mes yeux. Mille fois décrit avec enthousiasme depuis la découverte de la baie en janvier 1502 par des Portugais qui s'imaginèrent qu'il s'agissait de l'embouchure d'un grand fleuve inconnu – d'où le nom de la ville – et depuis le passage trop bref du Français Villegaignon un demi-siècle plus tard, c'était un spectacle d'une grandeur et d'une beauté à couper le souffle.

À peine nous étions-nous immobilisés dans le port de Rio grouillant de bateaux, d'embarcations, de marins, de fonctionnaires, de curieux, que la chaleur nous tomba dessus. Mon père souffrit beaucoup. Il avait le rhume des foins avec une violence inouïe et il supportait mal ce soleil des tropiques que j'accueillais avec bonheur.

Un an et demi plus tard, dans les premières semaines de 1938, une seconde traversée de l'Atlantique se révéla plus fascinante encore que le premier voyage sur le vieux *Massilia.* Nous étions rentrés en France à la fin de 1937 pour retrouver mon frère Henry qui était resté à Paris afin de préparer son bachot – on ne parlait pas encore de bac – dans une école de la rue de Monceau où il faisait le désespoir de ses maîtres et de son directeur, M. Daumas, qui envoyait à mes parents des lettres pathétiques. Et aussi pour passer quelques semaines de repos sous un climat moins éprouvant pour mon père qui avait du mal à se remettre de l'été tropical qui commence en décembre au sud de l'équateur.

Mon père avait appris que le *Normandie,* joyau flambant neuf de la marine française – il avait moins de trois ans –, qui faisait régulièrement le trajet Le Havre - New York et qui avait arraché au *Queen Mary* le fameux Ruban bleu, récompense du navire le plus rapide entre l'Europe et New York, allait, par exception, traverser l'Atlantique Sud en un voyage unique qui le mènerait jusqu'à Rio de Janeiro et à Buenos Aires. Nous décidâmes aussitôt de retourner au Brésil à bord du *Normandie* dont les trois cent treize mètres transportaient près de deux mille passagers à la vitesse, inouïe pour l'époque, de trente nœuds.

Ce furent, à nouveau, de longues journées de rêve. Fêté partout, attirant les foules à chaque escale, le *Normandie* passa par Nassau, capitale des Bahamas, et par Port of Spain dans l'île de Trinidad avant d'atteindre Rio et de poursuivre son trajet jusqu'à Buenos Aires. Je n'avais jamais fréquenté un de ces palaces dont je contemplais les lumières de loin et qui me faisaient rêver. À Garmisch-Partenkirchen dans les Alpes bavaroises, à Venise, à Sinaia au fond des Carpates, nous descendions dans des hôtels confortables mais qui étaient loin d'être des palaces. Le luxe de la salle à manger, plus grande que la galerie des Glaces à Versailles, et de la suite aux dimensions impressionnantes et décorée avec goût, dans le style Art déco, où nous étions installés à bord du *Normandie* me tournait un peu la tête. Je n'étais pas seul à m'émerveiller. L'arrivée à Rio fut un triomphe. Personne n'aurait osé prédire ce jour-là que, quatre ans à peine plus tard, en février 1942, ce seigneur des mers allait brûler et couler dans le port de New York.

Rio de Janeiro, en ces temps reculés, était encore une vieille ville traditionnelle avec un seul gratte-ciel : le siège du journal *A Noite*. Les plages succédaient aux plages avec leur sable couleur de miel. Flamengo, Botafogo, Copacabana – la plus célèbre –, Ipanema, Leblon… Copacabana était déjà entièrement construite, avec son fameux palace, le plus somptueux de la ville et déjà une légende d'un bout du monde à l'autre. Mais Ipanema et Leblon, aujourd'hui surpeuplées, étaient encore des espaces presque vierges.

L'ambassade de France était située à Flamengo, si mes

souvenirs sont exacts. C'était une grande maison avec un jardin. Bien des années plus tard, je suis revenu un jour à Rio où l'Académie brésilienne des Lettres, qui comptait quelques sièges réservés à des étrangers, m'avait fait l'honneur de m'élire au siège laissé vacant par le décès de Roger Caillois qui avait succédé à André Malraux.

MOI : Un peu de calme, voulez-vous. Et un peu de décence.

MOI : Descendant d'avion, une voiture devait m'emmener à l'hôtel, qui s'appelait, je crois, l'hôtel Gloria, où m'attendaient quelques-uns de mes futurs confrères, dont le secrétaire perpétuel qui portait un prénom gothique : Austrogesilo de Athayde. Pris d'une inspiration subite, je demandai au chauffeur de bien vouloir me conduire d'abord pour quelques instants à cette ambassade où j'avais passé tant de jours heureux. C'était l'époque où Brasilia se mettait à remplacer Rio dans le rôle de capitale. J'arrivai juste à temps devant la vieille ambassade pour assister à un spectacle déchirant qui m'arracha quelques larmes : d'énormes bulldozers étaient sur le point de détruire la vieille maison au charme désuet qui avait abrité les bureaux de mon père et les souvenirs de ma jeunesse évanouie. Je compris aussitôt, pour la première fois avant d'innombrables expériences encore à venir, que notre passage dans ce monde était un rêve fragile et que l'histoire se chargeait avec une rigueur impitoyable non seulement de préparer du nouveau, mais de réduire à néant tout ce passé éphémère qui se confondait avec nous.

J'ai beaucoup aimé les deux années cruciales, de 1936 à 1938, que j'ai passées au Brésil alors en train d'effacer son passé colonial pour accéder à ce statut de grande puissance qui est désormais le sien. Le Brésil n'était pas encore entré dans ce consortium qui allait devenir célèbre vers la fin du siècle dernier : B.R.I.C.S. – Brésil, Russie, Inde, Chine, Afrique du Sud. Quelques amis âgés de mes parents se souvenaient encore du temps de l'empire. C'est à cette charnière du passé et du présent que se situait mon séjour. Je ne comprenais qu'obscurément cette marche de l'histoire qui m'emportait avec elle. Je me contentais en ces temps-là de me promener à cheval dans la solitude encore sauvage de la grande plage d'Ipanema, où ne s'élevait alors qu'un seul bâtiment, anachronique et vieillot : le Country Club.

Les promenades autour de Rio étaient toutes enchanteresses. Je me souviens de la Tijuca, de Vista Chinesa, des favelas, aujourd'hui incandescentes, où nous nous rendions avec confiance et innocence, du Pain de Sucre qu'on atteignait par un téléphérique rendu célèbre dans le monde entier grâce à James Bond, et, un peu plus loin, à quelques heures en voiture, de la petite ville de Petropolis où toutes les ambassades disposaient alors d'une villa dans un climat plus frais grâce à l'altitude et qui devait jouer un rôle, cinq ou six ans plus tard, dans l'histoire littéraire : désespérés par l'effondrement de la vieille Europe occupée par les troupes d'Adolf Hitler, Stefan Zweig et sa femme allaient s'y donner la mort le 22 février 1942.

Un beau jour, à Petropolis, se produisit un événement assez rare qui avait rempli de stupeur une dame brésilienne d'un certain âge, mi-gardienne mi-confidente : il était tombé quelques flocons de neige. Originaire de

Bahia, notre vieille amie n'avait jamais vu de neige de toute sa vie et elle contemplait avec une espèce de terreur ce spectacle de la nature qui lui apparaissait comme un miracle. Je pensais pour ma part avec une nostalgie amusée aux deux ou trois mètres de neige qui avaient enfoui mon enfance sous le souvenir en Bavière où je chantais – un peu faux :

O Tannenbaum, O Tannenbaum,
Wie grün sind deine Blätter…

ou en Roumanie où, à des températures de moins dix ou de moins quinze, nous passions des heures en traîneau, enveloppés dans des fourrures.

Des détails minuscules et dérisoires restent fixés dans ma mémoire. Il y avait dans la villa de l'ambassade d'Angleterre une piscine où tous les enfants du corps diplomatique venaient en foule se baigner. Plusieurs maladies ayant frappé les jeunes baigneurs, on décida de procéder à un examen de l'eau de la piscine. Un spécimen de cette eau fut prélevé dans une fiole et envoyé à un laboratoire. Le verdict tomba assez vite : « Urine normale, avec quelques microbes encore en cours d'examen. »

MOI : Croyez-vous vraiment, désastreux tête en l'air, que ce genre de témoignages – la neige à Petropolis, une piscine polluée… – soit de nature à intéresser le tribunal ?

MOI : J'en doute un peu. Autant que vous. Mais la vie quotidienne est faite de ces incidents. Et je m'en souviens avec plus de précision que de la vie politique et intellectuelle à Rio de Janeiro deux ou trois ans avant la catastrophe qui allait entraîner la mort de Stefan Zweig et le déclin de cette vieille Europe que nous avions tous tant aimée.

L'existence de mon père à Rio lui convenait moins qu'à Bucarest. Il entretenait de bonnes relations avec Itamaraty, le Quai d'Orsay brésilien, mais non seulement la politique, à son grand regret, tenait moins de place au Brésil que les questions économiques, mais le pouvoir était assuré de façon quasi dictatoriale par un personnage surprenant avec qui ses liens étaient moins étroits qu'avec Tataresco ou Titulesco : Getulio Vargas. L'opposition libérale était inexistante ou muselée. Un nom qui me fascinait, je ne sais trop pourquoi, et dont je me souviens encore, je ne sais pas non plus pourquoi, était celui de Carlos Prestes. Incarcéré par Vargas, Prestes était le chef du parti communiste brésilien.

Un des prédécesseurs de mon père à l'ambassade de Rio de Janeiro était un poète illustre : Paul Claudel. Et, comme si son génie ne suffisait pas, il avait à ses côtés au titre d'attaché culturel le musicien Darius Milhaud dont une des pièces porte ce titre éloquent : *Saudades do Brasil.* Et on trouve dans *Le Soulier de satin* – lors de la présentation interminable à Paris de ce chef-d'œuvre qui devait donner plus tard un de ses plus beaux rôles à Ludmila Mikaël, Sacha Guitry s'écria : « Pourvu qu'il n'y ait pas la paire… » – des traces évidentes de la culture brésilienne.

Tous les diplomates français n'avaient pas la stature de l'auteur du *Soulier de satin.* Juste avant mon père, l'ambassadeur Louis Hermitte avait vu arriver avec mauvaise grâce le nouvel arrivant destiné à lui succéder. Il était resté sur place et dénonçait à qui voulait l'entendre le nouveau représentant de la France qu'il traitait volontiers de « marquis rouge » sous prétexte qu'il était l'envoyé de Léon Blum et du Front populaire. Mon père souffrit beaucoup de ces attaques entre collègues. Elles contribuèrent à donner à sa mission sous le grand soleil brésilien un caractère un peu mélancolique.

Les souvenirs me reviennent en foule. Je n'ai pas oublié des jours heureux comme la venue à Rio de plusieurs acteurs et actrices de la Comédie-Française que mes parents accueillirent avec joie et fierté. Ils jouèrent une pièce de Racine, *Iphigénie* peut-être, ou peut-être *Andromaque*. Il y eut une grande fête dans les jardins de l'ambassade avec un impromptu rédigé pour l'occasion et dont quelques bribes, Dieu sait pourquoi, traînent encore dans ma mémoire :

> Car un messager grec est toujours attendu…

Je me rappelle aussi des moments cruels comme cette nuit de décembre 1936, l'année de notre arrivée, en plein été brésilien, où une nouvelle désastreuse vint bouleverser notre maison : piloté par Jean Mermoz, l'hydravion *Croix-du-Sud* – un Latécoère – venait de disparaître dans l'Atlantique entre Dakar et Natal. Le chagrin de mon père, dont l'indifférence n'était pas le fort et qui vivait l'histoire comme une affaire de famille, fut aussi vif qu'à l'annonce de l'assassinat de Louis Barthou à Marseille. Quelques jours plus tard, l'épopée aérienne se poursuivait triomphalement malgré les drames et les échecs :

sur le même trajet exactement, de Dakar à Natal, Maryse Bastié était la première femme française à traverser l'Atlantique Sud à bord de son Caudron Simoun. Mon père revivait.

MOI : Mermoz, l'archange blond..., Maryse Bastié, l'héroïne française... Bien, très bien. Mais vous ? Où en étiez-vous ? Vous ne viviez pas, j'imagine, à onze ou douze ans, que par grandeur interposée ? À nouveau, que faisiez-vous ? Que pensiez-vous ?

MOI : Je vais encore vous décevoir. Je ne faisais presque rien. Je travaillais, à l'ombre de ma mère. J'apprenais le calcul, l'histoire de France, le latin. Je ne pensais pas beaucoup. Je n'avais pas de grands rêves. J'étais consciencieux et plutôt abruti. Je n'avais toujours pas d'ami. Je n'avais aucune amie. J'attendais le courrier. Il m'apportait par bateau et avec beaucoup de retard les instructions et les corrigés du cher et vieux cours Hattemer qui constituait, avec mes parents, mon seul et unique horizon.

Mon frère Henry me manquait. Il languissait à Paris, où il était censé travailler dans sa boîte à bachot – dont il gardait, je crois, un souvenir horrifié. Le fond de l'affaire, qui n'est pas à mon honneur, est que, besogneux et cafard, je travaillais assez bien et qu'il travaillait plutôt mal. Henry était un de ces rebelles qui s'installent au fond de la classe, près du poêle, pour en faire le moins possible. En Roumanie, déjà, mes souvenirs les plus vifs étaient liés à l'arrivée des notes hebdomadaires envoyées par le cours Hattemer. Les miennes étaient bonnes. J'étais un pauvre type. Les siennes étaient désastreuses. Mes parents l'engueulaient. Je l'admirais. Il voulait devenir marin. Toute la famille ricanait. Le concours de l'École navale est une épreuve difficile. Il n'y parviendrait jamais. Ma mère, je le crains, était en admiration devant moi. J'étais son préféré. En désespoir de cause, nous avions abandonné mon frère aîné à Paris dans l'institution dont il était la honte et qui faisait son malheur, et je continuais, à Rio, à faire le bonheur de mes parents en collectionnant des bons points dont je rougissais en silence. Nous verrons un peu plus tard, honorable Sur-Moi, comment mon frère s'est vengé. Le voyou, ce sera moi. Et le héros, ce sera lui.

Mon père rongeait son frein à l'ombre du Corcovado. Il était ambassadeur de France. Il avait le rhume des foins. Il s'ennuyait un peu. Le sort de la vieille Europe l'inquiétait de plus en plus. Il suivait de loin avec horreur l'ascension de Hitler. Ce qui se passait en France le tourmentait affreusement. Hostile à l'extrême droite, à l'Action française, à la Cagoule, aux ligues, fidèle à Briand, à Philippe Berthelot, à Alexis Leger – en poésie, Saint-John Perse –, au souvenir de Stresemann dont il ne restait déjà presque rien, pacifiste jusqu'à l'antimilitarisme, il commençait à se demander s'il n'aurait pas mieux valu attaquer Hitler en 1934, en 1935 ou en 1936. Il se mettait à songer, à regret peut-être, peut-être avec soulagement, à prendre sa retraite et à retourner à Paris. Il croyait de plus en plus la guerre inévitable et il se refusait à rester plus longtemps loin de cette France qu'il sentait en danger.

Les fêtes, la vie facile, l'insouciance se poursuivaient au Brésil. Le grand événement à Rio, dans tout le pays et presque déjà dans le monde entier, était le carnaval. La tête toute pleine des événements en France et en Europe, nous y assistâmes deux fois avec des sentiments mêlés et une gaieté mélancolique et un peu forcée. Ignorant de tout racisme – aux États-Unis, avec une goutte de sang noir, vous étiez noir ; au Brésil, avec une goutte de sang blanc, vous étiez blanc –, un peuple entier se jetait avec une ferveur bon enfant dans tous les délires de la fête. Ivres de l'éther projeté par les fameux lance-parfum, dansant du matin au soir et du soir au matin dans une atmosphère électrique, attachés aux grands chars où se trémoussaient, dans une allégresse monstrueuse, des fées, des dragons, des Napoléon, des sorcières et des reines d'un soir à moitié nues, Brésiliens et Brésiliennes, irrésistibles d'insouciance et de gaieté, chantaient à tue-tête :

Mamãe, eu quero,
Mamãe, eu quero,
Mamãe, eu quero mamar.
Dá a chupeta, dá a chupeta pro bebê nào chorar

et s'abandonnaient à un bonheur qui leur faisait oublier tous les chagrins de la vie et tous les troubles du monde.

Mes parents…

MOI : Ah ! vos parents…

MOI : Oui, mes parents… C'étaient eux d'abord qui comptaient pour moi. Je ne vais pas vous raconter que j'écrivais à douze ans des romans, des nouvelles, des tragédies classiques, que j'étais, avant la lettre, une Françoise Sagan ou une Minou Drouet au masculin, que je roulais dans ma pauvre tête de grands projets d'avenir, que la foi ou la révolte me jetaient hors de moi. Non.

J'essayais de traduire Cicéron et Tite-Live, de comprendre les équations du second degré, d'apprendre la liste des reines de France. J'étais un petit garçon plutôt éveillé mais très soumis et vaguement chafouin dans les jupes de ma mère, un bon élève un peu hypocrite et, comme mon frère l'avait appris à ses dépens, affreusement agaçant.

Je commençais pourtant à me constituer peu à peu un petit monde autour de moi où les contradictions ne manquaient pas. J'avais trouvé un héros dont je ne savais pas encore que Jean-Paul Sartre allait voir en lui « le Cyrano de la pègre » : c'était Arsène Lupin. Son haut-de-forme, son écharpe blanche, son monocle me faisaient rire et m'enchantaient. J'aimais le voir échapper à l'inspecteur Ganimard et se déguiser en Paul Sernine ou en don Luis Perenna. Je nourrissais déjà en secret, presque inconnue de moi-même, comme une soif de transgression. Je souffrais d'une maladie infantile difficile à détecter : l'absence de rébellion.

Un peu plus haut, je me mettais aussi à aimer les contes et légendes d'ailleurs et de partout que je devais à ma mère ou à Mlle Ferry, les mythologies de la Grèce et de l'Inde, les pharaons d'Égypte – Ramsès II ou Thoutmès III, appelé aujourd'hui Thoutmosis – que je confondais entre eux et ce personnage mystérieux surgi d'une Mésopotamie dont je ne savais presque rien et qui s'appelait Gilgamesh. Il était accompagné d'une cantinière établie, c'était bizarre, sur les « confins du monde ». La cantinière me faisait rêver. J'aimais beaucoup rêver.

Mes parents, eux, essayaient de s'entourer de ces Brésiliens francophiles et brillants qui ne manquaient pas à Rio. Les Fontes, les Guinle, qui avaient de grosses fortunes, les membres de l'Académie – dansent encore dans ma pauvre tête les noms alors éclatants d'Amoroso Lima, d'Osorio de Almeida ou d'Afranio Peixoto qui avaient succédé au grand Machado de Assis, sorte d'Anatole France brésilien, auteur des *Mémoires posthumes de Braz Cubas*, fondateur, à l'extrême fin du XIXe, de l'Academia Brasileira de Letras –, quelques journalistes de haut vol, des médecins et des chercheurs, des femmes du monde qui rêvaient de Maxim's, de la rue de la Paix ou de l'avenue Montaigne et des intellectuels qui ne détestaient pas, à la façon d'un Assis Chateaubriand, ajouter des noms de chez nous à leurs noms de chez eux et qui parlaient un français étincelant à l'admiration de mon père. « Il parle français comme un étranger » était un de ces éloges qu'en avance sur son temps il aimait déjà décerner.

Le Brésil était pour moi comme le soleil d'une vie nouvelle. *Muito obrigado.* Il se changeait pour mon père en exil loin du pays en danger. Au début de 1938, n'en pouvant plus d'angoisse, ce grand nerveux très calme demanda sa retraite anticipée et nous rentrâmes à Paris.

EMPORTÉ PAR LE TEMPS

MOI : Mesurez-vous, misérable petit Moi, l'étendue de votre chance ? L'amour de vos parents. Une vie lisse et facile. Des décors qui changent aussi vite qu'au théâtre. Dans les douze ou treize premières années de votre existence parmi les tumultes du temps, bordée et protégée de toute atteinte par le hasard ou par la Providence, tout vous est donné à foison. Vous n'avez même pas à faire le moindre effort ni à ouvrir la bouche : toutes les délices du monde sont déjà à vos pieds. Beaucoup n'ont rien. Vous avez tout.

MOI : Je n'ai pas tout. Ma santé est fragile. J'étais un enfant chétif et nerveux qui ne supportait pas, dans ses premières semaines, le lait même maternel. Pour éviter le pire, il a fallu m'élever comme une petite chose en péril et au jus de carotte. Vous devriez me voir, distingué Sur-Moi, sous les traits d'un lapin.

Je ne sais plus très bien dans quelles circonstances, lors d'un passage à Paris en tout cas, je ne sais pas non plus quel médecin m'a enlevé les amygdales. Un souvenir plutôt vague de douleur et de sang. Était-ce utile ? J'en doute un peu. Même en médecine, la mode frappait encore et déjà. Très jeune, presque dans l'enfance, par paresse peut-être, ou par une forme d'indifférence et de soumission au destin, je pensais que le mieux était de laisser faire la nature ou le Bon Dieu.

Mes premières années ne tournaient pas autour de ma santé. L'essentiel était ailleurs. Nous étions catholiques. Républicains, démocrates, libéraux, tolérants. Mais aussi catholiques. Ou peut-être plutôt chrétiens. Les temps n'étaient pas encore à la solidarité, au partage, à l'altruisme. Aux grands principes ni aux discours. Vous le savez déjà : nous étions une caste. Mais aussi une secte. Sans grand tapage, sans excès, avec une sorte de modération, nous étions disciples du Christ Jésus. Et le Royaume de Dieu était d'abord parmi nous. Ce que m'apprenaient inlassablement mes parents qui me voulaient poli, attentif, convenablement vêtu, sociable, c'était de penser aux autres.

Nous savions que, quelque part, au loin, dans d'autres mondes inconnus et assez difficiles à imaginer, en Afrique ou en Chine, des enfants manquaient d'eau et mouraient de faim. Je récoltais avec soin le papier d'argent qui entourait mes bonbons, mes gâteaux, mes cadeaux et, par des canaux pleins de mystère, je les envoyais aux petits Chinois que j'étais invité à aimer.

Il est assez remarquable que mon père, si ardemment républicain, fût aussi franchement hostile à tout un large pan de la doctrine et de l'action de la République : la colonisation. Il pensait que les colonies ne constituaient pas une solution très heureuse et qu'il y avait d'autres moyens d'aider les populations dans le malheur.

Le malheur du monde ne nous était pas présent à la

façon d'aujourd'hui où la misère de partout nous parvient aussitôt en temps réel. La télévision n'existait pas. Mais, à défaut d'images venues d'ailleurs, mon père et ma mère m'apprenaient sans relâche à ne pas trop m'occuper de moi, à ne pas me faire remarquer, à ne pas parler de moi et à me mettre à la place des autres – du prochain, de notre vieille tante malade et folle, des inconnus au loin dans des mondes fabuleux – par l'imagination.

Il n'était pas besoin de beaucoup d'imagination pour comprendre que le malheur, si longtemps rejeté au loin et réservé aux autres dans des contrées lointaines, était sur le point de frapper à notre porte. Comme dans une pièce bien réglée, dans un drame aux ressorts huilés avec beaucoup de soin, nous arrivâmes en France juste à temps pour assister au honteux soulagement et à l'humiliation des accords de Munich. La mécanique du désastre et du déclin était déjà engagée.

On raconte – Sartre se fait l'écho de la scène dans un de ses romans – que Daladier, revenant de Munich où, en compagnie de Chamberlain, il a rencontré Hitler pour sauver la paix en reculant, aperçoit avec effroi du haut de son avion une foule déjà dense rassemblée au Bourget. Il est d'abord persuadé qu'elle s'est réunie pour le huer et l'accabler. Quand il comprend qu'elle est là pour exprimer sa joie et pour l'acclamer, il s'écrie :

— Ah ! les cons !

Nous n'arrivions pas en avion au Bourget. Au terme d'un long voyage de retour en bateau, nous rentrions chez nous dans un lieu de légende qui remontait loin dans le passé et qui était destiné à jouer un grand rôle dans mon modeste avenir : Saint-Fargeau.

MOI : Nous y voilà… Obsession sur obsession. Après le toc de votre père, voici le toc de Saint-Fargeau. Je m'y attendais un peu. Rien ne nous sera épargné. Vont défiler, l'un après l'autre, jour après jour, sous nos yeux un peu lassés et sous des formes diverses, les époques successives de votre mythologie personnelle. Quel ennui !…

MOI : Rassurez-vous, très estimé Sur-Moi : pour me défendre le mieux possible dans ce procès qui me dépasse, j'ai suivi, à mes débuts dont il n'y avait pas grand-chose à dire, un ordre de marche chronologique qui me paraissait commode. Encore deux ou trois ans de cet exercice et les événements, les rêves, les hasards, les changements de perspective deviendront si nombreux qu'il faudra bien abandonner cet ordre chronologique et un peu plan-plan pour une série de tableaux dont j'espère qu'ils parviendront à couvrir le paysage de ma mince existence. Il vous appartiendra alors de l'explorer afin de mener à bien votre travail d'investigation.

MOI : Ne me dictez pas ma tâche, petit Moi insolent. Le tribunal fait bien ce qu'il veut de ce que vous racontez. Contentez-vous de répondre à mes questions. Nous voilà à Saint-Fargeau. De quoi s'agit-il ?

MOI : Il s'agit d'un château. Beaucoup plus vieux, beaucoup plus grand, beaucoup plus chargé d'histoire qu'Ormesson. Ormesson est une jolie bâtisse du XVIe, remaniée au XVIIIe, avec un beau parc, dessiné par Le Nôtre, où se sont promenés Mme de Sévigné, Turenne, Racine, Boileau, La Fontaine, Bossuet et Diderot. Saint-Fargeau est un monument qui appartient depuis des siècles au patrimoine national.

MOI : Ne vous vantez pas. Sous une apparente modestie, j'ai déjà remarqué chez vous comme une tendance assez fâcheuse à la satisfaction.

MOI : Je ne me vante pas. Et je suis tout, sauf satisfait. À l'origine, Saint-Fargeau est un pavillon de chasse élevé, vers la fin des années 900, par Héribert, comte d'Auxerre, frère bâtard de Hugues Capet. Des familles puissantes, les Bar d'abord, puis les Chabannes modifient le décor, élèvent des tours rondes, remanient la demeure qui finit par se changer en un château aux dimensions imposantes. Il devient, parmi beaucoup d'autres, la propriété de Jacques Cœur, fils d'un marchand de Bourges, qui poursuit une carrière brillante et se retrouve maître des monnaies à Bourges, puis grand argentier de Charles VII. Accusé de spéculation, et même, en dépit de toute vraisemblance, d'empoisonnement sur la personne d'Agnès Sorel, il est arrêté, réussit à s'échapper, gagne Rome où il est bien accueilli, reçoit du pape le commandement d'une flotte destinée à soutenir Rhodes contre les Turcs et trouve, au terme d'une vie d'aventure étonnante, la mort sous les murailles de Chio, en Grèce. Saint-Fargeau tombe dans l'escarcelle de la Grande Mademoiselle, fille de Marie de Bourbon-Montpensier et de Gaston d'Orléans, frère agité et médiocre de Louis XIII.

Dite la Grande Mademoiselle, Anne Marie Louise d'Orléans, duchesse de Montpensier, joue un rôle important vers les débuts de la deuxième moitié du XVIIe siècle. D'un physique plutôt ingrat racheté par une immense fortune, elle caresse d'abord l'idée d'épouser son cousin germain qui n'est autre que Louis XIV. Mais, prise dans les remous de la Fronde, saisie d'ambition, liée aux adversaires du cardinal Mazarin, elle en vient à faire tirer le canon de la Bastille sur les troupes royales pour sauver son ami Condé en mauvaise posture au faubourg Saint-Antoine en 1652. Après la victoire du cardinal, elle se retire dans son domaine de Saint-Fargeau.

Embelli par François Le Vau, frère de Louis Le Vau, l'architecte du Louvre, de Vaux-le-Vicomte et de Versailles, le château de Saint-Fargeau prend alors l'aspect qu'il conserve encore aujourd'hui : une cour intérieure immense au cœur d'un pentagone de brique rose flanqué de cinq grosses tours et d'une chapelle précédée d'un escalier en éventail. Sous les ardoises d'un toit qui s'étend sur un hectare et demi se cache un trésor d'architecture : une charpente de bois, aux dimensions plutôt rares, assez semblable à une immense nef de navire, sans la moindre trace de métal, et qui fait rêver les visiteurs. Autour du château, un parc à l'anglaise avec un grand étang bordé par deux allées parmi beaucoup d'autres : l'allée des Arbres verts et l'allée des Soupirs.

La Grande Mademoiselle règne sur une cour nombreuse et brillante. Les cuisines du château sont vastes et fameuses. La tradition veut qu'Anne Marie Louise ait été charmée par un marmiton en train de siffler des airs délicieux avec beaucoup de talent : c'était Lully, qui allait connaître une grande carrière. Mais de tous les noms illustres liés à Saint-Fargeau, le plus surprenant, sinon le plus célèbre, est celui de Lauzun.

Antoine Nompar de Caumont La Force, duc de Lauzun, était laid, spirituel, d'une audace et d'une insolence sans bornes. Ses manœuvres, souvent d'un goût douteux – il s'était dissimulé sous le lit du roi pour surprendre sa conversation –, lui avaient valu l'hostilité de Mme de Montespan. À bout de patience, Louis XIV, au terme d'une dispute, après avoir brisé sa canne pour éviter de frapper l'intrigant, s'était résolu à l'exiler et à l'emprisonner dans la sinistre forteresse de Pignerol où il allait retrouver un personnage autrement intéressant et que nous avons déjà rencontré : Nicolas Fouquet. Incorrigible, Lauzun réussit, en passant par une cheminée de la prison, à séduire la fille du malheureux Fouquet venue rejoindre son père.

Tant de provocations et d'aventures avaient tourné la tête à la Grande Mademoiselle. Elle qui avait tout ne rêvait plus que d'une chose qui se heurtait à l'opposition résolue de Louis XIV : épouser le vilain et séduisant Lauzun. Une résolution si ferme finit par l'emporter sur l'hostilité du roi : elle épousa son duc. Le mariage, bien entendu, ne tarda pas beaucoup à se révéler malheureux. Comme la plupart des aventurières de cette époque flamboyante, qui n'avaient pas eu froid aux yeux dans leur jeunesse agitée, la Grande Mademoiselle terminera sa vie dans la piété et dans la dévotion. Lauzun, en secondes noces, épousera la belle-sœur du duc de Saint-Simon, l'auteur des fameux *Mémoires.*

L'histoire de Saint-Fargeau ne se termine pas avec la Grande Mademoiselle. À sa mort, le domaine est acheté par un des financiers les plus fortunés – avec Samuel Bernard – de la fin du XVIIe siècle : Antoine Crozat. Crozat, à son tour, revend le château, son parc, ses forêts, à une famille de parlementaires déjà assez notoires, les Le Pelletier. Ils vont entrer avec éclat dans notre histoire nationale sous le nom, bientôt illustre, de Le Pelletier de Saint-Fargeau.

MOI : N'exagérez pas.

MOI : Je n'exagère pas. Si j'utilisais le vocabulaire qui vous est familier, honorable Sur-Moi, je dirais volontiers que Louis-Michel Le Pelletier de Saint-Fargeau est une gloire citoyenne. Président à mortier au parlement de Paris, député de la noblesse aux États généraux, il se rallie aux patriotes dès juillet 1789, réclame le rappel de Necker et l'abolition de la peine de mort, fait rayer le blasphème de la liste des crimes et délits, se lie avec Robespierre, siège avec la Montagne à la Convention nationale, présente un rapport, qui fait du bruit, sur l'éducation des enfants et finit par voter la mort du roi – aux côtés de Philippe d'Orléans, dit Philippe-Égalité, père du roi Louis-Philippe – le 20 janvier 1793.

Je tombai un jour sur le comte de Paris.

— Monseigneur, lui dis-je, nous avons un point commun : nous descendons tous les deux de régicides.

Sa réaction fut mitigée.

Louis XVI est guillotiné le 21 janvier. Le jour même, Louis-Michel dîne chez Février, au Palais-Royal, à peu près à l'emplacement du Véfour d'aujourd'hui. Il achève son repas quand pénètre dans l'établissement un ancien garde royal du nom de Pâris. Un dialogue s'engage :

— Es-tu Le Pelletier de Saint-Fargeau ?

— Oui.

— Et tu as voté la mort du roi ?

— Ma conscience le voulait.

— Voici ta récompense.

Et Pâris plonge son épée dans le cœur du conventionnel.

L'affaire fait un bruit énorme. Du jour au lendemain, Louis-Michel Le Pelletier de Saint-Fargeau devient, aux côtés de Marat, assassiné dans sa baignoire par Charlotte Corday, l'autre icône de la Révolution. Le corps sanglant du conventionnel est exposé aux regards et à la vénération du public. Louis David peint le cadavre en un tableau célèbre mais disparu. Louis-Michel a une fille de sept ou huit ans du nom de Suzanne. Robespierre la prend dans ses bras, la présente à la Convention nationale et prononce ces mots passés à la postérité :

— Citoyens, voici votre fille. Enfant, voici tes pères.

Cette scène qui semble sortie d'un roman a au moins deux conséquences. La première est que le château de Saint-Fargeau, propriété du héros-victime à la fortune fabuleuse, traverse sans la moindre dégradation l'épreuve de la Terreur. C'est tout juste si les armes de la Grande Mademoiselle – A.M.L.O., Anne Marie Louise d'Orléans – sont pilonnées sur les façades du château qui sort indemne de la tourmente. La seconde conséquence, que j'ai souvent rapportée, fait partie intégrante à la fois de l'histoire artistique de la France et de ma saga familiale.

À la mort de David, ardent Jacobin rallié avec éclat à l'Empereur et exilé en Belgique sous la Restauration, toute une partie de l'œuvre du peintre fut mise en vente. Par un phénomène assez courant, Suzanne, la fille de Louis-Michel, la mascotte de Robespierre, la Shirley Temple de la Convention nationale, s'était détournée des idées de son père et avait embrassé avec chaleur la cause de la monarchie. Elle racheta à chers deniers

– le bruit courut de cent mille francs-or – le tableau représentant Le Pelletier de Saint-Fargeau sur son lit de mort. Les exécuteurs testamentaires du peintre n'ignoraient pas les convictions de la fille du conventionnel. Ils lui firent promettre de ne pas détruire le tableau. La légende familiale veut que le chef-d'œuvre de David ait été muré quelque part dans les tours rondes, massives et roses du château de Saint-Fargeau.

C'est dans cette terre de légendes et dans ces rêves très gais en dépit de tant de sang que je débarquai en arrivant des tropiques, de la petite ville romanesque de Petropolis et de la baie de Flamengo entre le Pain de Sucre et le Corcovado. Mes grands-parents m'attendaient.

Mes grands-parents paternels, je les avais perdus avant ma naissance. Ma grand-mère maternelle était chez elle : depuis le conventionnel, Saint-Fargeau était toujours passé par les femmes. Suzanne Le Pelletier avait eu une fille qui avait eu une fille qui avait eu une fille qui avait eu une fille et le tout aboutissait à ma grand-mère, Valentine. Catholique très pieuse et plutôt effacée, Valentine, qui avait dû être belle dans sa jeunesse, appartenait à la vieille famille bretonne des Boisgelin où étaient apparus successivement, et entre autres, des maréchaux de camp et un cardinal. À en croire les paroles d'une sonnerie de trompes de chasse :

> Boisgelin, la vie que tu mènes
> Ne saurait plus longtemps durer,
> Tu perdrais en une semaine
> Ta terre de Beaumont-le-Roger

les Boisgelin ne détestaient pas mener la vie à grandes guides.

Valentine avait épousé Jacques Anisson du Perron, descendant d'une lignée lyonnaise de libraires et d'imprimeurs qui avait donné sans interruption, entre la fin du XVIIe siècle et le milieu du XIXe, des directeurs à l'Imprimerie royale, puis à l'Imprimerie nationale. Sa fortune ne devait pas être négligeable puisqu'elle lui avait permis de reprendre le château de Saint-Fargeau. Il était petit, râblé, capitaine de cavalerie et franchement réactionnaire. Élevé par les jésuites, il lisait et parlait le latin assez bien. Il s'était entretenu en latin avec des amis hongrois qui ne parlaient pas le français et il s'étonnait de ne pouvoir faire de même avec moi qui, ayant étudié la langue de Virgile et de Cicéron pendant une bonne douzaine d'années, étais bien incapable de soutenir une conversation en latin. Il avait été en garnison à Abbeville où était née, un 15 août, ma mère, qui s'appelait Marie.

Parce que nous arrivions à Saint-Fargeau vers la fin de juin ou le début de juillet pour la durée des vacances d'été, je revois le château, sa cour rose, son étang, son parc à l'anglaise avec ses chênes et ses sapins, sous des flots de soleil. Des incendies successifs avaient détruit toute une aile de la vieille demeure. Une bonne quarantaine de chambres avaient été abandonnées. Une demi-douzaine seulement étaient encore habitées – sans la moindre eau courante et avec seulement deux salles de bains d'une austérité remarquable et tout à fait vieillottes.

Toute l'économie de la maison reposait sur un ménage de vieux serviteurs sorti d'un ouvrage de la comtesse de Ségur et qui faisait partie de la famille. Lui s'appelait

Jean Gonnin ; et elle, Marie-Louise. Jean Gonnin faisait tout et apportait à table, dans la salle à manger creusée dans une des tours gigantesques du château, sous un lustre étonnant et assez laid, composé de trompes de chasse, des plats d'une frugalité et le plus souvent d'une médiocrité surprenantes. Provenant de la cuisine démesurée et lointaine, héritée de la préhistoire, ils avaient tout le temps de refroidir au cours d'un trajet interminable qui, comportant un escalier de bois glissant et très raide, tenait du tour de force et de l'exploit sportif. Marie-Louise ne faisait pas grand-chose et apparaissait chaque matin dans chaque chambre, pour la toilette du jour, avec à la main un broc plutôt modeste d'une eau qu'elle présentait comme chaude.

J'aimais dormir…

MOI : Ça ne m'étonne pas.

MOI : … Je me réveillais tard le matin. Je guettais le soleil à travers les rideaux et le bruit du râteau manié par le jardinier sur le gravier au pied des tours. Pour la première fois, je me sentais chez moi. À l'abri. Loin des tumultes du monde qui avaient plus de peine à parvenir jusqu'à Saint-Fargeau, à deux heures de Paris, qu'en Bavière, en Valachie ou dans la baie de Guanabara.

Je me levais. Je traînais dans le billard, dans le petit salon, dans le grand salon, dans la bibliothèque. Deux fois par mois, l'horloger, M. Machavoine, venait remonter les horloges du château. Une de mes occupations favorites était de le suivre de pièce en pièce avec un sentiment de béatitude qui relevait de la transe. J'aimais ses gestes de magicien, sa précision, sa lenteur. J'écoutais avec délice sonner les pendules, les cartels, les horloges anciennes installées sur des éléphants ou entourées de nymphes guerrières. Je sortais. J'allais m'installer sous les tilleuls auprès de ma grand-mère, assise dans une étonnante cahute d'osier qui la protégeait du soleil et du vent. Moi, je m'offrais au contraire le plus possible au soleil et je me plongeais dans la lecture de *La Petite Illustration* qui publiait en ce temps-là des pièces de théâtre. J'aimais *Knock ou le Triomphe de la médecine* de Jules Romains, et *Topaze* de Pagnol, plus tard Achard ou Roussin, et surtout Flers et Caillavet dont *Le Roi* ou *L'Habit vert* me transportaient de bonheur. Vingt ans plus tard, j'allais entendre avec joie Vladimir Jankélévitch interrogé à la télévision sur Beckett ou Pinter répondre que oui, bien sûr, ce théâtre-là l'intéressait beaucoup, mais qu'il ne pouvait s'empêcher de lui préférer Robert de Flers et Caillavet. Et puis j'allais me promener dans le parc, autour de l'étang, le long de l'allée des Soupirs ou de l'allée des Arbres verts. Je prenais ma bicyclette. Je poussais jusqu'à ces grandes forêts de chênes qui font la gloire de la Puisaye, autour du chapelet d'étangs dont les noms, aujourd'hui encore, me font monter les larmes aux yeux : l'étang du Talon, l'étang du Parre, l'étang Lelu, l'étang des Coqs (prononcer : des Cos), l'étang des Quatre Vents, et le plus vaste de tous, qui était la proie des pêcheurs : le Bourdon.

La Puisaye, avec Saint-Fargeau pour capitale, avec Bléneau, Toucy et Saint-Sauveur, la patrie de Colette, est une petite région française, à l'extrême nord de la Bourgogne, entre le Loing et la Loire, couverte, comme son nom l'indique, de forêts et de points d'eau. Si je m'enracine quelque part – on connaît l'apostrophe célèbre d'André Gide à Maurice Barrès : « Où voulez-vous, Monsieur Barrès, que je m'enracine ? » –, c'est en Puisaye. Je suis un cosmopolite poyaudin et toujours émerveillé, égaré plus tard un peu partout autour de la Méditerranée : en Grèce, en Turquie, au Moyen-Orient, en Égypte, et surtout en Italie.

MOI : Rien de tout cela ne vous sera reproché.

MOI : J'espère bien.

MOI : Mais pas mal d'autres choses…

MOI : C'est bien possible. Nous arrivions à Saint-Fargeau au début de l'été 1938, à la veille de Munich. J'avais treize ans. J'allais entrer dans la classe de troisième. Je me souviens comme si j'y étais de cette fin d'été où nous étions pendus à l'énorme radio de bois qui nous lançait à la volée des nouvelles – régulièrement désastreuses – de Hitler, flanqué de ses sbires, de Mussolini et de son gendre Ciano, de Neville Chamberlain, l'homme au parapluie, d'Anthony Eden, courageux, démissionnaire, futur ministre de Churchill, toujours si élégant, et d'Édouard Daladier, « le taureau du Vaucluse ».

Pour trois raisons au moins, j'étais, à treize ans, ardemment hostile aux accords de Munich. La première était politique et familiale. Élevé dans l'exécration du national-socialisme, il m'était impossible de croire aux promesses du Führer. Je me répétais la formule de Churchill : « Vous aviez le choix entre le déshonneur et la guerre. Vous avez choisi le déshonneur. Et vous aurez la guerre tout de même. » La deuxième était égoïste et scolaire : le succès trompeur de Munich mettait fin à une période d'incertitude qui laissait en suspens une rentrée pleine de menace pour moi puisqu'elle marquait mon retour dans un système d'éducation dont j'étais un des rares jeunes Français à tout ignorer. La troisième raison relevait de fantasmes assez sombres : je me demande si je n'avais pas, tout au fond de moi-même, une soif secrète et à peu près inavouable de catastrophes. J'étais guetté par l'indifférence. Il me fallait lutter contre elle. Ce que je craignais par-dessus tout, c'était qu'il ne se passât rien.

MOI : Tiens donc !…

MOI : Nous y reviendrons, je crains. Le calice de Munich étant bu jusqu'à la lie, la rentrée devenait inévitable. Mes parents m'avaient inscrit à Bossuet, un collège privé et catholique de la rue Guynemer dont les élèves suivaient les cours du lycée Louis-le-Grand. Chaque jour, nous traversions le Luxembourg – où il nous arrivait aussi de jouer au ballon ou aux barres – pour nous rendre rue Saint-Jacques. Je ne garde presque aucun souvenir de Bossuet, mais Louis-le-Grand reste vivant en moi à cause d'un professeur qui allait prendre place à plusieurs titres – inégaux – dans notre histoire nationale : Georges Bidault.

Georges Bidault enseignait l'histoire dans une classe de troisième du lycée Louis-le-Grand en 1938. Démocrate-chrétien – on disait alors : démocrate populaire –, il écrivait aussi avec régularité des articles dans un journal proche des idées de mon père : *L'Aube*, où il combattait avec ardeur la capitulation de Munich. Un jour, avec stupidité, j'avais apporté en classe et déployé le journal de mon professeur. J'entends encore sa voix métallique et brève qui me remettait à ma place. Au sortir de mon enfance solitaire, Georges Bidault était pour moi le premier d'une longue série qui allait jouer un rôle immense dans ma vie : ces maîtres auxquels m'attacheraient l'affection et l'admiration. Jean Hyppolite, René Cassin, Paul Rivet, André Leroi-Gourhan, Jean-Pierre Vernant, Jacques Rueff, Roger Caillois, Emmanuel Berl, Jeanne Hersch, beaucoup d'autres encore allaient s'inscrire successivement dans ce cortège auquel je dois tant. Au point que j'ai souvent caressé l'idée d'écrire un livre sur un thème magnifique qui allait de Socrate et Alcibiade à Vladimir Jankélévitch et Lucien Jerphagnon, en passant par Platon, par Aristote et Alexandre le Grand, par Boileau, par La Bruyère, par Bossuet, par Jean-Jacques Rousseau et Chateaubriand, par Rimbaud, par Alain, par les peintres florentins ou vénitiens, par les artisans, par les gens du spectacle, du cheval ou du cirque : *Maître et disciple.*

Ce qui dominait, en ce temps-là, mon existence en développement, c'étaient deux combinaisons de circonstances et d'événements extrêmement différentes, l'une privée, l'autre publique : mes études et la politique.

L'école, le lycée, le travail et l'effort passaient avant tout. Avec, hélas, au bout du trajet, l'ombre menaçante du baccalauréat qui me remplissait de frayeur. Mes parents veillaient avec une tendre férocité à la priorité de ces obligations. Elles se limitaient d'ailleurs à un horizon de deux ou trois ans. Je n'avais, à treize ans, pas la moindre idée de ce que je voulais faire plus tard. Ces mots de *plus tard* recélaient pour moi quelque chose d'inquiétant et je me refusais à y penser. Petit bourgeois studieux, je m'attachais d'abord à la semaine qui venait, au trimestre en cours, au bilan de mon année scolaire. Sous la conduite d'un abbé dont j'ai oublié le nom

– peut-être me sera-t-il fourni par un lecteur quasi centenaire ? – et qui avait, je crois, de l'affection pour moi, l'école Bossuet m'avait envoyé à Rome en compagnie de toute ma classe. Dans cette ville où je me rendais pour la première fois et que, dix ou quinze ans plus tard, j'allais aimer à la folie, je me suis beaucoup ennuyé. Les musées n'étaient pas mon fort. Je passais mon temps à dormir.

MOI : Déjà médiocre, peut-être ?

MOI : Très perspicace Sur-Moi, vous m'enlevez les mots de la bouche. De mes voyages à travers le monde dans mes toutes premières années, je n'avais tiré ni un poème, ni une fable, ni une chanson, ni un dessin pour ma mère. À l'entrée dans l'adolescence, je n'avais aucun grand rêve ni la moindre ambition. J'étais peut-être éveillé, peut-être même assez vif. Mais j'avais, je l'avoue, un côté abruti, ou en tout cas benêt, déjà bien affirmé. J'étais plutôt content, non pas de moi, mais de mon entourage. Même sans rien faire, je ne me suis jamais ennuyé avec moi. J'aimais respirer l'air du temps et vivre sans fracas me plaisait assez bien.

L'autre grande affaire de mes treize ou quatorze ans était la politique. En Bavière et en Roumanie, elle avait déjà envahi mon enfance. De retour en France, en Puisaye, à Paris, elle pesait sur mes minces épaules de tout son poids écrasant. Plus tard, sous Mitterrand, sous Hollande, je me suis un peu inutilement énervé. Mais je savais très bien que tout ce qui me paraissait alors si absurde et si inquiétant et que je dénonçais avec vigueur n'était que roupie de sansonnet à côté de la tragédie aux allures de catastrophe qui enveloppait mon enfance et mon adolescence. Pour parler un langage marxiste, ce qui est venu plus tard n'était qu'un *remake* en forme de grimace d'un passé dramatique. Avec la mort de Staline, le monde, qui se survivait tant bien que mal, était entré dans une zone de torpeur, dans une sorte de marécage où le seul danger, le vrai risque était l'endormissement dans la médiocrité. Quand j'avais dix ans, douze ans, quatorze ans, la vie, qui pour moi se concentrait sur mes études et sur le spectre d'un baccalauréat dérisoire, était guettée à chaque instant par deux ogres plus menaçants que le loup de nos fables, que la bête du Gévaudan, qu'un Barbe bleue cosmique : c'étaient Hitler et Staline. Et il fallait choisir entre eux.

MOI : Ne nous excitons pas, petit Moi.

MOI : L'Espagne déchirée avait donné un avant-goût des convulsions de l'Europe. Le philosophe José Bergamin avait deux neveux qui ne voulaient s'engager ni dans le camp des communistes ni dans le camp des fascistes.

— Il faut choisir, leur dit leur oncle.

Ils tirèrent au sort. L'un tomba sur l'extrême droite, l'autre tomba sur l'extrême gauche. Ils furent tués tous les deux.

Dans l'Europe en charpie, l'année de disgrâce 1938 s'achevait sur une incertitude qui, aux yeux au moins de mon père, n'était que trop certaine. L'image clé que je garde de l'année 1939 se situe dans ce jour de septembre où tombe de la bouche de ces pythies modernes qu'étaient alors, à défaut d'une télévision encore tapie dans l'avenir, la radio et la presse, la nouvelle désastreuse et enfin porteuse de vérité du pacte germano-soviétique conclu à Moscou entre Molotov, l'homme de Staline, et

Ribbentrop, l'homme de Hitler. Je vois encore sous mes yeux, j'entends de mes oreilles mon père me dire, un journal à la main, avec évidence et avec un désespoir qui se trompait rarement :

— C'est la guerre. Elle est là. Elle est inévitable.

Une semaine plus tard, à propos de Dantzig qui n'était qu'un prétexte, elle était déclarée.

MOI : La guerre ! On dirait vraiment, petit Moi ridicule, que, plus encore que vos études, apparemment sacro-saintes, elle a dominé votre enfance, votre existence entière et le monde autour de vous…

MOI : En doutez-vous un instant, grand Sur-Moi de génie ? Elle était le fruit amer et nécessaire de tout ce qui s'était passé de médiocre et de gigantesque depuis ce jour fatal de l'été 1914 où un archiduc autrichien est assassiné à Sarajevo par un inconnu de dix-neuf ans qui fait connaître au monde le nom de Gavrilo Princip. Une bonne centaine de millions de morts allaient surgir, en trente ans, de ce coup de feu qui déclenche l'engrenage mécanique de tant de folies et de stupidités. S'ouvrait devant l'Europe en train de creuser sa tombe le temps des assassins.

MOI : Croyez-vous vraiment, mon pauvre petit, que le monde et l'histoire n'ont pas été depuis toujours, depuis la nuit des temps, la proie des assassins ? Je crains que vous n'oubliiez cet Empereur venu de Corse dont vous vous êtes un peu occupé, la guerre de Sept Ans, la guerre de Trente Ans, la guerre de Cent Ans, les grandes invasions, les horreurs de cette Rome que vous admirez tant, la guerre du Péloponnèse, si minuscule et si atroce, dont nous parle Thucydide.

MOI : Pardonnez-moi, grand Sur-Moi omniscient. Je n'oublie rien du tout. Mais il y a quelque chose qui s'appelle le progrès. Le progrès est un Janus à deux faces. C'est une bénédiction. Et c'est une malédiction. Le progrès, si merveilleux, si recherché à bon droit, est une formidable machine à engendrer le bien et à multiplier le mal. Les hommes vivent plus longtemps. D'une certaine façon qu'il est difficile de contester, ils vivent de mieux en mieux. Et, d'une certaine façon encore, ils vivent de moins en moins heureux. Ils deviennent plus nombreux – trop nombreux –, plus savants et plus forts. Ils peuvent tuer plus de gens. Ils peuvent en faire souffrir un nombre sans cesse croissant. Depuis ce jour du mois de septembre où mon père m'annonce la guerre et qui renvoie lui-même à cet autre jour d'été où l'héritier d'un grand empire se fait assassiner dans une petite ville des Balkans, une série de désastres vont déferler sur le monde. Les camps de concentration, les goulags, la Shoah, les bombardements massifs, le nucléaire, les souffrances liées au système colonial, les mensonges et les crimes deviennent notre pain quotidien. Pendant quatre ou cinq ans, et plus encore, à des degrés différents, directement ou indirectement, à titre personnel ou par solidarité, à travers la transparence et la communication, chacun de nous, cher Sur-Moi, ne sera plus que douleur. Ce que je suis avant tout, c'est un enfant de la guerre.

MOI : Vous vous prenez pour qui ? Pour un imprécateur cosmique ? On se calme. Je vous connais un peu. Ce que vous êtes avant tout, petit Moi ridicule, c'est un héritier, un jouisseur et un cynique professionnel. Ne montez pas sur vos grands chevaux.

MOI : Je vous remercie, Sérénissime Sur-Moi. Je me laisse souvent aller. La guerre éclatait. Avant même de prendre, plus de huit mois durant, la forme sournoise et angoissante de la fameuse drôle de guerre, formule inventée peut-être par Roland Dorgelès ou peut-être par Maurice Noël dans *Le Figaro,* sorte de sursis en forme d'adieu à la douceur de vivre, avec ses communiqués lénifiants, insipides et répétitifs, avec cette attente hagarde qui brisait les nerfs, avec l'annexe norvégienne et le drame finlandais, elle était une énigme et une interrogation : Paris allait-il être bombardé ? Paris allait-il être détruit ? Par les gaz ? Par cette fameuse cinquième colonne aux ordres des Allemands et entourée de mystère ? Mes parents décidèrent de s'installer à Ormesson, à quelques minutes, en ces temps-là, de Paris, chez mon oncle Wladimir et ma tante Conchita. Quittant à nouveau les bancs normaux de l'école et du lycée, je poursuivis toute ma seconde aux côtés de mes cousins André et Antoine qui avaient à peu près l'âge de mon frère et le mien.

Ces quelques mois d'immersion dans la famille de mon oncle restent un souvenir lumineux, assombri par la guerre. Très lié avec Pierre Brisson, homme de presse puissant qui avait pris la direction du *Figaro* en 1936, il était – avec André Siegfried qui régnait aux Sciences Po de la rue Saint-Guillaume et avec le charmant Gérard Bauër, petit-fils d'Alexandre Dumas, qui écrivait sous le nom de Guermantes, à droite de la première page du *Figaro,* des chroniques ravissantes sur la vie parisienne et les canards du bois de Boulogne – une des vedettes majeures du journal où il s'occupait surtout de politique internationale. Très beau, comme vous le savez déjà, perpétuel Sur-Moi, très brillant, très gai, passant son temps à Paris dans les milieux de la littérature, du théâtre, de la presse, du pouvoir, il faisait de chaque déjeuner et de chaque dîner comme une fête permanente.

Longtemps, à Saint-Fargeau, au cours des mois d'été, j'avais pris mes repas avec mon frère Henry et mon cousin Jacques – le fils de Roger, frère de ma mère –, qui était mon meilleur et, en vérité, mon seul ami et que j'aimais tendrement, dans la petite salle à manger d'enfants attenante à la grande. Et même dans la grande, il ne se passait pas grand-chose. Des voisins de campagne et le doyen Voury, curé de Saint-Fargeau, successeur du doyen Mouchoux qui croquait des noix entières, y compris la coque, y faisaient de temps en temps une apparition fugitive. Mais la conversation ne s'élevait jamais beaucoup au-dessus des chasses à courre, des mariages et des enterrements, des oncles et des tantes, des cousins, des cousines et du temps qu'il faisait. Mon père essayait bien de l'orienter vers Louis-Michel Le Pelletier et son destin tragique. Mais la pâte ne prenait jamais et un silence glacial entourait le souvenir du régicide dans une famille où le 21 janvier, date de l'exécution de Louis XVI, restait un jour de deuil. À Ormesson au contraire, l'actualité politique, intellectuelle, artistique, littéraire défilait à toute allure.

Les hommes politiques – les femmes politiques

n'existaient pas encore à l'exception de Louise Weiss, européenne convaincue, pacifiste et féministe, et de Geneviève Tabouis, nièce des deux frères ambassadeurs Jules et Paul Cambon, éditorialiste (peut-être subventionnée par Moscou) qui commençait volontiers ses bulletins d'information par une phrase devenue sa marque de fabrique : « Attendez-vous à savoir... » –, les journalistes, les écrivains constituaient l'entourage naturel de mon oncle Wladimir. Il nous rapportait leurs propos et leurs opinions et ils venaient souvent eux-mêmes s'asseoir à sa table. J'ouvrais de grands yeux et j'écoutais de toutes mes oreilles. Quand nous restions entre nous, Wladimir nous racontait avec talent des histoires passées ou présentes. Un soir, il nous parla des frasques d'une de nos arrière-arrière-grands-mères dont le tableau ornait la salle à manger ou le petit salon d'Ormesson. Le lendemain matin, au réveil, nous constations que le tableau, que ne soutenait plus un fil trop usé, était tombé à terre.

Plusieurs fois par mois venait déjeuner ou dîner, et parfois même coucher, un vieil ami de la famille que nous appelions l'oncle Félix. Plutôt grand et massif, très simple, toujours bienveillant, l'oncle Félix m'entraînait souvent avec lui dans de longues promenades qui nous menaient jusqu'aux bois entourant Ormesson. Il aimait les livres et la poésie et il me racontait les amours de Racine avec la Champmeslé ou la jeunesse de Chateaubriand, terrifié par son père au cours des soirées sinistres de Combourg rapportées dans les *Mémoires d'outre-tombe*. J'avais quatorze ans. J'écoutais avec passion ces récits de grandeur et d'exaltation. Il lui arrivait de temps en temps de citer de mémoire des scènes entières de Racine ou de Corneille :

POLYEUCTE

Je vous aime
Beaucoup moins que mon Dieu, mais bien plus que moi-
[même.

PAULINE

Au nom de cet amour, ne m'abandonnez pas.

POLYEUCTE

Au nom de cet amour, daignez suivre mes pas.

PAULINE

C'est peu de me quitter, tu veux donc me séduire ?

POLYEUCTE

C'est peu d'aller au ciel, je veux vous y conduire.

PAULINE

Imaginations !

POLYEUCTE

Célestes vérités !

PAULINE

Étrange aveuglement !

POLYEUCTE

Éternelles clartés !

PAULINE

Tu préfères la mort à l'amour de Pauline !

POLYEUCTE

Vous préférez le monde à la bonté divine !

PAULINE

Va, cruel ; va mourir ; tu ne m'aimas jamais.

POLYEUCTE

Vivez heureuse au monde, et me laissez en paix.

ou de glisser comme par mégarde des passages du *Sermon sur la mort* de Bossuet :

C'est une étrange faiblesse de l'esprit humain que jamais la mort ne lui soit présente, quoiqu'elle se mette en vue de tous côtés et en mille formes diverses. On n'entend dans les funérailles que des paroles d'étonnement de ce que ce mortel est mort. Et je puis dire, Messieurs, que les mortels n'ont pas moins de soin d'ensevelir les pensées de la mort que d'enterrer les morts mêmes.

Ou encore de réciter les vers écrits par Hugo à la mort de Claire qui avait vingt ans et qui était la fille de Juliette Drouet et du sculpteur Pradier :

Ils ont ce grand dégoût mystérieux de l'âme
Pour notre chair coupable et pour notre destin,
Ils ont, êtres rêveurs qu'un autre azur réclame,
Je ne sais quelle soif de partir le matin.

Quand nous reverrons-nous où vous êtes, colombes,
Où sont les enfants morts et les printemps enfuis,
Et tous les chers amours dont nous sommes les tombes,
Et toutes les clartés dont nous sommes les nuits ?

Vers ce grand ciel clément où sont tous les dictames,
Les aimés, les absents, les êtres purs et doux,
Les baisers des esprits et les regards des âmes,
Quand nous en irons-nous ? Quand nous en irons-nous ?

En disant ces mots :

Quand nous en irons-nous ? Quand nous en irons-nous ?

il frappait le sol de sa canne. Je ne connaissais pas le mot *dictames* et j'étais muet de stupeur et d'admiration.

Bien des années plus tard, j'allais rencontrer Gustave Thibon, l'auteur trop oublié de *L'Échelle de Jacob* qui me récitait de nouveau, de sa belle voix rocailleuse à l'accent du Midi :

Quand nous reverrons-nous où vous êtes, colombes…
Quand nous en irons-nous ? Quand nous en irons-nous ?

Et je devais me lier avec un autre géant, plus grand et plus massif encore que l'oncle Félix : Kléber Haedens. Kléber venait de *L'Action française* et était un disciple de Maurras, comme Thierry Maulnier. Ils détestaient tous les deux le pathétique du romantisme. Thierry Maulnier, dans son *Anthologie de la poésie française*, n'avait retenu de Hugo qu'un seul vers isolé :

Quel dieu, quel moissonneur de l'éternel été…

Et Kléber tentait en vain de me persuader du vide abyssal de la pensée de Hugo. Je me souvenais, en l'écoutant, de la voix et de la canne de l'oncle Félix. Et je me répétais en moi-même :

Quand nous en irons-nous ? Quand nous en irons-nous ?

Je dois beaucoup à l'oncle Félix et à cette famille qui l'entourait et qui a été très bonne pour moi. Je me rappelle qu'un jour, à je ne sais plus quelle occasion, Noël peut-être, ou le 1er janvier 1940, elle me remit en cadeau les œuvres complètes de Bergson.

MOI : C'est cette famille-là que, quelques années plus tard, vous alliez vous hâter de trahir ?

MOI : Implacable Sur-Moi, on ne peut rien vous cacher. Dans une douzaine d'années, c'est-à-dire dans quelques pages, demain ou après-demain, comme dans une pièce bien conçue où les coups de théâtre et les retournements ne manquent pas, je me verrai contraint devant vous à plaider enfin coupable. Pour l'instant, tout va bien. Ou plutôt pas trop mal. *So far, so good,* comme s'écrie l'Américain qui, tombant du soixante-quinzième étage, passe devant le dixième. La guerre est là, mais elle ne fait pas encore rage. Elle chemine, souterraine. Elle est dans les esprits beaucoup plus que dans les faits. Une vague espérance lutte encore avec l'angoisse. Nous nous forçons à croire, sans y croire tout à fait, dans une sorte d'optimisme mêlé de mauvaise foi, dans une espèce de pessimisme toujours baigné d'illusions, que le pire n'est pas toujours sûr.

L'automne se passe dans la crainte et dans le tremblement. L'hiver lui succède, avec, déjà, une ombre d'habitude. Peut-être la guerre va-t-elle durer comme ça ?

Peut-être Hitler va-t-il mourir d'un coup de pistolet ou d'une attaque cardiaque ? Peut-être le monde sera-t-il sauvé de l'apocalypse annoncée ? Le printemps arrive. Il est très doux. Chanté par Aragon, mai 1940 est radieux. Un matin, pourtant, mon cousin André que j'aime beaucoup et avec qui je vais me promener souvent dans les bois d'Ormesson, moins grands, moins somptueux que les forêts de Puisaye, passe à toute allure dans les pièces du château en criant à tue-tête :

— Les Allemands sont entrés en Belgique !

Les cinq années de la plus terrible des guerres de toute l'histoire des hommes s'ouvraient soudain devant nous.

Après huit mois d'attente, l'arme au pied, à l'abri du mythe trompeur de la ligne Maginot, le sort de la bataille de France s'est joué en une dizaine de jours. Je ne vous parlerai pas, honorable Sur-Moi, de nos tribulations privées qui sont sans intérêt ni du drame national que le monde entier connaît. Le 10 mai 1940 est peut-être la date la plus sombre de notre longue épopée. Et le début d'un déclin militaire, politique, économique et culturel. Dix siècles d'histoire glorieuse s'effaçaient d'un seul coup. Un grand pays s'effondrait.

Nous avons fait comme tout le monde. Mon père voyait avec horreur le national-socialisme s'emparer de la France. Nous avons quitté Paris, déclaré ville ouverte. L'exode. Moulins. Le passage de la Loire. Dans un hôtel de Brive plein à craquer – c'était, je crois, La Truffe noire –, j'ai dormi sur un billard. Bordeaux. La demeure improbable d'une vieille tante à l'esprit dérangé : le château…

MOI : Encore un château !

MOI : … de Lézignan-la-Cèbe, construit au XVIIe pour un Montmorency, près de Pézenas, cher à Molière, dans l'Hérault. Je n'ai pas entendu à la radio l'appel du 18 juin. Mais dès la fin du mois, par des canaux mystérieux, j'étais gaulliste.

Le mois d'après, en juillet, mon père, ambassadeur à la retraite, est nommé par Pétain à la tête de la Croix-Rouge française. Il va lui falloir travailler à Vichy. Il nous installe, ma mère et moi, flanqués de mon cousin Jacques et de sa mère, ma blonde et délicieuse tante Anne-Marie dont le mari est prisonnier en Allemagne, dans la modeste pension Bon Accueil à Royat et il m'inscrit en première, pour préparer mon bachot, au lycée Blaise-Pascal à Clermont-Ferrand. Un tramway, passant par Chamalières, relie Royat à la place de Jaude, au cœur de Clermont-Ferrand. L'Angleterre, assiégée, avec Churchill au pouvoir, est seule à tenir tête – mais pour combien de temps ? – à Hitler triomphant. Les États-Unis sont neutres et penchent plutôt vers Pétain que vers de Gaulle. La Russie soviétique n'est pas neutre : elle est l'alliée de l'Allemagne. L'espérance n'est plus qu'une lueur qui clignote avant de s'éteindre. L'avenir du monde est sinistre. À l'image du sort misérable de la patrie, notre existence s'annonce rude.

Elle le sera encore plus. Une page d'honneur, presque de gloire, s'inscrit dans la vie de mon père. Au début d'août, mon père se rend à Vichy. Il y reste vingt-quatre heures. Et il démissionne. Aucune loi antijuive n'est encore promulguée : une telle mesure aurait aussitôt entraîné le refus de mon père. Mais il apprend sur place que les Juifs allemands réfugiés en France pour fuir le régime national-socialiste vont être rendus à Hitler. Son sang ne fait qu'un tour : il se retire. Un demi-siècle plus tard, je ferai remarquer à François Mitterrand, président de la République, qui avait mis trois ans à s'éloigner de Vichy, qu'il avait suffi de quelques heures à mon père pour rejeter l'ordre nouveau. Il vint, très calmement, s'installer avec nous à la pension Bon Accueil.

C'est là que j'écoutai les premiers discours, si beaux, du maréchal Pétain, prononcés avec émotion et d'une voix chevrotante : « Je viens, le cœur serré... » « Je tiens les promesses, même celles des autres... » « La Terre, elle, ne ment pas... » Bien des années plus tard, j'allais me lier étroitement à un homme que j'ai beaucoup admiré et aimé : Emmanuel Berl, l'auteur de *Sylvia* et de *Mort de la pensée bourgeoise.* Il m'avait écrit une lettre indulgente et amicale à propos d'un de mes livres. Ses éloges m'avaient tellement ému que je n'avais pas réussi à le remercier par écrit. Les mots ne me venaient pas. Je me promenais avec sa lettre dans ma poche. Un jour, n'en pouvant plus, j'ai sonné à sa porte. Au 36, si je ne me trompe, de la rue de Montpensier, derrière le Palais-Royal. Une dame vint m'ouvrir. C'était Mireille, l'auteur de *Couchés dans le foin*, la fondatrice du Petit Conservatoire. Toujours abruti, je ne la reconnus pas. Occupée par ses élèves, parmi lesquelles Françoise Hardy, elle me mena à son mari que, je n'ai jamais su pourquoi, elle appelait Théodore. Était-ce à cause de *Théodore cherche des allumettes*, petit chef-d'œuvre de Courteline ? Il m'accueillit de façon exquise. Et je devins son ami.

J'allais le voir deux fois par semaine. Il me recevait en

fumant de petits cigares appelés, je crois, Panther, vêtu presque toujours d'un simple pyjama, souvent seulement du pantalon, parfois seulement de la veste, et couché dans son lit. Il prononçait des paroles qui coulaient en moi comme du miel.

— Je ne vois plus grand monde, me disait-il d'un air détaché. Je cause un peu avec Malraux et un peu avec vous.

Un soir, je tombai chez lui, passablement excité...

MOI : Ça vous arrive, il me semble.

MOI : Pas très souvent. De temps en temps.

— Les gens racontent n'importe quoi, lui lançai-je. Vous savez ce qu'ils inventent ? On a osé prétendre devant moi que c'est vous qui aviez écrit les premiers discours de Pétain !...

— Mais c'est tout à fait vrai, me dit-il du ton le plus serein.

— Quoi ! m'écriai-je. Vous qui êtes juif, socialiste...

— Plutôt communiste, me dit-il.

Il était communiste comme je suis évêque.

— Enfin, lui dis-je, au comble de l'exaltation, vous êtes juif et de gauche, qu'est-ce qui vous a pris ?

— Ils étaient si faibles, me dit-il. Il fallait bien les aider.

Les discours suivants de Pétain, nous ne les écoutions plus. Quand ils étaient annoncés, tous les pensionnaires de la maison Bon Accueil se rassemblaient autour de l'immense radio de bois. Mes parents et moi, nous écoutions les nouvelles qui étaient toutes mauvaises et, dès le début de l'intervention du malheureux maréchal, nous nous retirions en silence. Nous n'espérions plus grand-chose, sauf peut-être un miracle.

Au lycée de Clermont-Ferrand, je fis trois rencontres : un maître, un ami et comme l'ombre d'un amour.

MOI : Tiens !…

MOI : Comme vous me diriez : ne nous emballons pas.

Le maître était le professeur de français en classe de première au lycée Blaise-Pascal. Il s'appelait M. Nivat. Je ne l'ai jamais revu après mon départ de Royat, mais je garde son nom dans mon cœur. J'ai su plus tard que son fils était un spécialiste reconnu des affaires russes. Et j'ai rencontré avec une vraie émotion sa petite-fille au *Grand Journal* de Canal Plus. Il nous parlait de La Fontaine, de Racine, de Jean-Jacques Rousseau. Je l'écoutais avec bonheur. Il m'est arrivé de lui remettre deux ou trois dissertations – on parlait alors de « compositions » – qui ont eu la chance de lui plaire. Il avait pour moi des trésors d'indulgence. Il m'a envoyé au Concours général de français où j'ai bâclé une copie dont je savais en l'écrivant qu'elle était à peu près nulle. Plus tard, j'ai été invité plus d'une fois à ces dîners de lauréats du Concours général qui constituent comme une mafia très distinguée. J'ai été obligé d'avouer que j'avais bien participé à cette épreuve digne d'estime mais sans décrocher la moindre médaille. Je n'ai pas fait honneur à mon cher M. Nivat que je ne remercierai jamais assez : je lui dois – après l'oncle Félix – mes premiers émois littéraires. Il m'a appris à aimer ces navigateurs audacieux, ces aventuriers de l'esprit, ces êtres de légende que sont les écrivains.

L'ami s'appelait Jean-Paul Aron. Il était alsacien, charmant, juif, très doué et très drôle, homosexuel. Je l'ai beaucoup aimé. Son père appartenait, je crois, à l'université de Strasbourg, repliée à Clermont-Ferrand. Neveu, peut-être lointain, de Raymond Aron, il fut le premier de mes amis intimes et nous nous disputions dans la gaieté malgré la tristesse des temps les faveurs de M. Nivat et les premières places à son cours de français. Notre occupation principale était de tracer, assez tôt – dès l'hiver 1940-1941 –, des croix de Lorraine sur les murs de Clermont-Ferrand. Nous parlions aussi inlassablement des livres que nous commencions à aimer et des écrivains que nous découvrions dans le désordre et dans l'enthousiasme de la jeunesse. Et, rite immuable des amitiés naissantes, nous nous ramenions sans fin l'un l'autre à nos demeures respectives.

Plus tard, agrégé de philosophie, auteur de deux livres très originaux et presque célèbres, *Le Mangeur du XIXe siècle* et *Les Modernes*, il devait connaître, comme il se doit, des bonheurs et de grands malheurs : la couverture du *Nouvel Observateur* et un sida affronté avec un courage digne d'admiration. La vie était passée. Nous nous étions un peu perdus de vue. Je n'ai jamais cessé d'avoir pour lui, le premier de mes amis, la plus fidèle affection.

L'amour n'était peut-être qu'une ombre, un rêve, une illusion. J'avais maintenant un peu plus de quinze ans et aucune femme, jamais, n'était entrée dans ma vie. Je n'allais pas au bordel, je ne lisais aucune publication pornographique, je n'avais jamais caressé ni embrassé une fille. Je soutiendrais volontiers qu'une des clés de la suprématie, prétendue ou réelle, de la culture occidentale, en France, en Allemagne, en Angleterre, en Italie ou en Espagne, au États-Unis, au XIXe siècle et dans la première moitié du XXe, est à chercher dans le retard de l'éveil sexuel des adolescents. Tout le temps arraché au sexe – et, bien entendu, aux drogues, dont le règne n'était pas encore arrivé – était consacré aux études. Travailler au lieu de baiser était peut-être une perte de temps, mais aussi un avantage considérable dans la marche en avant au cœur d'une société. Ma naïveté dans le domaine érotique était si considérable que j'ignorais jusqu'à son existence.

Dans le tramway Royal-Clermont-Ferrand que j'empruntais chaque jour, il m'arriva un beau soir une curieuse aventure. J'étais assis à côté d'une jeune femme, au physique plutôt ingrat, qui enseignait les sciences au lycée Blaise-Pascal et que je croisais de temps en temps. Elle se mit à me parler avec une sorte de violence amicale et d'agressivité mêlée de gaieté qui me laissèrent muet de surprise. Je m'en ouvris à Jean-Paul Aron et à quelques camarades. Ils m'assurèrent en se tordant de rire que l'affection de la jeune femme pour moi était connue de tous et la fable du lycée. Était-ce vrai ? Je l'ignore. Une espèce de terreur s'était emparée de moi. Au lieu de m'en inquiéter, j'aurais mieux fait de m'amuser de cette révélation peut-être sans le moindre fondement. Ou peut-être, on ne sait jamais, rassurante et plutôt flatteuse.

Le ravitaillement en Auvergne au cours de l'hiver de disgrâce 1940-1941 n'était pas dramatique. Les restrictions étaient supportables. La cuisine du lycée Blaise-Pascal et de la pension Bon Accueil était aussi convenable que possible. Mais l'hiver avait été glacial. La météorologie, en ces jours cruels où le chauffage laissait à désirer, prenait une importance démesurée. Au printemps radieux chanté par Aragon et à un été ensoleillé avaient succédé un hiver très dur et un printemps peu engageant. Ma mère et ma tante Anne-Marie s'occupaient activement du Secours national et distribuaient le mieux qu'elles pouvaient des vêtements chauds à ceux qui en manquaient. Mes parents eux-mêmes et ma tante souffrirent beaucoup du froid. Plus rien ne retenait mon père dans le voisinage de Vichy. Nous décidâmes en bloc de descendre vers le soleil.

Nous nous retrouvâmes à Nice, je ne sais plus trop comment ni pourquoi. J'imagine que Nice avait paru plus calme que Marseille et moins chère qu'Aix-en-Provence. J'imagine aussi que la réputation du lycée Masséna à Nice avait pesé dans la balance.

Nice me parut délicieuse. Il faisait beau. La ville était plaisante. Les environs immédiats, ravissants. Nous n'avions plus froid. Mais toute médaille a son revers : le ravitaillement à Nice était désastreux. Le lait, le beurre, le fromage, les légumes et la viande ne manquaient pas trop à Royat. Le souvenir lumineux que je garde de Nice s'accompagne presque exclusivement de topinambours et de rutabagas. Nous refusions tout recours au fameux marché noir. J'ai eu faim à Nice, très rigoureux Sur-Moi. Au point que j'ai volé de quoi manger. Ma tante Anne-Marie conservait dans une armoire de sa chambre d'hôtel à Cimiez quelques pots de confiture. J'en ai dérobé un. Elle s'en aperçut aussitôt et ses soupçons tombèrent sur moi assez vite. Je fondis en larmes et j'avouai.

MOI : J'imagine que, dans ces conditions, petit Moi pris la main dans le sac, vous comprenez, à défaut d'approuver, ceux qui volent parce qu'ils ont faim ?

MOI : J'admire les convictions, mais je crois aux situations. Que de moralistes passeraient du côté de ceux qu'ils condamnent s'ils se trouvaient soudain dans la même situation qu'eux ! Si vous me demandez ce que je pense de la faim dans le monde, je vous répondrai qu'il est difficile d'accepter le contraste entre ceux qui ont tout et ceux qui n'ont rien. C'est sur les meilleures méthodes pour réduire ce contraste qu'il est permis de s'opposer les uns aux autres. Il est très bon de faire maigrir les gros si c'est pour engraisser les maigres. Mais vous connaissez les proverbes chinois si subtils. L'un d'entre eux est célèbre : « Quand les gros maigrissent, les maigres meurent. »

MOI : Vous n'êtes pas mort. Vous n'avez même pas trop maigri.

MOI : Je n'ai jamais été très gros. Le pot de confiture de ma tante ne m'a pas beaucoup engraissé. Et malgré la faim, malgré la guerre, malgré l'angoisse, j'ai beaucoup aimé Nice. Et la Provence. Et le Midi. C'est peut-être de ce temps-là que date ma passion pour cette Méditerranée qui a joué un si grand rôle dans ma vie.

Vous ne serez pas très étonné d'apprendre, très subtil Sur-Moi, que ce qui a d'abord compté pour moi à Nice, c'est le lycée Masséna. Et, au cœur du lycée Masséna, une discipline nouvelle et le maître qui l'enseignait. La discipline nouvelle, c'était la philosophie. Et le maître s'appelait Fouassier.

M. Fouassier, qui n'a pas laissé un nom éclatant dans l'histoire de la philosophie française, était d'abord un tempérament et, si j'ose dire, une gueule. Il présentait aux yeux de ses interlocuteurs fascinés un visage léonin entouré d'une couronne de cheveux blancs. Je découvrais avec lui, à tâtons, un monde dont j'ignorais tout.

Vers la fin du premier trimestre, M. Fouassier nous donna un devoir à rédiger en classe. Huit ou quinze jours plus tard, il nous rendit nos copies avec ses corrections. Il commença par la meilleure. Ce n'était pas la mienne. Vint la deuxième. Ce n'était pas mon tour non plus. Puis la troisième, la quatrième, la cinquième et ainsi de suite. Toujours rien. J'étais plus mort que vif. Le dernier devoir expédié sans autre forme de procès, il ajouta :

— J'ai gardé pour la fin une copie exceptionnelle dont je vais vous donner lecture.

C'était la mienne. Et il se mit à me lire à haute voix. De temps en temps, il s'interrompait :

— Excellent... Remarquable... Très bien vu...

Et il poursuivait :

— Très bon... Bien... Pas si mal...

Venait une faiblesse :

— On peut ne pas être d'accord.

Son ton changeait imperceptiblement :

— Là, c'est un peu moins bien... Tiens ! c'est franchement médiocre !

À la fin, il me rendit ma copie avec humeur :

— C'est beaucoup moins bon que je ne pensais.

Je garde le souvenir de M. Fouassier. Il ne m'a pas vraiment donné le goût de la philosophie, mais il a éveillé ma curiosité.

À la fin du troisième trimestre, au printemps 1942, à l'époque où les choses commençaient lentement à aller un peu moins mal, où les Allemands, encore vainqueurs, marquaient le pas en Russie et en Cyrénaïque, c'étaient les épreuves du baccalauréat de philosophie. J'avais passé l'année précédente, sans gloire exagérée mais sans difficulté, le bac de français à Clermont-Ferrand. La seconde partie s'annonçait plus incertaine. En cause, les mathématiques, les sciences naturelles et surtout la cosmologie. Un demi-siècle plus tard, j'allais m'intéresser passionnément à l'astronomie, au big bang, à l'histoire de l'univers. Mais la cosmologie avait été introduite – à bon droit – par le régime de Vichy dans le programme du baccalauréat. Je me refusais pour cette raison à lui prêter la moindre attention. Le résultat fut qu'à l'épreuve du bac, sur un sujet que j'ai effacé avec soin de ma mémoire, je recueillis un 2 sur 20 dans cette estimable discipline. C'était une catastrophe. Je compris aussitôt que j'allais devoir redoubler.

Je passai les autres épreuves avec un accablement mêlé de résignation. Vint la géographie. J'étais bon en histoire, mais, en dépit de mes voyages d'enfance et de jeunesse, plutôt médiocre en géographie. L'examinateur était une jeune femme blonde, assez charmante. Elle me tendit, avec un sourire, une urne où étaient déposés un certain nombre de billets pliés avec soin où figuraient les questions soumises aux candidats. Je fermai les yeux, je plongeai la main dans l'urne – et je tirai : « Le Brésil ».

Après avoir rappelé que le Brésil était grand comme seize fois la France, je le divisai en trois parties : la côte ; l'intérieur du Sud ; le *Nordeste* avec son *sertão* et l'Amazonie autour de Manaus. Avec imprudence et un nouveau sourire, mon examinatrice me demanda quelle partie je choisissais. Je choisis la côte et la divisai en trois parties :

le Nord avec Bahia et Belem ; le centre autour de Rio de Janeiro ; le Sud avec Sao Paulo, Porto Alegre et Minas Gerais. À nouveau, j'eus le choix. Je pris la région de Rio et, de fil en aiguille, je descendis jusqu'à trois quartiers de Rio que je connaissais bien : Flamengo, Botafogo, Copacabana. Le piège était dressé. Il se refermait, non pas sur le candidat, mais sur l'examinatrice. Je me retrouvai, au cœur de la ville que j'avais habitée, dans la rue derrière l'ambassade. Je demandai à mon bourreau devenu soudain ma victime si elle préférait m'entendre parler de la pharmacie, de la boutique de nouveautés ou d'un square avec une fontaine. La situation devenait franchement cocasse. Nous commencions à nous amuser tous les deux.

— Quelle note vous donneriez-vous ? me demanda-t-elle.

— 18 ou 19, répondis-je.

Je fus reçu de justesse.

Ce n'était pas seulement la cosmologie qui m'opposait avec modestie au régime de Vichy. Mes parents s'étaient plus ou moins liés avec un jeune professeur plutôt plaisant, peut-être même franchement sympathique, qui s'agitait beaucoup en faveur de l'ordre nouveau. Il s'obstinait à faire chanter

> Maréchal, nous voilà !
> Tu nous as redonné l'espérance…

aux élèves du lycée et je m'obstinais à refuser de chanter.

Après la Libération, je l'ai retrouvé assez actif dans les cercles gaullistes. Les vestes commençaient à se retourner avec lenteur et prudence. La cruauté de l'époque était atténuée à Nice par la douceur du climat. La division des esprits entre gaullistes et pétainistes jusque dans le sein des familles sévissait comme dans le reste du pays. Mais la mer, le soleil, la beauté des paysages parvenaient, non pas à faire oublier l'atroce dureté des temps, mais à la rendre supportable.

Une minuscule société s'était constituée autour de nous. Le préfet des Alpes-Maritimes, Marcel Ribière, était un ami de ma tante Anne-Marie. Il devint l'ami de mes parents. C'était un honnête homme. Il appartenait à cette catégorie de hauts fonctionnaires restés en place sous Pétain et qui faisaient de leur mieux pour protéger les adversaires du régime. Son fils, gaulliste, allait acquérir une certaine notoriété après la guerre, moins par ses fonctions de député que par un duel qui l'opposa à Gaston Defferre et qui fit du bruit dans Landerneau. Je me souviens aussi d'un grand gaillard d'origine et au patronyme russes ou baltes dont j'ai oublié le nom – il me revient à l'instant : peut-être Korf ou Korff ?... – qui traînait un titre de baron derrière lui. Il emmenait ma mère et ma tante au théâtre ou au cinéma. On se demande pourquoi, un refrain affligeant d'une opérette bien-pensante de l'époque, qui faisait sans doute allusion à Pétain et à ce que Maurras appelait la « divine surprise », me trotte encore dans la tête :

Et ouf ! On respire...
Et ouf ! Ça va mieux !...

Nous ne roulions pas sur l'or. Il fallait se nourrir, payer l'hôtel de Cimiez où nous habitions, acheter des souliers et quelques fringues. L'argent commençait à manquer. Les soirs de fête, nous allions dîner dans l'un ou l'autre des restaurants de la ville – peut-être, folie, pour Noël ou le Nouvel An, à la Maison rouge près du port. Le baron Korff égrenait ses souvenirs qui étaient souvent distrayants. Il nous parlait d'une jeune actrice, bien oubliée aujourd'hui, mais qui devait faire une jolie carrière. Après Yves Montant et Gary Cooper, Gisèle Pascal allait vivre plusieurs années avec le prince Rainier de Monaco qui la quitterait pour épouser Grace Kelly. En 1942, Monaco, si proche de Nice, nous semblait un mirage, un mythe, une légende. Nous aurions pourtant pu y vivre dans l'aisance au lieu de nous retrouver à Nice dans la gêne : le poste de ministre d'État, réservé à un Français, avait été proposé à mon père. Mais vous commencez à le connaître : sans la moindre hésitation, il avait décliné cet honneur lucratif.

Un soir, sur la promenade des Anglais, mon père tomba sur une jeune fille dont il connaissait la famille : Liliane Fould. Elle était en larmes. Essayant de la consoler, il apprit qu'elle était fiancée à un Rothschild, Élie, qui était prisonnier en Allemagne. Liliane voulait se marier par procuration, mais, dureté des temps, elle ne trouvait personne pour l'accompagner à la mairie et remplir les papiers nécessaires. Tous ses amis se défilaient.

— Mais moi, lui dit mon père, je vous accompagnerai volontiers.

C'est ainsi que Liliane Fould, devenue, grâce en partie à mon père, la baronne Élie de Rothschild, finit par régner, avec quelques autres, sur Paris, rue Masseran d'abord, puis rue de Courcelles, et sur Royaumont.

J'imagine que c'est surtout à cause de moi et pour moi que mes parents envisagèrent de revenir à Paris malgré l'occupation allemande. J'avais seize ans. Je n'avais pas la moindre idée de ce que je voulais faire après le baccalauréat. À vrai dire, ce dont j'avais surtout envie, c'était de ne rien faire du tout.

Très attaché à ses convictions, mais libéral et tolérant, mon père nous avait souvent répété à mon frère et à moi qu'il nous laissait libres de choisir notre avenir – à condition, bien entendu, de servir l'État. Je le comparais volontiers au vieux Ford qui proposait à ses acheteurs des voitures automobiles de la couleur qu'ils souhaitaient – à condition qu'elles fussent noires. Ah ! bien sûr. Nous étions libres : nous pouvions devenir diplomate, conseiller d'État, inspecteur des Finances, membre de la Cour des comptes, gouverneur de la Banque de France ou préfet, mais en aucun cas banquier, marchand de biens, artiste peintre, footballeur, chanteur ou producteur de cinéma. Mon père nourrissait une particulière méfiance à l'égard des hommes d'affaires et des comédiens. J'avais un faible pour les acteurs. Il redoutait comme la peste de me voir monter sur les planches ou gagner de l'argent.

Je n'avais aucune envie de devenir banquier ni artiste. J'avais remarqué assez tôt que quand un doux vieillard demandait à une petite fille ce qu'elle voulait faire plus tard, elle répondait volontiers infirmière ou vétérinaire. Les garçons se voulaient plutôt pompier ou pilote de ligne. J'avais un peu honte de constater que je n'avais aucune espèce de préférence. Je le savais en secret mais il m'était impossible d'exprimer ce que je ressentais. La vraie réponse à la terrible question : « Que voudrais-tu faire plus tard ? » était : « Rien. »

Je me souviens, l'été, à Saint-Fargeau, avant et après la guerre, de redoutables promenades à pied autour de la pièce d'eau où mon père me demandait avec une tendre insistance ce que je comptais faire de ma vie. La question roulait en torrent dans ma tête. Et aucune réponse ne me venait à l'esprit.

Un demi-siècle plus tard, je découvrais avec bonheur un texte de François Mauriac. L'auteur du *Bloc-Notes*, de *Thérèse Desqueyroux*, du *Nœud de vipères* et du *Désert de l'amour* assurait qu'à défaut d'une vocation affirmée dès l'enfance un des signes les plus sûrs de la volonté de consacrer sa vie à la littérature était le refus de toute autre activité et de toute autre ambition.

J'aimais ne rien faire. J'aimais rêver – de préférence à rien. J'aimais attendre. Attendre quoi ? Précisément, rien. J'aimais étudier. Je ne tenais pas tellement à vivre. Peut-être, après une enfance très heureuse, redoutais-je l'épreuve de la vie. Je craignais comme la peste de m'engager dans l'une ou l'autre des voies que m'offrait l'existence.

Peut-être aussi avais-je compris obscurément que les études, pour dire les choses en un mot, représentaient la meilleure façon de ne pas travailler. Ou du moins de ne pas choisir un de ces compartiments du travail qui constituaient autant de pièges dont il vous est impossible de sortir dès que vous avez glissé dans l'engrenage l'ombre d'un doigt de pied.

J'aimais beaucoup lire. Ou faire semblant de lire. À la

différence du théâtre ou du cinéma qui vous imposent leur rythme, il y a un style de lecture très proche de la rêverie. N'allez pas croire qu'il s'agisse de paresse. C'est à peu près l'opposé. Au lieu de lire bêtement, à la suite, le livre qui vous est proposé, vous vous arrêtez, au contraire, à chaque ligne pour ajouter au texte quelque chose de votre cru. Pour enrichir l'extérieur d'un peu d'apport intérieur. Pour y mêler vos sentiments et votre propre expérience. Pour vous approprier l'œuvre étrangère qui vous est proposée.

Après Maurice Leblanc et son Arsène Lupin – inspiré, avais-je appris avec délice, d'un certain Marius Jacob qui laissait des billets aux victimes de ses cambriolages : « Je reviendrai quand les meubles seront authentiques », ou à Pierre Loti un mot pour s'excuser auprès de lui avec un billet de dix francs en dédommagement du trouble involontaire qu'il lui avait causé –, j'étais passé à Dumas. *Les Trois Mousquetaires,* bien sûr, *Vingt ans après, Le Vicomte de Bragelonne,* mais peut-être surtout les irrésistibles *Mémoires.* J'avais un faible pour l'histoire de l'écrivain célèbre qui apprend un beau soir la mort subite à midi d'un nègre qui signait du nom illustre un feuilleton remis chaque soir à six heures précises pour paraître le lendemain dans un grand quotidien. Que faire ? Rien d'autre que d'attendre la catastrophe. Il rentre chez lui égaré, passe une nuit agitée, se hâte dès le matin d'acheter, le cœur battant, le journal qu'il déplie – et où il découvre avec stupeur, comme s'il ne s'était rien passé, la suite du feuilleton. La clé de l'énigme est que le nègre avait un nègre qui, en l'absence d'informations, s'était contenté de poursuivre, sans rien changer à la routine, son travail habituel.

Ou l'histoire des insurgés dans Paris révolté qui tirent sans beaucoup de succès sur les troupes royales et qui voient un grand type dans une redingote noire – un ancien militaire peut-être ? – les regarder avec mépris. Ils lui lancent des quolibets.

Un dialogue s'engage.

— Passez-moi un fusil, dit l'homme avec autorité. Je vais vous montrer.

On lui jette un fusil. Il épaule. Il tire. Et un capitaine s'effondre dans les rangs d'en face.

— Bravo, le bourgeois ! crient les insurgés. Avec nous ! Avec nous !

— Certainement pas, répond le grand gaillard vêtu de noir en rendant le fusil. Ce ne sont pas mes opinions.

Au-delà de Dumas et de ses folles aventures, au-delà de Leblanc et de son gentleman-cambrioleur, il m'arrivait de lire des romans plus récents. J'aimais beaucoup les romans, plutôt méprisés par mon père. Il m'incitait surtout, avec des arrière-pensées, à m'intéresser à l'histoire et aux livres politiques qui me tombaient des mains. Ma mère admirait *Jean Barois*, dossier dialogué du scientisme et de la religion, ficelé par Roger Martin du Gard. Bien plus tard, j'allais découvrir avec gourmandise *Les Mémorables* de Maurice Martin du Gard, cousin de Roger, qui traçaient un portrait excitant du milieu littéraire en France entre les deux guerres. Dès quatorze ou quinze ans, grâce à ma mère, j'imagine, je m'étais plongé dans les huit ou neuf volumes des *Thibault* de Roger Martin du Gard dont André Gide disait qu'il n'était peut-être pas un artiste ni un grand écrivain, mais à coup sûr « un gaillard ».

L'histoire des deux frères – Antoine, le médecin, et Jacques, le rebelle – m'avait transporté un peu au-dessus de moi-même. Au début de la troisième partie, Jacques Thibault, après l'échec de la fugue entreprise avec son ami de cœur, Daniel de Fontanin, et après l'amère expérience du pénitencier où il a été enfermé par son père, est reçu au concours de l'École normale supérieure. L'épisode m'avait fait rêver. Je pensais souvent à Jacques Thibault, en révolte contre son père et brûlé d'un feu intérieur qui me plongeait dans des abîmes. L'École de la rue d'Ulm, dont je n'avais jamais entendu parler, se mit à me trotter dans la tête. Peu de temps après, je devais la retrouver au début des *Hommes de bonne volonté*, gigantesque monument en vingt-sept tomes de Jules Romains dont j'aimais surtout *Knock* et *Les Copains*.

Dans le deuxième volume de la série, *Le Crime de Quinette*, deux normaliens, Jallez et Jerphanion, se promènent sur les toits de la fameuse École et emploient des mots bizarres, comme *khâgne* ou *turne*, qui commençaient à me turlupiner. Un troisième livre, puis un quatrième enfonçaient encore le clou. Le héros d'*Augustin ou le Maître est là*, de Joseph Malègue, qui avait frôlé le prix Goncourt cinq ou six ans avant la guerre, est reçu, lui aussi, au concours de l'École normale. Et, dans *Notre avant-guerre*, qui venait de paraître sous l'occupation allemande, Robert Brasillach, dont je ne partageais aucune idée, parlait de la rue d'Ulm avec drôlerie et pour moi d'une façon pleine de mystère comme d'un concours très difficile pour entrer dans une école qui n'existait pas. Un rêve, quoi.

Le monde brûlait autour de moi. Au moment où

l'espérance, qu'il fallait avoir chevillée au corps dans les deux années terribles qui vont de l'été 1940 à l'été 1942, relevait lentement la tête, les conditions de vie devenaient de plus en plus dures.

L'avenir de l'Europe restait sombre. Le mien était aussi opaque que celui de la planète. Je ne savais qu'une chose, je n'avais qu'une certitude : pas de carrière ! Toute carrière me faisait horreur. J'en venais jusqu'à refuser avec obstination toute forme de succès. Réussir me répugnait. Je compris assez vite que la seule façon de ne pas entrer à titre irrémédiable dans une vie professionnelle qui me paraissait un cauchemar était de se jeter dans les livres et de faire des études.

Dès le début du printemps 1942, à Nice, dans cette partie de la France qu'on appelait alors « la zone non occupée » ou « la zone libre », mes parents décidèrent, à cause de moi et en dépit des risques qu'ils couraient, de rentrer à Paris. Mon père ne cessait de m'interroger sur ce que j'avais envie de faire. Son vœu secret, qu'il ne cherchait ni à me dissimuler ni à m'imposer, était de me voir hanter les Sciences Po chères à André Siegfried et à beaucoup d'autres sommités pour me présenter plus tard, comme Philippe Berthelot, comme Claudel, comme Morand, comme Giraudoux et comme lui, au concours des Affaires étrangères et devenir diplomate. Je freinais des quatre fers.

— Mais enfin, me disait-il, qu'est-ce que tu as en tête ? Il faudra bien te décider à prendre un chemin ou un autre et à faire quelque chose.

Justement, je ne voulais rien faire du tout et je n'avais en tête que des rêves de liberté. Je bredouillais les mots sacrés d'*hypokhâgne* et de *khâgne*. Ils ne disaient pas grand-chose à mon père. Et à peine plus à moi-même. Mais j'avais déjà compris que la Providence était là pour faire les choses à ma place. Elle prenait, comme toujours, le visage de mon père. C'est lui qui, presque à contrecœur, se renseigna sur cette École normale supérieure dont il avait plutôt tendance à se méfier un peu. Il apprit avec plaisir que Jaurès, Léon Blum, Édouard Herriot ou Jean Giraudoux y étaient passés successivement et que deux classes spéciales, appelées première supérieure préparatoire et première supérieure ou, familièrement, hypokhâgne et khâgne, formaient, dans un certain nombre de lycées, les candidats à cette école. Deux lycées en particulier jouissaient d'une grande réputation : Henri-IV et Louis-le-Grand. Il fallait, pour y entrer, un dossier assez solide. Les recommandations de Nivat pour le français et de Fouassier pour la philosophie étaient assez éloquentes dans mon carnet scolaire où ne faisaient tache que la cosmologie et, dans une certaine mesure, les sciences naturelles, qui n'entraient pas en ligne de compte pour la section Lettres de la rue d'Ulm. L'affaire fut bouclée sans trop de peine et nous rentrâmes à Paris pour permettre au petit génie d'aller enfin faire ses preuves. À une de ses connaissances qui le félicitait du succès au baccalauréat de sa progéniture, mon père avait répondu devant moi :

— Ah ! bien sûr, les examens… On verra ça quand il s'agira de concours.

Mes parents n'eurent pas à regretter leur décision de regagner Paris. Non seulement ils eurent la chance de ne pas être inquiétés, mais le 8 novembre 1942 les troupes anglo-américaines débarquaient au Maroc et occupaient sans trop de peine toute l'Afrique du Nord française. En représailles, les Allemands et les Italiens occupèrent la zone libre. L'histoire continuait. Et elle devenait de plus en plus tragique. À Nice et en Corse, les forces peu encombrantes des Italiens de Mussolini devaient bientôt être remplacées par les Allemands de Hitler. C'est à Nice, le 30 mars 1944, que, parmi beaucoup d'autres, Simone Veil et les siens allaient être arrêtés. Déportés en Lituanie, son père et son frère disparaissent. Sa mère meurt dans ses bras à Auschwitz. Seules Simone et deux de ses sœurs rentrent vivantes de l'enfer et revoient Paris.

MOI : Vous et les vôtres n'avez pas beaucoup souffert de l'occupation allemande. Vous la traversez sans trop de dégâts. On dirait que, là encore, vous survolez en première classe les horreurs de votre temps.

MOI : C'est vrai. Nous avons échappé au pire pendant quatre longues années. Mes parents ont souffert du froid. Moi, pas beaucoup. Quelques années plus tard, une jeune femme mécontente allait se séparer de moi. Elle me jeta avec irritation :

— Je ne me rappellerai rien de toi.

Et, se tournant soudain vers moi, elle ajouta avec bonté :

— Sauf ta régulation thermique.

J'ai eu faim à Nice. Mais, à la différence d'une autre Simone, la grande Simone Weil qui refusait à Londres de se nourrir mieux que les Français de France, victimes de leur carte de ravitaillement, je n'en suis pas mort. L'âge, dans les époques troublées, est un facteur décisif. Survivre est souvent une question de génération. J'étais jeune. Mon père, en revanche, était déjà presque vieux. Nous sommes tous passés entre les gouttes, mon père, ma mère, mon frère et moi.

Avant la guerre, à l'époque où mon père préparait sa retraite, mes parents avaient acheté un appartement rue du Bac à Paris, presque au coin de la rue de Varenne, à deux pas de la maison où Chateaubriand était mort en 1848. Le 97 de la rue du Bac était une vieille demeure de la famille Salm, dont l'hôtel principal, rue de Solferino, abrite aujourd'hui la Grande Chancellerie de la Légion d'honneur. Au premier étage sur la rue, un large escalier de pierre menait à un petit appartement ravissant et biscornu, orné de boiseries XVIIIe. Il y avait une entrée, un petit salon, un grand salon, une bibliothèque, une salle à manger et une chambre assez modeste pour mes parents, avec une salle de bains plutôt médiocre. La cuisine était malcommode et en contrebas. Un escalier de bois en colimaçon débouchait, dans un second étage improbable, sur une chambre minuscule et très basse de plafond où je dormais sur la cour. Je ne me rappelle pas où pouvait bien dormir mon frère. Dans la bibliothèque, peut-être ? Ou peut-être chez des cousins ou chez des relations ? L'appartement était un rêve pour mes parents qui avaient des goûts très simples, mais qui aimaient les belles choses et recevoir des amis. J'ai vécu quinze ou vingt ans dans cet endroit somptueux et un peu de guingois, presque en face, quand il était à Paris, de Romain Gary dont je ne savais presque rien ou plutôt rien du tout avant de lire avec enthousiasme *Éducation européenne*, *Lady L* et *La Promesse de l'aube*.

Mon père menait une vie très calme, et presque retirée.

Ma mère aimait, avec mesure, sans tapage, le théâtre, les concerts, les expositions, le cinéma. Je me souviens du plaisir avec lequel elle avait assisté, il y a déjà de longues années, à la représentation par la Comédie-Française de *L'École des femmes* où triomphait Adjani encore presque enfant.

— J'ai vu une pièce merveilleuse, me disait-elle, et jouée à ravir par Pierre Dux dans le rôle d'Arnolphe et, dans le rôle d'Agnès, par une jeune actrice inconnue dont j'ai oublié le nom. Je suis sûre qu'elle fera une grande carrière. Elle a un immense talent, malgré un physique ingrat. Quel dommage qu'elle ne soit pas plus belle !

J'ai appris très vite que des couleurs et des goûts… Isabelle Adjani m'a toujours paru très belle.

À l'extrême fin de 1942 ou en 1943, mon père reçut une lettre d'un de ses anciens collègues allemands qu'il avait connu à Bucarest et pour qui il avait, en dépit de ses attaches avec le régime national-socialiste, de l'estime et de l'amitié : Schulenburg. Après avoir représenté l'Allemagne en Roumanie, Schulenburg avait été le dernier ambassadeur d'Allemagne en U.R.S.S. avant le déclenchement de l'opération Barbarossa en juin 1941.

L'ambassadeur, qui aimait les livres, écrivait à mon père pour lui dire qu'il était entré en possession d'un ouvrage du XVIIIe siècle aux armes de notre famille et qu'il se proposait de le lui offrir en souvenir des années passées ensemble à Bucarest.

Mon père n'hésita pas longtemps. Il adressa à son collègue une lettre de remerciement implacable et courtoise qu'il nous lut avant de l'envoyer. Il lui disait combien il était touché de cette pensée délicate et qu'il aurait été heureux d'une rencontre après tant d'années écoulées. Mais, malheureusement, il lui était impossible de recevoir un cadeau d'un Allemand au moment où Hitler mettait l'Europe à feu et à sang. Il lui était même impossible d'accueillir chez lui un compatriote du dictateur. Un jour, ajoutait-il, quand Hitler aurait été vaincu et que la guerre aurait pris fin, il serait heureux de retrouver son collègue et de fêter avec lui la paix retrouvée.

Je me souviens de cette lecture comme si j'entendais encore la voix très calme et très douce de mon père. Nous avions tous les larmes aux yeux. En changeant les dates, les personnages et les événements, je me suis servi de cette lettre dans un des chapitres d'un livre que j'allais écrire trente ans plus tard : *Au plaisir de Dieu.*

La vie, rue du Bac, était sinon austère, du moins assez sérieuse et sévère. Mon père, dans une version républicaine, démocratique et libérale, me faisait souvent penser au maître de Santiago dont Montherlant avait dépeint la rigueur.

Cette rigueur était tempérée par la gaieté. Les repas en commun étaient toujours très animés. Nous riions beaucoup et nous nous moquions volontiers des familles compassées et silencieuses qui s'ennuyaient ferme autour de la table et n'échangeaient pas un mot. Contrairement à beaucoup des nôtres, nous passions notre temps à parler.

Je me souviens d'une autre lettre qui m'avait beaucoup frappé. Mon père avait constaté une erreur en sa faveur dans le calcul de ses impôts. Il avait écrit une lettre à cheval – il aimait bien cette expression – au percepteur ou au contrôleur pour se plaindre de cette erreur et pour réclamer un redressement. La lettre m'avait épaté, mais elle ne m'avait pas étonné : mon père répétait souvent que rien n'était plus naturel que de payer des impôts. Et que plus ils étaient élevés, plus il y avait lieu de se réjouir – puisqu'ils témoignaient de l'aisance de ceux qu'ils concernaient.

Mes parents, qui n'avaient jamais, ni lui ni elle, conduit une automobile de toute leur vie, conservaient à leur service un chauffeur-cuisinier-maître d'hôtel qui répondait au nom d'André. André était très sympathique, un peu benêt et très snob. Un jour, après le déjeuner, le téléphone sonne. André répond et s'avance vers mon père :

— Monsieur l'ambassadeur, au bout du fil, l'archiduc de l'Arsenal.

— Qui ça ? s'étrangle mon père.

Quelques instants plus tard, il revient vers nous en se tordant de rire.

— C'étaient les Archives nationales.

Plusieurs années après, en plein été, mes parents étaient partis pour Saint-Fargeau ou peut-être pour un tour en Italie ou à Salzbourg et j'étais resté seul à Paris avec André pour travailler. André me gênait plutôt. J'aurais beaucoup aimé profiter de ma déréliction pour inviter qui je voulais à partager ma solitude.

— André, lui dis-je un jour d'un ton patelin, vous ne voudriez pas partir un peu en vacances ?...

— En vacances ? Certainement pas. Vous savez bien ce que c'est. On part je ne sais trop pour où, on s'amuse, on dépense tout ce qu'on a – et on rentre chez soi pour tirer le diable par… Monsieur le comte voit ce que je veux dire.

Avec son escalier monumental et ses boiseries XVIIIe, le 97 de la rue du Bac reste lié pour moi d'abord au rêve inaccessible, puis à l'ombre chargée de gloire de l'École de la rue d'Ulm. Le soleil de Nice et une certaine insouciance au milieu des désastres étaient loin. Chaque matin, à l'aube, les yeux, pour parler comme Ronsard, encore cillés de sommeil, je me levais en somnambule dans ma chambre entresolée où un plus grand que moi aurait eu de la peine à se tenir debout pour me rendre en autobus, à travers un Paris désolé et obscur, au lycée Henri-IV, derrière le Panthéon. Je passais devant la dernière demeure de Chateaubriand avec une pensée pour l'Enchanteur dont les *Mémoires d'outre-tombe* commençaient déjà à m'éblouir. Je me traînais comme en rêve jusqu'à mon usine à savoir.

Je disposais, en ces temps-là, de très peu de vêtements. Mes chaussettes étaient trouées et mes souliers en loques. Il était hors de question de m'acheter ni même de trouver où que ce fût de quoi les remplacer. Tous les jours, je m'habillais de la même façon et je portais le plus souvent de lourdes chaussures de ski inusables, venues peut-être de Sinaia, dans les Carpates, ou d'un bref séjour dans les neiges d'Auron ou de Beuil, aux environs de Nice. Elles pesaient un bon poids et m'empêchaient de marcher. Marcher, d'ailleurs, pour aller où ? Le théâtre, le cinéma, les concerts étaient des terres inconnues. Deux activités seulement occupaient tout mon temps : travailler beaucoup et dormir trop peu. J'arrivais au lycée, excité, heureux, terrifié par les autres, toujours plus mort que vif. Un monde nouveau s'ouvrait à moi. C'était un enchantement et une angoisse.

J'avais toujours vécu à l'abri de ma famille...

MOI : Nous savons cela. Passons ! Passons !

MOI : ... avec des séjours brefs et très doux, malgré la dureté des temps, au lycée Blaise-Pascal et au lycée Masséna. L'hypokhâgne, puis la khâgne du lycée Henri-IV, c'était autre chose : une sorte de paradis et, en même temps, d'enfer. À Munich, à Bucarest, à Rio, au cours Hattemer par courriers interposés, à l'école Bossuet, à Clermont-Ferrand, à Nice, j'étais presque toujours premier ou deuxième – sauf en cosmologie... – sans me donner trop de mal. À Henri-IV, tout à coup, au milieu de petits génies venus d'un peu partout avec de grandes espérances, je me retrouvais, stupeur et désespoir, parmi les derniers. Je souffrais beaucoup. Je serrais les dents. Je commençais à me demander ce que je faisais là. J'ai lu récemment je ne sais plus où qu'une jeune fille brillante, habituée en hypokhâgne à être toujours première et tombée en khâgne au rang de deuxième, avait tenté de se donner la mort. J'aurais pu la comprendre. Attisé par un monde en feu dont nous ne savions pas grand-chose, le chagrin se mêlait à l'exaltation.

Trois ou quatre géants pour qui je nourris aussitôt une admiration sans bornes avaient fait leur entrée dans ma vie comme dans une ville conquise : c'étaient mes maîtres, mes professeurs.

Le premier s'appelait Jean Boudout. Grand, élégant, un peu distant derrière ses lunettes, il enseignait le français. Je ne sais pas, très distingué Sur-Moi, si son nom dit encore aujourd'hui quelque chose à quelqu'un.

Sa façon d'aborder les grandes œuvres de notre littérature m'avait aussitôt enchanté. Il les situait, bien entendu, dans leur époque et dans leurs ambitions. Mais le cadre, les dates, les influences n'étaient pas l'essentiel. L'essentiel, c'était le texte. Boudout traquait le texte jusqu'à épuisement. Il lui faisait rendre gorge. Il le poursuivait dans ses derniers retranchements. Nous pouvions passer des heures avec lui sur quelques vers isolés.

L'aveu déchirant de Bérénice :

> J'aimais, Seigneur, j'aimais, je voulais être aimée

entraînait derrière soi tous les torrents de l'amour, le désir, l'humilité, l'orgueil, la jalousie. Ailleurs, la réserve, la force de l'habitude, toutes les violences d'une passion inutilement combattue jaillissaient de ces autres mots, si mesurés, si invincibles :

> Un je ne sais quel charme encor vers vous m'emporte.

De temps en temps, la beauté sortait de formules réputées inacceptables et qu'il aurait fallu rejeter, comme cet amoncellement de *que* catastrophique et sublime :

> Je sais que c'est beaucoup que ce que je demande.

Plus tard, lisant, par exemple, l'admirable *Plain-Chant* de Jean Cocteau, si plein de pièges et de chausse-trapes et hanté par Cléopâtre qui n'est jamais nommée :

Rien ne m'effraie plus que la fausse accalmie
D'un visage qui dort.
Ton rêve est une Égypte et toi, c'est la momie
Avec son masque d'or.

Où ton regard va-t-il sous cette riche empreinte
D'une reine qui meurt
Lorsque la nuit d'amour t'a détruite et repeinte
Comme un noir embaumeur ?

Abandonne, ô ma reine, ô mon canard sauvage,
Tes siècles et tes mers.
Reviens flotter dessus, regagne ton visage
Qui s'enfonce à l'envers.

je pensais à Boudout qui aurait fait jaillir de ces vers la vipère cachée sous les figues, les galères d'Actium, l'amour fou de Marc-Antoine, l'aube de l'Empire romain, toute la splendeur cachée de la mer intérieure, et qui aurait souligné non seulement l'opposition entre la familiarité quotidienne du *canard sauvage* et le plus haut lyrisme, mais aussi l'attente du mot *rivage* – remplacé par *visage* – après le mot *regagne.*

Boudout, le grand Boudout, que son nom soit béni, enseignait moins l'histoire de la littérature que la littérature même. Nivat, au lycée Blaise-Pascal, m'avait mené comme par la main jusqu'au parvis du temple où se jouaient les mystères. Boudout, à Henri-IV, m'a présenté en personne tous les acteurs du drame. Il m'a fait comprendre et aimer ces mots dont étaient faits les grands livres. Quelque chose de nouveau et qui est au cœur de toute littérature faisait irruption dans mon train-train de chaque jour : c'était le style.

Je connaissais déjà un peu, avant Boudout, les livres et les écrivains. En dépit de Fouassier, je ne savais presque rien de la philosophie. Ce que j'en avais appris ne m'avait pas passionné. La logique, la morale, la psychologie m'ennuyaient plutôt. La métaphysique, j'ignorais ce que c'était. Il y avait Bergson, bien sûr. Mais il flottait un peu dans le vide à mes yeux égarés. Les rats dans les laboratoires, les tests de Rorschach et les autres, la *Gestalt* alors si à la mode, la classification des sentiments et des passions, les fameuses valeurs, le labyrinthe des tropes et des syllogismes ne me disaient rien qui vaille. En hypokhâgne à Henri-IV, j'accueillis avec estime mais sans enthousiasme excessif un premier professeur de philosophie du nom de Bénézet. La foudre me tomba dessus avec Jean Hyppolite.

Je dois à la vérité, vénérable Sur-Moi, d'avouer que je ne comprenais presque rien à ce qu'il nous racontait. Hyppolite était un spécialiste de Hegel. Il avait entrepris une traduction française de la *Phénoménologie de l'esprit* qui faisait autorité et publié deux ouvrages devenus des objets de culte dans le monde de l'Université : *Introduction à la philosophie de l'histoire de Hegel* et *Genèse et Structure de la Phénoménologie de l'esprit.* Je m'étais jeté sur ces trois ouvrages qui constituaient le pain quotidien de mes camarades les plus doués. C'était pour moi, cher et illustre Sur-Moi, comme du chinois céleste et tout à fait opaque. Je versais des larmes de sang.

Mais je m'accrochais. J'écoutais bouche bée, dans une espèce de sommeil hypnotique, mon maître bien-aimé. Jean Hyppolite avait des problèmes de respiration, quelque chose comme de l'asthme. Chaque parole du prophète envoyé parmi nous pour nous initier aux mystères de la philosophie de l'histoire et de la phénoménologie avait toutes les peines du monde à jaillir de sa gorge. Elle parvenait jusqu'à nous lourde de tout le désir et de toute la misère du savoir.

Le plus étrange était qu'Hyppolite s'adressait souvent à moi comme si j'avais compris quelque chose à ce qu'il m'enseignait. Il m'encourageait avec bonté. Il lui arrivait de me demander mon avis. Je bredouillais n'importe quoi. Je l'aimais.

Deux de mes camarades étaient très proches de lui et brillaient de mille feux à mes yeux écarquillés. L'un et l'autre ont fait de grandes carrières. Le premier était Jean Laplanche. L'autre était Claude Lefort.

Jean Laplanche était très calme et plutôt silencieux. Une impression de force et de sérénité se dégageait de sa personne qui se situait à l'extrême opposé de toute superficialité et de toute esbroufe. Son bras droit était frappé de naissance par une espèce d'atrophie qui lui donnait quelque chose de sévère et presque de pathétique alors qu'il était très amical et très gai. Je devais découvrir beaucoup plus tard que ce philosophe remarquable jouissait d'une fortune qui le mettait à l'abri du besoin. Sa famille était propriétaire d'un des crus les plus prisés de Bourgogne et du château de Pommard. D'une simplicité parfaite, d'une loyauté sans faille, un mot le résumait : la profondeur. Après avoir été reçu à l'École normale et à l'agrégation de philosophie, il allait devenir un psychanalyste de réputation mondiale. Je l'ai beaucoup admiré et aimé.

À l'automne 1942, Claude Lefort s'appelait encore

Claude Cohen. Il était grand, sec, impérieux, plutôt sévère. Un beau jour, en pleine occupation allemande, il est arrivé dans notre classe en nous disant que son nom était désormais Lefort et qu'il ne tolérerait aucune allusion à son identité antérieure. Soutenu par nos professeurs et par l'unanimité de ses camarades, il est entré sans le moindre problème dans son nouveau personnage. Autant que je me souvienne, je n'ai jamais vu ni dans l'hypokhâgne ni dans la khâgne d'Henri-IV l'ombre d'une étoile jaune. Je me rappelle très bien nos maîtres en train de signer le procès-verbal des présences et des absences. Souvent l'un ou l'autre d'entre nous, et souvent plusieurs le même jour, étaient de toute évidence absents. Ils étaient toujours marqués présents sans aucune hésitation par nos professeurs imperturbables.

Claude Lefort était aussi intelligent et aussi brillant que Jean Laplanche. Il était plus hautain, plus sarcastique, plus lointain. Il m'intimidait davantage. Et lui et Jean Laplanche faisaient partie d'un monde qui m'était étranger et obscur et qui me fascinait : ils étaient trotskistes. Ils appartenaient à une branche du trotskisme qui me faisait rêver autant que les Chevaliers teutoniques ou que la secte des Assassins dirigée par Hassan al-Sabbah, le Vieux de la Montagne, le maître de la sombre forteresse d'Alamut, que je découvrais à cette époque dans des livres qui me tournaient la tête. Ils étaient trotskistes tendance Lambert. Ce que signifiait ce détail capital, je ne le savais pas. Mon admiration se doublait d'ignorance.

Dans la lignée de Hegel, Jean Hyppolite nous introduisait dans l'univers du marxisme. Il nous expliquait que Marx avait renversé et remis à l'endroit la dialectique de Hegel. Je lisais un peu de Marx comme je lisais un peu de Hegel. Avec moins de difficulté, mais avec autant de passion. Les rapports des trotskistes avec les communistes, dont ils étaient si proches et qu'ils haïssaient avec tant de violence, me plongeaient dans des abîmes de perplexité. J'étais idiot.

Comme Hyppolite lui-même, Lefort et surtout Laplanche avaient de l'indulgence pour moi. À ma stupeur, apparemment ignorants de ma dévotion à leur égard, ils me traitaient en égal. Plus tard, un troisième larron allait se joindre à notre troupe et préparer avec Laplanche et moi l'agrégation de philosophie. C'était Jean-Bertrand Pontalis. Il était lui aussi trotskiste comme tout le monde.

À la façon de Laplanche, les Lefèvre-Pontalis n'étaient pas vraiment dans la misère. Ils étaient les neveux ou les petits-neveux de Louis Renault, le constructeur d'automobiles, qui, peut-être à son cœur défendant, avait versé, comme beaucoup d'industriels, d'éditeurs, d'artistes, d'écrivains, dans la collaboration avec les Allemands. J'aurais beaucoup aimé interroger Jean-Bertrand sur Louis Renault – et encore plus sur cette belle Mme Renault qui avait été une des passions de Drieu La Rochelle. Mais J.-B. – tout le monde l'appelait et l'a toujours appelé J.-B. – n'aimait pas beaucoup évoquer cette parenté. Il était fin, charmant, cultivé, la civilisation même – et lui aussi, naturellement, il était trotskiste, tendance Lambert. Le trotskisme tendance Lambert, qui n'était guère pour moi qu'un refrain clandestin et une sorte de ritournelle, envahissait de tous côtés ma jeunesse abrutie.

Jean-Bertrand avait un frère qui s'appelait Jean-François.

À la différence de Jean-Bertrand, j'ai très peu connu Jean-François. Mais sa légende, elle aussi, me tournait une tête qui ne demandait qu'à tourner. Aux yeux de beaucoup autour de moi, il était plus cultivé, plus brillant, plus intelligent encore que Jean-Bertrand. Ami de Louise de Vilmorin qui nous apparaissait comme un mirage un peu lointain, très répandu dans les milieux huppés de Paris, il était mondain et secret. Presque mystérieux. Et homosexuel. On racontait qu'il s'était installé au Ritz, place Vendôme, pour écrire un roman. Le bruit courait que le livre, que personne n'avait lu, étai un chef-d'œuvre. Un jour, Jean-François mourut. Les siens se rendirent dans la chambre qu'il occupait au Ritz. Ils découvrirent un dossier qui avait toutes les apparences d'un interminable manuscrit. Ils l'ouvrirent avec curiosité et une espèce d'émotion. Toutes les pages étaient blanches.

Jean-Bertrand Pontalis n'était pas en hypokhâgne ni en khâgne avec nous. Il nous rejoignit deux ans plus tard, Laplanche et moi, dans notre turne de la rue d'Ulm pour travailler ensemble, tous les trois. Je rougis encore d'un épisode, très savant Sur-Moi, qui n'est pas à mon honneur. Nous préparions des thèmes qui pouvaient surgir à l'écrit ou à l'oral de l'agrégation de philosophie : la dialectique, la transcendance, l'origine, la limite, la mémoire... Un beau jour, notre choix se porta sur : la grâce. Nous avions chacun quinze jours pour apporter le fruit de nos profondes réflexions. J'avais, en ce temps-là, d'autres soucis plus futiles...

MOI : Peut-on savoir lesquels ?...

MOI : Plus tard, très honorable Sur-Moi, plus tard...

J'arrivai à notre réunion sans le moindre biscuit. Je n'avais rien préparé du tout, mais je ne voulais pas sembler me dérober et je me lançai dans une description de l'animal familier qui incarnait le mieux à mes yeux la grâce souveraine : le chat. Je fus très vite interrompu par l'indignation de J.-B. et de Jean qui ne me cachèrent pas qu'ils hésiteraient désormais à travailler avec un individu aussi paresseux, aussi incapable que moi, et aussi dénué, non seulement de talent et d'esprit philosophique, mais tout simplement de la moindre dignité. La grâce n'a cessé de me poursuivre toute ma vie comme une espèce de fantôme assoiffé de vengeance. De saint Augustin et de Pélage à Jansénius et à Pascal, sans oublier La Fontaine ou Watteau, je l'ai vénérée et traquée sans répit.

Laplanche et Pontalis allaient jouer l'un et l'autre un rôle important dans le monde intellectuel. Ils rédigèrent ensemble le célèbre *Vocabulaire de la psychanalyse* qui devait constituer pour tous les praticiens un manuel de base. Pour des motifs inconnus de moi, ils finirent par se brouiller à mort et par se séparer. Laplanche partagea son temps entre son métier et Pommard. Pontalis entra au comité de lecture de Gallimard et écrivit des livres délicieux et savants : *Loin*, *Fenêtres* ou *Le Dormeur éveillé*.

J'admirais Claude Lefort autant que Laplanche et Pontalis, mais j'étais moins lié avec lui. En une occasion, il m'a étonné et presque rempli d'effroi. Existaient encore, en ces temps-là, de vagues cérémonies de bizutage des nouveaux. Elles étaient assez douces, stupides par nature et surtout l'occasion de s'amuser un peu. À ma stupeur, Claude, qui s'était acharné sur un jeune benêt effaré, avait fini par se déchaîner dans une espèce d'exaltation que j'avais d'abord crue feinte mais qui en vint à prendre des allures presque inquiétantes. Il exigea de sa victime qu'elle se jetât à ses genoux et qu'elle lui renouât les lacets de sa chaussure qui venaient de se délier. Et à la façon d'un guerrier mède ou aztèque, il lui posa son pied sur la tête. Je lui fis le reproche de cette humiliation qui avait quelque chose de déplaisant et presque de cruel. Il me répondit, je crois, qu'il n'avait rien à foutre des belles âmes. Nous ne parlâmes plus jamais de ce menu incident. Mais je ne parvins jamais à l'oublier, même quand Claude Lefort, intellectuel du premier rang, publia des ouvrages importants sur Machiavel et sur la démocratie.

Deux autres professeurs sont demeurés vivants dans ma mémoire. L'un était Alba. Lui aussi était une icône. Il enseignait l'histoire moderne et d'abord la période 1789-1815. Trépané ou blessé de guerre, je ne sais plus, il portait sur le front une violente cicatrice qui le défigurait. Il était aussi glacial et lointain qu'Hyppolite et Boudout étaient proches et bienveillants. Il était un admirateur et un disciple de Robespierre et il avait contribué à un ouvrage qu'il avait révisé de fond en comble et qui jouait un rôle considérable dans notre vie de khâgneux : le célèbre manuel d'histoire de Malet et Isaac consacré à la Révolution et à l'Empire. Ce livre ne nous quittait jamais. Il était notre bible au même titre que les *Dialogues* de Platon, l'*Éthique* de Spinoza, la *Critique de la raison pure* ou la *Phénoménologie de l'esprit*. Nous le connaissions par cœur et nous nous amusions à réciter les pages qu'un camarade nous présentait de loin et à l'envers. André Alba répandait autour de lui à la fois le respect et la terreur. Il m'a toujours témoigné une bienveillance indulgente dont je lui reste profondément reconnaissant – à lui et à sa mémoire.

L'autre, historien lui aussi, mais de la Grèce et de Rome, était un homme modeste et exquis, une sorte de Nimbus au cœur d'enfant, un funambule plein de tendresse qui se perdait dans ses fiches et bégayait d'émotion. Il s'appelait Dieny. Il nous emmenait du côté de l'Observatoire étudier un fameux plan en relief de la Rome des Césars dont nous connaissions le moindre recoin et nous nous moquions de lui qui se moquait de lui-même. Je l'adorais et il me semblait souvent que nous étions avec lui d'une cruauté insupportable. II ne s'en formalisait jamais et sa douceur angélique et désordre finissait par l'emporter sur notre brutalité. Il y a quelques années à peine, bien après sa disparition, j'ai entretenu avec son fils une brève correspondance où nous célébrions son souvenir.

Boudout, Hyppolite, Alba, Dieny formaient la constellation qui, brillant au-dessus de moi, occupait tout mon temps. Je n'étais jamais sorti du cocon délicieux et vaguement étouffant de ma famille…

MOI : Ah ! nous le savons. Surtout n'y revenons pas.

MOI : … L'hypokhâgne puis la khâgne d'Henri-IV, mes professeurs et mes camarades m'en offraient une autre, une famille de rechange, très différente de la première et qui prenait tout à coup à mes yeux écarquillés une formidable importance. D'autant plus que dans les deux années scolaires 1942-1943 et 1943-1944, il n'y avait rien d'autre autour de moi.

Paris était occupé. Le Havre, Saint-Nazaire, Lisieux,

Argentan, Saint-Étienne, tant d'autres villes côtières ou de nœuds ferroviaires commençaient à être bombardés par les Anglais ou les Américains. Au point qu'un journal du Havre allait afficher à la Libération un titre sur huit colonnes : « Nous vous attendions dans la joie, nous vous accueillons dans le deuil ». À la radio de la collaboration, que nous écoutions le moins possible, Jean Hérold-Paquis avec violence, Philippe Henriot avec un grand talent profitaient de ces drames pour répandre leurs mensonges. Nous reprenions des forces en tentant d'attraper à la radio de Londres quelques bribes de Maurice Schumann, de Jean Marin, de Pierre Bourdan, de Jean Oberlé ou de Pierre Lazareff qui animaient l'émission *Les Français parlent aux Français.* Il n'était pas question de s'amuser, de se distraire, de partir en week-end. Je travaillais le samedi comme tout le monde et le dimanche autant et plus que les autres jours. Nous vivions dans l'angoisse et, sinon dans la pauvreté, du moins sans le moindre luxe et sans la moindre distraction. Nous n'étions pas malheureux : nous vivions aussi dans l'espérance. Nous croyions dur comme fer à la victoire de la France libre et au général de Gaulle. Et un monde nouveau s'ouvrait à moi. Il était fait de livres et il était intérieur.

Vingt-cinq ans plus tard, le surprenant psychodrame connu sous le nom bénin des « événements de mai 1968 » devait me laisser au bord de l'hostilité et, en tout cas, en plein scepticisme pour une raison toute simple : l'attachement à mes maîtres. Lorsque j'appris qu'une poubelle d'ordures avait été déversée à Nanterre sur la tête du doyen Ricœur, l'indignation me prit. L'hostilité, non seulement à de Gaulle, mais aux maîtres, c'était trop.

Pendant deux ans, je travaillai comme jamais. Je prétendais, bien entendu, ne rien faire du tout. Mais je me jetais dans le thème latin, dans la version grecque, dans Kierkegaard et dans Spinoza avec une sombre obstination. J'aimais les livres. J'aimais apprendre. Déboulèrent tout à coup dans l'obscure exaltation de chaque jour deux événements d'inégale importance qui étaient pour moi et pour tous autour de moi comme le couronnement plein d'angoisse des vingt-quatre derniers mois et dont l'évidence, pour attendue qu'elle fût depuis longtemps, nous frappa soudain avec violence : le débarquement en Normandie et le concours de l'École normale. L'histoire du monde n'en finissait pas de se mêler à ma modeste existence.

La guerre sur le sol français bouleversa nos études. Il devint très vite évident que les épreuves du concours ne pourraient pas se tenir, comme prévu, à la fin du printemps 1944. Elles furent reportées au début de 1945. Et, en khâgne comme ailleurs, l'année scolaire s'acheva dans un joyeux bordel qui permettait à chacun de s'occuper d'autre chose et d'abord de participer à la Résistance nationale.

En entrant dans la clandestinité, mon frère avait déjà réussi à échapper au fameux – à l'époque – Service du travail obligatoire, ou S.T.O., dont le but était de fournir des travailleurs aux nazis. À partir du début du printemps 1944, il se montra assez actif dans la Résistance parisienne. Quand les troupes anglo-américaines se rapprochèrent de Paris, il me remit, rue de Babylone, dans un des centres de la Résistance, une mitraillette entre les mains. Et il l'assortit d'un certain nombre de recommandations. Pendant les quelques jours où je me familiarisais avec la manipulation de ladite mitraillette, nos camarades m'observèrent. Le verdict tomba assez vite : la mitraillette me fut retirée. On me donna en compensation une bicyclette enveloppée de bonnes paroles et on me chargea de transporter à travers la capitale des messages et des colis.

À quelques jours de la Libération, un de mes chefs me confia un paquet assez volumineux que je fixai tant bien que mal à l'arrière de ma bicyclette avec l'ordre exprès de le remettre en silence à un inconnu qui m'attendait et avec lequel je n'aurais pas le moindre mot à échanger.

Quittant la rue de Babylone, je parvenais en vue de Saint-François-Xavier quand une colonne de blindés allemands apparut au fond de l'avenue des Invalides. Je freinai brutalement. Avec tant de violence que le paquet se détacha du vélo, se déchira en tombant et répandit sur le pavé des flots de brassards frappés de la croix de Lorraine. En un éclair, je me vis arrêté, déporté, fusillé. Des passants se précipitaient, ramassaient les brassards, rafistolaient le paquet, le remettaient sur mon porte-bagages. La colonne allemande poursuivit son chemin.

Je poursuivis le mien. Je parvins sans plus d'encombres à l'adresse indiquée. Je sonnai. Mon mystérieux correspondant m'ouvrit. Je le reconnus aussitôt : c'était Georges Bidault.

Les noms de Jean Moulin, de Pierre Brossolette, d'Honoré d'Estienne d'Orves, de Guy Môquet, de beaucoup d'autres m'ont fait rêver et ont provoqué chez moi quelque chose qui ressemblait à un peu de honte. Ce sont surtout ceux de l'escadrille Normandie-Niemen que j'ai enviés et admirés. Et les aventures de Roger Stéphane, avec qui je devais me lier plus tard, m'ont beaucoup amusé. À la Libération, Roger Stéphane s'était emparé, avec quelques autres, de la préfecture de Police. À la suite de cet exploit, il s'était présenté au général de Gaulle.

— Mon général, lui avait-il dit avec une ombre de forfanterie, je m'appelle Roger Stéphane. Je suis juif, homosexuel, communiste et gaulliste.

— Stéphane ! avait grogné le Général, vous ne trouvez pas que vous exagérez un peu ?

Le jour même ou la veille de la libération de Paris, comme d'innombrables Parisiens, nous nous étions rendus, mon frère et moi, place de la Concorde, déjà noire de monde. Jaillissant soudain de la rue de Rivoli ou de la rue Royale, une Citroën noire, probablement de la police ralliée à la Résistance, fit lentement le tour de la place. Installé à la portière ou sur un marchepied, un homme en bras de chemise faisait signe à la foule, avec autorité, de s'éloigner au plus vite. Les passants s'éparpillèrent de tous côtés et la plupart d'entre eux refluèrent vers le jardin des Tuileries. Quelques instants plus tard, des coups de feu éclataient. Les forces de police insurgées s'emparaient du ministère de la Marine occupé par les troupes allemandes.

Nous avions pénétré, avec beaucoup d'autres, dans le jardin des Tuileries quand nous nous aperçûmes que nous étions sur le point d'être encerclés par des Allemands surgis de nulle part. Nous nous jetâmes, mon frère et moi, vers la porte qui donnait sur la Seine. Trop tard ! Un piquet de soldats de la Reichswehr contrôlait déjà la sortie.

Mon frère passa sans difficulté : il avait de faux papiers parfaitement en règle. Moi, j'avais une vieille carte d'identité tout à fait authentique, mais établie à Nice en 1941. Elle parut louche aux Allemands qui me firent signe de rester parmi eux. Je vis mon frère me regarder avec désespoir.

Une inspiration subite me fit dire quelques mots en allemand au lieutenant ou au capitaine qui surveillait la porte. Je lui expliquai que j'habitais Nice trois ans plus tôt. Et puis je fus sauvé par un Juif allemand qui aimait beaucoup la France. Je ne sais trop pourquoi je me mis à réciter le début de la *Lorelei* de Henri Heine, le plus célèbre, sans doute, le plus populaire, le plus connu de tous les poèmes de la littérature allemande :

Ich weiss nicht was soll es bedeuten
Dass ich so traurig bin.
Ein Märchen aus uralten Zeiten
Es kommt mir nicht aus dem Sinn.

Die Luft ist kühl und es dunkelt
Und ruhig fliesst der Rhein.
Der Gipfel des Berges funkelt
Im Abendsonnenschein.

L'Allemand poursuivait :

Die schönste Jungfrau sitzet
Dort oben wunderbar.
Ihr goldenes Geschmeide blitzet.
Sie kämmt ihr goldenes Haar.

Je reprenais :

Sie kämmt es mit goldenem Kamme
Und singt ein Lied dabei
Das hat eine wundersame
Gewaltige Melodei.

— File ! me lança l'officier, et que je ne te revoie pas !

Mon frère m'avait attendu de l'autre côté des Tuileries. Nous passâmes en courant à perdre haleine le pont de Solferino. Il me tenait par la main. Les balles sifflaient au-dessus de nos têtes. Un homme fut tué devant nous. Une plaque rappelle sa mort sur le pont. À peine parvenus rive gauche du côté de la gare d'Orsay, transformée aujourd'hui en musée, nous nous précipitâmes dans un bistrot pour téléphoner à notre mère rue du Bac et pour la rassurer. À quelques centaines de mètres à peine de nous, elle ne savait encore rien de ce qui se passait à la Concorde et aux Tuileries.

— Ne t'inquiète pas ! hurlait mon frère, hors de lui d'émotion. Nous allons bien. Nous arrivons.

— J'espère bien, répondait ma mère du ton le plus calme et presque un peu sec. Ne soyez pas trop en retard pour le repas.

C'était Paris en août 1944. Nous retrouverons vingt-quatre ans plus tard, en mai 1968, cette même coupure entre deux quartiers très proches l'un de l'autre, le premier ignorant tout de ce qui se passait dans le second.

Au début de septembre, le général de Gaulle formait un gouvernement provisoire avec Georges Bidault au

Quai d'Orsay. À la satisfaction de mon père, le nouveau ministre des Affaires étrangères me prit avec lui, dans un poste subalterne, à son cabinet. J'y restai à peine deux mois – assez longtemps pourtant pour me persuader de deux vérités d'inégale importance. La première était qu'une irrémédiable hostilité opposait Georges Bidault au général de Gaulle. Le plus intéressant était qu'à cette époque-là le Général apparaissait comme un homme de droite et Bidault comme un opposant de gauche porté à dénoncer un dictateur dans l'homme du 18 Juin. Moins de vingt ans plus tard, l'hostilité entre les deux hommes serait plus vive encore – mais avec une inversion de taille, due aux événements d'Algérie : le Général avait l'appui de la gauche et Georges Bidault était passé à l'extrême droite.

La seconde révélation était d'ordre privé : je n'avais pas tardé à comprendre que je préférais de très loin *Phèdre, Candide,* les *Fables* de La Fontaine, les lettres de Mme de Sévigné au travail de cabinet, et les études, si dures fussent-elles, aux fastes de la vie politique. Dès octobre, je retrouvai avec joie Boudout, Hyppolite, Alba, Dieny et la khâgne d'Henri-IV. Avec joie. Et avec angoisse. Pour la promotion 1944 de l'École normale supérieure, bousculée par le débarquement et la Libération, la date du concours d'entrée était fixée au milieu de l'hiver 1944-1945.

Le rêve éveillé se poursuivait. Le cauchemar aussi. Je lisais un peu de Platon, ça allait, de Descartes, ça allait encore, d'Aristote et de Spinoza, c'était déjà plus rude, de Hegel et de Heidegger, et je m'obstinais à ahaner et à perdre pied. Nos professeurs descendaient du piédestal au milieu des idées où nous les avions installés pour nous donner des conseils de bachotage et des recettes de succès. Nous allions jusqu'au bout de nos forces intellectuelles et physiques. Pâles, presque hâves, nous maigrissions à vue d'œil. Nous ne mangions pas à notre faim. Nous manquions de sommeil. Nous étions les fantômes de ce que nous avions été. Enfin le grand jour arriva et nous nous retrouvâmes tous dans les salles gigantesques et sinistres de la rue de l'Abbé-de-l'Épée ou de la bibliothèque Sainte-Geneviève pour ces séances de torture de six ou huit heures où, presque à pile ou face, se jouait notre existence.

Très savant Sur-Moi, je n'ai pas l'intention de vous rapporter en détail les épreuves auxquelles nous fûmes soumis...

MOI : Non. C'est inutile pour l'enquête.

MOI : ... D'autant plus inutile que je les ai oubliées avec le plus grand soin. Je me rappelle seulement que le sujet de philosophie tournait autour d'une formule de Piaget, le grand théoricien suisse du développement de la pensée chez l'enfant, sur les mystères de l'épistémologie correspondant terme à terme avec les sombres évidences de la logique.

Trois semaines ou un mois plus tard, la publication de la liste des admissibles aux épreuves de l'oral était encore une épreuve. J'avais bien essayé, selon la plus sainte des traditions, d'obtenir d'un de ces huissiers que nous appelions des *tangentes* la communication de mes notes à l'écrit, censées demeurer secrètes. Vous filiez vingt francs de l'époque à la tangente et elle vous glissait vos notes à l'oreille. La tangente à qui je m'adressai empocha les vingt francs – et ne me livra jamais mes notes. Le larron anonyme était un bienfaiteur inconnu. Il agissait, je l'appris plus tard, par pure bonté d'âme et pour ne pas me décourager : mes notes étaient très médiocres. Assez bonnes pourtant pour permettre à mon nom de figurer en queue de la liste fatidique des admissibles.

L'oral se passait rue d'Ulm. Les souvenirs m'en reviennent comme en rêve, et en foule. Ma première épreuve : le latin. Une lettre, plutôt difficile, de Cicéron. Le résultat ne fut pas étincelant. J'appris après le concours que, s'ajoutant à mes notes peu reluisantes de l'écrit, ma piètre performance en latin m'avait fait considérer comme perdu par les membres du jury : ils me rayèrent en esprit de leur liste. La philosophie se passa plutôt bien. Le grec aussi. L'allemand et l'anglais ne posaient pas de problème. L'examinateur de français était un universitaire distingué, très bien de sa personne, sympathique, homosexuel, un peu solennel, à qui il était peut-être permis de reprocher une prudence excessive et un certain manque de courage. Il était lié avec plusieurs écrivains, et notamment avec Étiemble, spécialiste de littérature comparée, auteur alors assez célèbre et aujourd'hui oublié du *Mythe de Rimbaud* et de *Parlez-vous franglais ?* J'étais appelé à retrouver Jean Thomas à l'Unesco où il allait occuper les fonctions imposantes de directeur général adjoint. Et je devais finir par nouer avec lui des relations d'amitié. Il me proposa un passage de Rousseau, tiré des *Rêveries du promeneur solitaire,* où il était question d'une nuit passée sous les étoiles.

Jean-Jacques Rousseau n'était pas mon auteur favori.

J'aurais préféré de très loin un sonnet de Ronsard, de Ménard ou de Théophile de Viau, une scène de Corneille ou de Racine, une fable ou un conte de La Fontaine, une lettre de Mme de Sévigné à sa fille, une lettre de Voltaire à d'Alembert, à Mme du Deffand ou à Frédéric de Prusse, ou un extrait de *Candide*, un poème de Hugo, de Vigny, de Baudelaire ou de Verlaine. Mais enfin la nature, le temps qui passe, le souvenir, la mélancolie, les débuts du romantisme et du règne de la météorologie dans la littérature me convenaient assez bien. Avec sa nonchalance de mandarin indulgent et vaguement désabusé, Jean Thomas me décerna une bonne note. Restait l'histoire. L'histoire moderne – sur la fin de l'Ancien Régime, je crois : mes souvenirs sur ce point sont un peu flous –, passa comme une lettre à la poste. L'histoire ancienne me mit en présence d'Henri-Irénée Marrou.

Henri-Irénée Marrou – il tenait à ses prénoms et à leur ordre immuable – était un de ces hommes d'exception qui font honneur à l'Université. Il était chauve, très savant, catholique, bienveillant, d'un abord délicieux. Lié à Jérôme Carcopino, qui avait été un grand historien de l'Antiquité avant de devenir pendant quatorze mois ministre de l'Instruction publique du maréchal Pétain, il n'avait jamais cessé d'être son ami malgré leurs divergences politiques. Il m'interrogea sur les combats de gladiateurs dans la Rome antique. Je lui déballai toute l'affaire : la vogue inouïe des jeux et leur coût exorbitant, les Samnites, les chrétiens, les esclaves, les belluaires, les rétiaires, les hoplomaques, les andabates, les mirmillons, avec leurs boucliers, leurs tridents, leurs cnémides et leurs filets plombés. Et, en prime, la suppression des combats en 404 de notre ère. Il me regardait avec indulgence.

— C'est très bien, commenta-t-il en se penchant vers moi. Vous aurez de toute façon une note excellente. Mais, dites-moi, comment étaient-ils vêtus ?

Je réfléchis un instant.

— Ils étaient nus.

— Excellent, me dit-il. Ils avaient pourtant un petit quelque chose sur eux. Si vous m'indiquez ce que c'était, je vous mets 18.

Je respirai un bon coup. Et je lui fis une réponse dont je me souviens encore aujourd'hui parce que, dix ou quinze ans plus tard, Marilyn Monroe devait m'imiter en réplique à la question :

— Que mettez-vous la nuit pour dormir ?

— Un peu de 5 de chez Chanel.

Je jouai le tout pour le tout :

— Un peu d'huile, murmurai-je.

— C'est parfait, me dit-il.

Le jour des résultats, une atmosphère d'angoisse régnait dans le hall d'entrée du 45 de la rue d'Ulm qui grouillait d'une foule d'élèves, de professeurs, d'amis, de parents et de curieux. Deux infirmières en blouse blanche étaient tapies dans un coin et une ambulance était garée dans la cour au cas où un candidat ou sa mère se trouverait soudain mal. Une rumeur sourde animait l'auguste institution frappée d'une espèce d'hystérie contenue depuis des mois et peut-être des années. Le bruit cessa soudain : le directeur de l'École, ou son secrétaire général, s'avançait vers le micro, une feuille de papier à la main. Un grand silence se fit. Un peu de notre vie était en jeu. Tissé, comme toujours, de hasard et de nécessité, le destin nous tombait dessus.

— Sont admis à l'École normale supérieure, promotion 1944 :

« Premier...

« Deuxième...

« Troisième...

La liste s'égrenait. À mesure qu'elle s'allongeait, les chances d'être cité augmentaient et diminuaient. Augmentaient, parce que les chances d'être cinquième, sixième, septième, étaient plus grandes que d'être premier ou deuxième ; diminuaient, parce que nous savions tous que sur les centaines de candidats une dizaine seulement seraient reçus.

— Septième...

« Huitième...

J'étais neuvième. Sur dix. Avant-dernier de la section des Lettres. Ce n'était pas brillant. Quelqu'un m'embrassait : c'était la tangente bien-aimée qui m'avait fauché vingt francs.

Je rentrai rue du Bac dans un état d'ivresse. Mes parents m'attendaient, plus morts que vifs.

— Je suis reçu ! criai-je sur le pas de la porte.

Le bonheur de mes parents faisait plaisir à voir. C'était une scène de Greuze au siècle du nucléaire. En ce temps-là encore, le rêve de toute famille populaire ou bourgeoise était de voir son rejeton entrer dans le temple de la rue d'Ulm. Nous nous jetions, mes parents, mon frère, André et moi, dans les bras les uns des autres. Tout basculait autour de moi. La guerre était gagnée contre la dictature du national-socialisme et j'étais normalien.

Deux traditions étaient encore, en ce temps-là, très vivantes autour de la rue d'Ulm. L'une était assez générale dans l'ensemble des grandes écoles : c'était le bizutage ; l'autre était propre à l'École normale : le canular – ou *khanular.*

Des canulars célèbres avaient été montés par les normaliens : une fausse visite de Lindbergh à Paris en voiture décapotable qui avait attiré des foules enthousiastes ou la fameuse affaire des Poldèves. Les Poldèves – qui n'existaient pas – étaient une population victime de menées intolérantes et racistes et menacée par la dictature. Un homme politique français – entièrement inventé –, du nom d'Hégésippe Simon, avait pris la défense des malheureux Poldèves et organisait réunion de soutien sur réunion de soutien. Une manifestation importante avait été notamment prévue à Poil, dans la Nièvre. Des invitations avaient été lancées à des personnalités du premier rang et ces voyous de normaliens exhibaient avec férocité les réponses qui leur étaient parvenues : « J'aurais été heureux de partager à Poil avec vous les valeurs... » ou « Je regrette de ne pouvoir me rendre à Poil en votre compagnie... »

Quelques années plus tard, un malheureux directeur de l'École normale, l'estimable M. Flacelière, devait être la proie de ses cruels élèves qui avaient communiqué au journal *Le Monde* une fausse lettre de candidature de M. Flacelière à l'Académie française. Le directeur de l'École avait aussitôt envoyé un démenti au *Monde.* Les garnements avaient adressé aussi sec au journal une nouvelle fausse lettre de M. Flacelière : elle se plaignait des manœuvres insidieuses menées par des adversaires anonymes contre sa candidature qu'il maintenait bien entendu contre vents et marées.

Deux bizutages, entre autres, avaient marqué ma promotion. Comme chaque année, il y avait parmi nous un *prince tala* – c'est-à-dire un élève qui s'occupait de ses camarades catholiques, le mot *tala* venant peut-être de l'expression « *va-t-à la* messe ». Notre prince tala à nous était René Rémond, qui devait jouer plus tard un rôle important à Science Po et à l'E.N.A. On lui organisa une réception à l'archevêché qui lui parut très étrange : elle se passait au Sphinx ou au One-Two-Two, l'une ou l'autre des maisons de passe qui existaient encore à Paris avant le succès de Marthe Richard et leur fermeture.

L'autre bizutage me concernait. Mes bourreaux m'avaient emmené en voiture jusqu'à la gare de Lyon où, dans un coin obscur, ils m'avaient déshabillé et enroulé dans une couverture avant de me transporter devant un wagon du train direct pour Dijon. À l'instant du départ, ils m'avaient jeté dans le wagon en retirant la couverture. Nu comme un ver dans le train qui prenait de la vitesse, je m'étais enfermé dans les toilettes, négligeant les insultes et les coups de poing dans la porte des voyageurs impatients de vider leur vessie. Jusqu'au moment où un contrôleur très étonné, se servant de sa clé, se présenta devant moi. Je lui expliquai mon cas. Il me prêta sa casquette. Je descendis en hâte à Dijon en portant devant moi la casquette du contrôleur à la façon des Anciens comme une feuille de vigne ferroviaire et bizarre.

Trois ans durant, rue d'Ulm, je n'ai presque rien fait. En dépit de ma pose et de mes assertions (qui tendaient à suggérer un talent transcendant), j'avais beaucoup travaillé en hypokhâgne et en khâgne. J'étais au bord de la consomption. Je me reposais. Quand on me demandait ce que je faisais à l'École, je répondais la vérité : j'allais au cinéma.

En 1945-1946, nous avions à rattraper, en France, cinq ans de productions anglaises et surtout américaines de génie. Avec *To Be or not to Be* ou *Le ciel peut attendre*, avec *Casablanca*, avec *Vous ne l'emporterez pas avec vous* ou *Monsieur Smith au Sénat*, avec *L'impossible M. Bébé*, avec *Philadelphia Story – Indiscrétion*, en français –, avec *Laura*, les Lubitsch, les Curtiz, les Capra, les Howard Hawks, les Cukor, les Preminger faisaient irruption dans notre vie. Le cinéma américain n'était pas seul à me fasciner. Mes années d'enfance un peu partout, puis mes années de travail m'avaient éloigné aussi des films européens et même français. Je découvrais Greta Garbo, Marlene Dietrich, Jean Gabin, Annabella, Arletty, *Les Enfants du paradis* en même temps qu'Hollywood. Il m'arrivait souvent d'aller au cinéma – aux Ursulines ou au Studio Christine – trois fois par jour : à deux heures, à cinq heures et après le dîner.

L'idée de faire des films m'a traversé l'esprit bien avant l'envie d'écrire des livres. Mais j'ai compris très vite que c'était un rêve impossible : je ne sais pas travailler en équipe. Diriger un film est une entreprise collective et de longue haleine. Montaigne au petit pied, je procède plutôt par sauts et par gambades. Ce que je préfère dans le travail, c'est la solitude.

Je commençais, cher et illustre Sur-Moi, à deviner mes forts, qui étaient minces, et mes faibles, qui étaient nombreux. J'étais vif et rapide, je comprenais assez vite. Trop vite, à coup sûr. Les efforts soutenus m'étaient assez étrangers. Un de mes camarades de la rue d'Ulm – il s'appelait Brun, si mes souvenirs sont exacts – s'était moqué de moi avec drôlerie et justesse.

— Il arrive très excité. Il annonce qu'il a lu trois livres qui lui ont beaucoup plu : le premier, il ne l'a pas lu ; le deuxième, il l'a oublié ; et le troisième n'est pas très bon.

MOI : Ce témoignage est précieux. Il sera retenu contre vous.

MOI : J'ai lutté contre le caractère un peu faible qu'il suppose. Je m'en suis beaucoup voulu de mon côté superficiel. J'ai écrit des livres plutôt longs et jamais assez ennuyeux pour combattre cet élan vers la légèreté et vers l'indifférence. « Glissez, mortels, n'appuyez pas ! » la formule chère à Proust m'a longtemps poursuivi. J'ai eu un penchant non seulement pour Toulet, léger comme de la cendre, mais pour Rostand, pour Guitry, pour Tristan Bernard. Tantôt je me détestais et tantôt je me disais que le plus important était d'aller avec audace dans le sens de ses faiblesses pour tenter, peut-être en vain, de les changer en forces. J'ai aimé m'amuser.

Entre deux séances de cinéma, entre deux lectures clandestines et enchantées d'ouvrages aussi peu à la mode que *Le Jardin d'Épicure* ou *La Châtelaine du Liban*, je m'occupais un peu de mes études. Cette tâche infinie se résumait surtout à des visites successives dans le bureau de notre caïman.

Le *caïman*, rue d'Ulm, était un personnage intermédiaire entre un camarade et un professeur. La tradition voulait que ce fût un normalien, un peu plus âgé que les nouveaux venus, chargé de les diriger dans le labyrinthe de leurs travaux. Notre caïman était un philosophe au sommet de la célébrité : c'était Louis Althusser.

Spécialiste du jeune Marx, Althusser était communiste et charmant. J'ai appris plus tard avec étonnement qu'il était très lié, jusqu'à l'intimité, avec Jean Guitton, mon confrère catholique et de droite à l'Académie française. La littérature et la philosophie règnent très loin au-dessus des divergences politiques. Comme Hyppolite, comme Alba, Althusser a été avec moi d'une bienveillance et d'une indulgence presque sans limites.

— L'un de nous deux, me disait-il avec un bon sourire, finira bien par mettre l'autre en prison ou par le faire fusiller. En attendant, je t'aiderai tant que je pourrai.

Je l'ai mis à rude épreuve. Surtout pour plaire à mon père, je m'étais inscrit dans la filière de la préparation à l'agrégation d'histoire. Mais une crise sentimentale vint bousculer mes projets : j'étais tombé amoureux.

MOI : Amoureux !… Dites-nous ça.

MOI : J'étais tombé amoureux de la philosophie. Comme la plupart des normaliens, je fréquentais assez peu la Sorbonne. Mais à l'enseignement d'Hyppolite qui m'avait bouleversé s'étaient ajoutées d'autres influences. Celle de Beaufret, introducteur de Heidegger en France, celle d'Alquié, oscillant entre Descartes et le surréalisme, qui ouvrait son cours de khâgne à Louis-le-Grand par ces fortes paroles proférées en bégayant et avec un accent du Sud-Ouest :

— Vous aurez entendu trois rumeurs me con-concernant : que j'étais homo-homosexuel, que je fréquentais les b-bordels et que j'avais ramassé ma femme dans une m-maison de passe... De ces trois assertions, il n'y en a que d-deux de vraies.

Celle de Vladimir Jankélévitch, auteur d'un ouvrage irrésistible : *Le Presque Rien et le Je-ne-sais-quoi* et qui aimait la musique et le théâtre. Celle de Martial Gueroult dont une série de cours sur Malebranche, qui n'était plus guère en odeur de sainteté, m'avait ébloui. Celle enfin de Bachelard qui, derrière sa barbe blanche et d'une voix rocailleuse, nous parlait des rêves, de l'eau, du feu, des forêts.

Comme beaucoup d'histoires d'amour, ma passion pour la philosophie était une passion malheureuse. J'aimais la philosophie beaucoup plus qu'elle ne m'aimait. Et comme ces amants peu payés de retour, je cachais mes sentiments. Je tournais autour de la philosophie sans me déclarer ouvertement. J'essayais de me rapprocher insensiblement, mais le plus près possible, de ces monstres sacrés qu'étaient pour moi Platon, Spinoza et Leibniz. Un jour, n'y tenant plus, j'allai trouver Althusser pour lui dire que je renonçais à l'histoire pour les lettres.

Il m'accueillit avec douceur.

— Je crois que tu étais fait pour l'histoire. Mais tu es bon aussi en lettres. Je t'inscris en préparation de l'agrégation de lettres.

Je ne vais pas vous raconter ma vie...

MOI : Que faites-vous d'autre ?

MOI : ... mais je m'engageai avec imprudence dans l'étude des textes du Moyen Âge. Bientôt, les Serments de Strasbourg et le traité de Verdun, les vingt-neuf vers de la *Cantilène de sainte Eulalie,* notre premier poème en langue romane,

> *Buona pulcella fut Eulalia,*
> *Bel avret cor, bellezour anima...*

Aucassin et Nicolette et tant d'autres merveilles me devinrent presque insupportables. C'était injuste. Je n'y pouvais rien. L'amour est sourd et aveugle. Dans un délire de mauvaise foi où se mêlait de la paresse, je me disais que le grec et l'allemand étaient les deux voies d'accès obligées de toute approche philosophique et, en même temps, que l'étude de l'allemand ne me donnerait pas beaucoup de peine puisque je parlais déjà assez bien la langue de Goethe et de Hölderlin. Plus chafouin que jamais, je retournai voir Althusser. Et je lui fis part de mon désir de consacrer ma vie entière à la littérature allemande.

Il me regarda avec stupeur.

— Quelle mouche te pique ? Pourquoi cette agrégation d'allemand ? Par facilité ? La prochaine fois, parce qu'il n'y a pas d'agrégation d'alphabet, tu viendras m'annoncer que tu prépares l'agrégation de grammaire. Enfin, tu fais comme tu veux.

Il faut aller vite...

MOI : C'est ça. Bonne idée.

MOI : ... Trois mois plus tard, une quatrième fois, j'allai frapper à la porte d'Althusser. Malgré son affabilité coutumière – et je peux le comprendre –, il me reçut assez mal.

— Tu ne viens tout de même pas m'annoncer une fois de plus que tu changes d'agrégation ?

— Justement, si ! lui dis-je d'un ton léger mais d'une voix qui tremblait.

— Et tu choisis quoi ? La gymnastique ? Le calcul mental ? La poésie champêtre ?

Je me lançai à l'eau.

— La philosophie, lui dis-je.

En apparence au moins, Althusser était très calme. Et il avait le teint assez pâle. Je le vis se lever brusquement et son visage tourna au rouge.

— Écoute. Il faut que je te dise. Je te connais un peu. Je t'aime bien. Tu peux passer l'agrégation que tu veux. Histoire, lettres, allemand : tu seras reçu partout. Il n'y a qu'une agrégation où tu seras refusé à coup sûr : la philosophie. C'est comme si tu te présentais à l'agrégation de droit public ou de mathématiques. Tu n'y connais rien. Maintenant, c'est toi qui décides.

— La philosophie, lui dis-je.

Quelques années plus tard, j'allais apprendre avec une émotion mêlée de stupeur la fin tragique de la carrière d'Althusser : dans un de ces accès de violence teintée de folie dont il était coutumier, il avait étranglé sa femme Hélène. Nous savions tous, à l'École, qu'il y avait des jours où il fallait éviter de fréquenter Althusser. La presse de tous les bords se déchaîna contre lui. Je fus un des rares à le défendre dans un journal de droite, *Le Figaro Magazine.*

À cette époque, j'avais vingt ans. Je mettais les livres si haut – surtout la fameuse couverture blanche des Éditions Gallimard qui me rendait à peu près fou avec son filet noir et ses deux filets rouges – que l'idée d'écrire à ce qu'on appelait encore, en ce temps-là, un « grand écrivain » ne me venait pas à l'esprit. Il y avait pourtant un poète pour qui j'avais une telle admiration que l'envie de le rencontrer devint presque irrésistible. *La Soirée avec M. Teste, La Jeune Parque, Charmes, Le Cimetière marin* surtout m'avaient ébloui. Je me répétais sans fin :

Honneur des hommes, saint LANGAGE,
Discours prophétique ou paré,
Belles chaînes en quoi s'engage
Le dieu dans la chair égaré.
Illumination, largesse !
Voici parler une Sagesse
Et sonner une auguste Voix
Qui se connaît quand elle sonne
N'être plus la voix de personne
Tant que des ondes et des bois...

ou :

Soleil, soleil !... Faute éclatante !
Toi qui masques la mort, soleil...
Tu gardes le cœur de connaître
Que l'univers n'est qu'un défaut
Dans la pureté du non-être...
Toujours ce mensonge m'a plu
Que tu répands sur l'absolu,
Ô roi des ombres fait de flamme !

Le bruit courait que Paul Valéry accueillait volontiers les jeunes gens qui l'admiraient. Je lui écrivis une lettre. Il me répondit qu'il m'attendait.

Je remontais la rue de Villejust, qui s'appelle aujourd'hui rue Paul-Valéry. J'apercevais une maison de passe assez fameuse – celle de Mme Claude, peut-être ? – d'où sortaient beaucoup de jeunes femmes distinguées qui faisaient les beaux jours des hebdomadaires et des revues de mode, et je me disais que j'aurais mieux fait d'aller leur rendre visite à elles plutôt qu'à un académicien, si plein de génie fût-il. Au 40 de la rue de Villejust, je montais l'escalier jusqu'au troisième étage. Je sonnais. Paul Valéry me serrait la main.

De quoi nous avons parlé, je n'en ai plus la moindre idée. Je bafouillais, j'imagine. Tout ce que je sais, c'est qu'au bout de quelques instants Paul Valéry, assis dans son fauteuil en costume sombre croisé, me demanda ce que je faisais. J'étais là un peu pour ça.

— Je viens de renoncer, lui dis-je, faraud, à l'agrégation d'histoire.

Il se leva, me prit dans ses bras, me regarda droit dans les yeux et me dit :

— Comme vous avez raison ! L'histoire ne sert à rien. Elle ne nous apprend rien sur un avenir plus important que le passé et qui ne le répète jamais. Et que faites-vous maintenant ?

Avec une orgueilleuse modestie qui pouvait enfin s'exprimer, je lui répondis :

— Je prépare l'agrégation de philosophie.

Le vieil écrivain se laissa retomber sur son fauteuil, prit sa tête entre les mains et s'écria, l'air navré :

— Mais c'est pire !

J'aurais dû savoir que la philosophie et l'histoire étaient les deux bêtes noires du grand homme. Il l'a écrit plus d'une fois. Il ne croyait pas à l'histoire et il pensait que la philosophie n'a pas d'autre intérêt que de démontrer à un public restreint que A est plus intelligent que B.

— Mais alors, murmurai-je, effondré, que faut-il faire ?

— Des mathématiques ! me dit-il.

Les mathématiques étaient un domaine très étranger à ma famille. Ni mon père, ni mon frère, ni moi ne les avions beaucoup fréquentées. Vous vous souvenez de mon frère, impeccable Sur-Moi ? Le bon à rien, le nullard, le cancre, le mauvais élève. Il aurait tant aimé être marin et il avait renoncé à l'École navale sous les risées de la famille. Voilà qu'à la Libération Michel Debré, sur les instructions du Général, décide de créer de toutes pièces une institution appelée à un bel avenir : l'École nationale d'administration – la fameuse, trop fameuse, E.N.A. Sous les regards apitoyés de mes parents, Henry nous annonce son intention de se présenter au premier concours de la nouvelle école. À la surprise générale, il est reçu. Et, trois ans plus tard, il en sort premier.

Il restait quelque chose chez mon frère du cancre magnifique qu'il avait longtemps été. Chacun fait ce qu'il peut. Le misérable petit génie, incertain et fluctuant – c'était moi –, avait, vous vous en souvenez, l'orthographe naturelle. J'aurais peut-être pu réussir l'agrégation de grammaire. Henry, lui, s'obstinait à semer autour de lui, avec largesse et grand bonheur, de prodigieuses fautes d'orthographe. Dans sa copie principale, le jury en avait compté, si je me souviens bien, un peu plus d'une trentaine. Le sujet s'y prêtant, il avait écrit six ou sept fois les mots fatidiques de *servisse publique.* Reconnaissant qu'il était le premier, le jury de l'E.N.A. estima qu'il était difficile de mettre major de sa promotion un candidat qui parlait de *servisse publique*. Il fut deuxième. Ce qui ne l'empêcha pas de sortir brillamment dans l'inspection des Finances. Bourdieu ! Bourdieu ! Bourdieu ! Badiou, Piketty, Autain et tous les autres ! Pour la bourgeoisie héréditaire et régnante, l'inspection des Finances valait bien la rue d'Ulm. Re-larmes de joie. Re-scène de Greuze. Salut, Henry ! J'étais le chouchou de notre mère. J'ai bien peur de t'avoir fait chier avec mon côté agaçant et mes conneries de bon élève. Mais je t'aimais. Salut, Henry ! Je t'admirais et je t'aimais.

J'ai passé, je ne sais plus, trois ou quatre ans rue d'Ulm. Sous les toits de l'École, autour du bassin des *Ernests* – une sorte de vasque boueuse où traînaient des poissons rouges –, les normaliens, qui se retrouvaient tous à l'heure du *pot*, c'est-à-dire des repas, se répartissaient en *turnes*. Les turnes étaient des cabinets de travail qui accueillaient entre trois et cinq élèves. Nous étions cinq dans ma turne : Guichemerre, la crème des hommes, qui était fort et lourd ; Guicharnaud, mince, élancé, élégant, qui a fait une carrière brillante de professeur de littérature française dans les universités américaines ; Bellaunay, pasticheur et poète de talent, publié par Bernard de Fallois ; Laplanche ; et moi. Nous avons souvent invité des amis dans notre turne de la rue d'Ulm. Deux visites surtout restent gravées dans ma mémoire : Édith Piaf d'abord, puis Léo Ferré sont venus nous voir et ont chanté quelques instants pour nous.

Il est tout à fait clair que la place tenue au XIXe siècle par les poètes – la popularité de Chateaubriand, de Lamartine, de Musset, de Béranger, l'enterrement de

Victor Hugo en 1885 qui provoqua, dit-on, une hausse sensible de la natalité à Paris neuf mois plus tard… – est occupée de nos jours par les chanteurs et les chanteuses. Piaf, Trenet, Aznavour, Barbara, Ferrat, à qui m'opposa, un jour, à propos de Saigon et du Cambodge, une chanson fameuse en son temps, plusieurs autres peut-être, inestimable Sur-Moi, auraient pu aspirer à siéger quai de Conti. La poésie est réservée aujourd'hui à une très mince fraction de la population – à ceux qu'on appelait jadis « l'élite » et qui ont perdu sinon leur raison d'être, du moins leur importance et la faveur de la masse. La poésie a été remplacée dans l'esprit de nos contemporains par la chanson, par les médias et, nous le verrons un peu plus tard, par la science et la technique.

Je me souviens que nous avions le sentiment, rue d'Ulm, mes camarades et moi, d'être arrivés trop tard et que la grande époque de l'École normale supérieure, illustrée par tant de noms de Péguy à Jaurès, de Léon Blum à Édouard Herriot, de Jean Giraudoux à Raymond Aron, à Nizan et à Sartre, était déjà derrière nous. À ma promotion ou à celles qui m'entouraient appartenaient pourtant quelques bons esprits : Alain Peyrefitte, Jean-François Revel, qui s'appelait encore Ricard, René Rémond, l'auteur catholique d'une célèbre *Histoire des droites en France*, Alain Touraine, Michel Foucault qui allait connaître la gloire avec *Les Mots et les Choses*, Jean Delumeau, Lucien Sève, illustration du parti communiste, Gilbert Simondon – le dixième et dernier de ma promotion –, auteur d'un ouvrage important : *Du mode d'existence de l'objet technique*, Jacques Le Goff, Paul Veyne et un garçon enlevé à la fleur de l'âge dans un accident de voiture : Jean-Jacques Rinieri. Roger Stéphane, qui lui avait voué une passion, lui consacrera un livre.

Entre les gouttes, entre les chansons de Ferré et de Piaf, entre deux séances de cinéma, entre les visites à Althusser, je passais à la Sorbonne toute une série de certificats de licence dont je n'ai pas grand souvenir et j'avançais vaille que vaille, dans la rédaction d'un diplôme d'études supérieures, qui ne cassait pas trois pattes à un canard, sur le bon Baruch de Spinoza que je m'étais mis à aimer. Au bout de trois ans, je me présentai au concours de l'agrégation de philosophie. Je fus refusé la première fois…

MOI : Ah ! enfin l'échec prévu et annoncé par votre maître et ami, le caïman…

MOI : … et reçu la seconde. Et même la première fois, j'avais des excuses.

MOI : Ah ! bien sûr ! rebut de l'humanité. Bien sûr ! Et quelles excuses, je vous prie ?

MOI : Il me faut faire ici, juge du ciel et de l'enfer, comme un détour sentimental.

J'avais un ami dont le fils, désinvolte et brillant auteur de théâtre, cinéaste et acteur, coqueluche du public français, est devenu très célèbre : Édouard Baer. Plus sérieux que lui, son père occupait des fonctions qui ne déchaînent pas nécessairement des torrents d'hilarité : il était conseiller maître à la Cour des comptes. Tout aussi sprituel et amusant que son fils, Philippe Baer était surtout un des hommes les plus intelligents que j'aie jamais rencontrés. Grand lecteur, dévoré bien entendu de l'envie d'écrire, il avait l'esprit critique si développé qu'à peine avait-il commencé à rédiger quelques lignes il se voyait contraint de renoncer : elles ne se situaient jamais à la hauteur de ses ambitions et de ses espérances.

À la différence de tant de mes confrères qui s'aigrissent sur le tard – Georges Duhamel, à la fin de sa vie, écrit *Le Livre de l'amertume* –, que mon procès, très rigoureux Sur-Moi, me soit au moins l'occasion de célébrer les hommes et les femmes que j'ai admirés et aimés. Philippe Baer a été mon ami le plus cher et le plus gai. Son originalité et sa drôlerie le faisaient adorer de tous ceux qui l'approchaient. Je ne sais plus si c'est après mon admission rue d'Ulm ou après mon succès à l'agrégation de philosophie que Philippe m'a glissé, mi-figue, mi-raisin :

— On ne peut pas dire que tu as été reçu par faveur. Non. Tu as été reçu par erreur.

En ces temps préhistoriques nous étions amoureux, Philippe Baer et moi, chacun de notre côté. Et malheureusement, très haut placé Sur-Moi, malheureusement de la même personne.

MOI : Ah ! vous voilà adversaires…

MOI : Point du tout, trône de justice. Au lieu de nous opposer l'un à l'autre, cette communauté d'entreprise nous a plutôt rapprochés.

Il faut vous dire, arbitre des duels, des tournois, des élégances, que l'objet de notre flamme commune était une femme qui sortait de l'ordinaire. Sa beauté, sa douceur, son élégance, son charme étaient reconnus par tous.

MOI : Vous refusez, bien entendu, de nous livrer son nom ?

MOI : Je ne refuse rien du tout. Nine avait dix ou quinze ans de plus que moi. Elle aurait aujourd'hui plus de cent ans. Je crois qu'il y a prescription. Non pas prescription du respect, de l'admiration, de la tendresse. Mais prescription des règles sociales.

Née d'un père inventeur, Nine appartenait à une famille dont tous les membres étaient beaux. Sa mère, Raymonde, laisse le souvenir d'une beauté célèbre. On raconte que quand elle entrait, le soir, chez Maxim's, les dîneurs cessaient de dîner et l'orchestre, un instant, s'arrêtait de jouer. Les enfants de Nine sont restés fidèles à la tradition familiale. Sa fille, Victoire, a fait tourner beaucoup de têtes d'artistes, d'acteurs, d'hommes d'État ou d'affaires, de vieillards et d'étudiants. De Gianni Agnelli, le patron de Fiat, à Sam Spiegel, le producteur d'*African Queen*, de *Sur les quais*, du *Pont sur la rivière Kwai* et de *Lawrence d'Arabie* en passant par Pompidou et Giscard, elle n'a pas manqué d'admirateurs.

J'ai oublié où et comment j'ai rencontré Nine. Je sais seulement qu'un drame venait de bouleverser son existence. Un mariage d'amour, qui avait fait la une de tous les hebdomadaires et de toutes les revues de mode de l'époque, l'avait unie avant la guerre à un descendant du geôlier et ami – rappelez-vous, prince de la mémoire – de Nicolas Fouquet : le fameux d'Artagnan. D'après certains témoignages, il n'est pas impossible, étoile de justice, que Nine ait fait preuve d'une ombre d'imprudence et d'innocente coquetterie. Pierre l'avait en tout cas quittée pour une autre. Abandonnée par son mari dont elle était toujours amoureuse, Nine s'était laissé adorer par Philippe Baer d'abord, puis par moi.

Avant ou après, je ne sais plus, sa sortie de l'E.N.A. et son entrée à la Cour des comptes, Philippe avait passé quelques mois en Argentine au titre d'attaché culturel à l'ambassade de France. Mentionnons-le au passage : nommé par de Gaulle, l'ambassadeur en Argentine était, à cette époque, mon oncle Wladimir. Nine était allée le rejoindre – non pas mon oncle, mais Philippe – à Buenos Aires. Vous imaginez, Sur-Moi des cœurs et des passions, dans quel état d'égarement se trouvait alors mon ami. Et dans quel état d'égarement je me suis trouvé moi-même quelques années plus tard quand Nine, à mon tour, a jeté les yeux sur moi.

Je ne suis pas sûr, impeccable Sur-Moi, qu'elle m'ait jamais pris très au sérieux. Je l'amusais peut-être, je la distrayais – comme Philippe – de son chagrin d'amour, elle faisait un peu plus que de me supporter : elle m'aimait bien, je crois. Elle m'acceptait auprès d'elle. Elle me faisait perdre la tête. J'étais fou d'elle.

Elle habitait une grande maison rue Cavé, sur la place de Bagatelle, à Neuilly. J'y venais souvent dîner ou prendre le petit déjeuner. Entre Eugène, maître d'hôtel engoncé et fidèle, factotum, homme à tout faire, et Julie, la cuisinière au grand cœur, qui faisait tourner la boutique, la vie ressemblait à un jardin enchanté, à une nouvelle de Stendhal. J'y retrouvais Paul Valéry dans le rôle d'un admirateur qui avait laissé à Nine, en témoignage de tendresse, une mèche de ses cheveux poivre et sel. Pour accentuer peut-être mon côté enfantin, Julie me préparait une Blédine ou une Phosphatine Falières dont j'étais amateur, ou une de ses fameuses soupes aux légumes dont je garde encore le souvenir. De temps en temps, j'étais convié à des dîners plus solennels. L'idée funeste vint à Nine d'organiser un dîner chez elle la veille même du premier jour du concours d'agrégation. Il n'était pas question pour moi de ne pas me rendre à son invitation.

Pour mon malheur assistait à ce dîner un monstre sacré de la littérature et du théâtre de ce temps-là : Henry Bernstein. Grand, fort, massif, terriblement *prepotente*, pour parler comme les Italiens, peut-être déjà un peu dépassé mais encore vigoureux, auteur de plusieurs pièces, aujourd'hui bien oubliées et qui furent des triomphes, au titre le plus souvent composé de six lettres – *La Rafale*, *Le Voleur*, *Espoir*, *Samson*, *Elvire*... –, Henry Bernstein était une espèce de légende. En 1914, au procès de Mme Caillaux, meurtrière de Gaston Calmette, le directeur du *Figaro*, où il déposait comme témoin de l'accusation, il avait déclaré sous les applaudissements du public qu'il partait pour une guerre où il était impossible de se faire remplacer par sa femme pour tirer sur l'adversaire. Il avait surtout une réputation bien établie, et qu'il cultivait avec soin, de séducteur professionnel. Il avait multiplié des liaisons qui faisaient les beaux jours des gazettes – notamment avec Ève Curie, la fille de Pierre et Marie Curie. Il me traita avec une condescendance amusée. J'étais bête et orgueilleux. J'étais surtout amoureux. Bernstein leva le camp vers une heure et demie du matin. Je mis mon point d'honneur à rester jusqu'à deux heures. Après quatre heures d'un sommeil agité, je me levai à six heures pour passer mon concours, je ne sais plus, rue de l'Abbé-de-l'Épée ou à la bibliothèque Sainte-Geneviève. Je tombais de sommeil et d'agitation mêlés. Il n'y eut pas de miracle. Un an plus tard, j'y retournais avec plus de succès.

MOI : Henry Bernstein ne vous a pas fauché Nine ?

MOI : Non, mon vieux. Cet honneur était réservé à un autre. Le 3 juin 1950, Maurice Herzog, à la tête d'une équipe où figuraient notamment Louis Lachenal, Raymond Rebuffat et Lionel Terray, atteignait le sommet de l'Annapurna dans l'Himalaya. C'était une épopée dont le récit fit le tour de la planète. Les journaux du monde entier, la radio, la télévision naissante rapportèrent tous les détails de la conquête du géant de plus de huit mille mètres, l'ivresse du triomphe, les gants perdus par le vainqueur, ses mains et ses pieds gelés, son long martyre, l'amputation de ses doigts et de ses orteils.

Maurice Herzog ressemblait à Clark Gable. Il cumulait tout ce qui pouvait plaire dans les années d'après-guerre : il était à la fois une victime et un héros. Sa renommée était grande : elle touchait à la gloire. Des foules innombrables l'acclamaient. Il y avait eu Maurice Chevalier. Il allait y avoir Johnny Hallyday. Il y avait de Gaulle, Tintin et lui. Paris ne tarda pas à organiser une rencontre entre Maurice et Nine. Que voulez-vous qu'il se passât ? Il fut ébloui par elle. Elle l'aima.

MOI : Et qu'êtes-vous devenu, pauvre laissé-pour-compte ?

MOI : Je suis devenu leur ami, et à elle et à lui. J'ai souvent skié avec Maurice Herzog qui, malgré ses mains et ses pieds si cruellement atteints, s'était remis avec courage au tennis et au ski. Nommé par de Gaulle secrétaire d'État à la Jeunesse et aux Sports, Maurice m'a pris à son cabinet. Je m'y suis beaucoup ennuyé. Plus encore que chez Bidault. Parmi d'autres corvées, je représentais le ministre à la Commission de contrôle du cinéma. J'avais déclaré d'emblée que je voterais toujours l'autorisation. Un film aussi réussi et aussi innocent que *Jules et Jim* de François Truffaut – où Jeanne Moreau chantait *Dans le tourbillon de la vie* – avait suscité des oppositions. Dans ce cas comme dans d'autres, plus épineux, j'ai emporté le morceau en assurant que des situations analogues se présentaient sans cesse dans ma propre famille.

Je n'en avais pas fini, illustre maître des romans et des coups de théâtre, avec Maurice Herzog. Nous le retrouverons plus tard.

MOI : Nous en étions restés à cette agrégation de philosophie à laquelle votre amie Nine ne semble pas avoir été tout à fait étrangère.

MOI : À mon premier essai, le président du jury d'agrégation était un sociologue vieilli sous le harnais : le doyen Davy. À ma seconde tentative, c'était un philosophe, un médecin, un biologiste qui s'était beaucoup interrogé sur les relations difficiles entre normal et pathologique : Georges Canguilhem. Mon écrit, une nouvelle fois, avait été très moyen. À l'oral, je me suis bien débrouillé avec un texte en grec ancien qu'à ma propre stupeur j'avais compris sans trop de peine. Et j'ai tiré comme sujet principal un thème fait sur mesure : la promesse. J'ai parlé du temps qui passe et qui dure et du langage qui s'efforce de l'arrêter par la parole donnée. Après l'épreuve, Georges Canguilhem m'avait reçu avec bonté.

— Ce n'était pas mal du tout, votre dégagement sur la lutte entre le temps et le langage. Mais vous donniez un peu l'impression d'avoir une tasse de thé devant vous.

La tasse de thé de Canguilhem m'a longtemps poursuivi.

MOI : Gentil rebut de l'histoire, sautillant petit Moi, le tribunal a percé votre système de défense. Vous ne jouez pas, comme beaucoup, le délire, la folie, l'inconscience, l'irresponsabilité. Non. Vous êtes plus malin que ça. Vous vous présentez plutôt comme une sorte de bouchon en train de flotter gaiement sur les eaux de la culture. Vous plaidez la légèreté, le goût de vivre, l'amusement devant le spectacle du monde. Vous devez commencer à vous douter des motifs de votre mise en examen : vous n'êtes pas devenu seulement un écrivain – ce qui compte déjà et encore beaucoup dans le pays où nous vivons –, mais une espèce de marque qui, à tort ou à raison, fait rêver les jeunes gens. Quelque chose comme un Schweppes de la culture si vous voulez, ou un Coca-Cola de bas étage, ou encore le bas nylon d'hier.

MOI : C'est trop d'honneur.

MOI : Et le méritez-vous, cet honneur dérisoire et exagéré ? Par quelles basses manœuvres, par quels coups de chance hasardeux y êtes-vous parvenu ? Vous êtes, à vous tout seul, le comble de l'abus social. Vous êtes le fruit d'une caste qui a su jouer à fond le jeu démocratique. Voilà pourquoi, vous et moi, nous sommes là aujourd'hui. En tentant de vous faire passer pour une bulle de champagne, vous essayez de vous attirer l'indulgence du tribunal, et peut-être du public que je n'hésiterai pas à faire évacuer s'il se manifeste avec excès.

MOI : Votre perspicacité, inestimable Sur-Moi, m'éblouira toujours. J'étais quelque chose comme un poids plume au milieu de poids lourds. Un amateur perdu parmi des professionnels. Un veinard entouré de tâcherons. Je souffrais peut-être un peu de cette indignité et de ce décalage. En même temps montaient en moi deux sentiments assez forts dont vous avez déjà reconnu les effets et qui devaient me marquer à jamais : l'étonnement et l'admiration. Une minute, Monsieur le bourreau ! Une minute, je vous prie, pour présenter ma défense.

MOI : Une minute – mais pas plus.

MOI : L'étonnement, d'abord. J'ai toujours été étonné. Je n'en suis pas encore revenu, je n'en reviens toujours pas, je n'en reviendrai jamais. Dès l'enfance, d'être là. Une espèce d'étranger dans un monde d'emblée étrange. J'étais étonné d'être bavarois, d'être roumain, d'être *carioca* – c'est-à-dire brésilien de Rio. Et puis j'ai été étonné d'être normalien. Étonné d'être en fin de compte quelque chose, même au rabais, comme une espèce de philosophe. Étonné d'avoir pénétré dans le Saint des saints et d'être devenu un écrivain. Je me mettais assez bas dans un monde mis très haut. Dès mes plus jeunes années, j'étais porté à l'admiration.

Vous le savez mieux que personne, très savant Sur-Moi qui présidez à tant de procès : à force de promesses non tenues et de ces fameuses valeurs trop souvent piétinées, par la faute de l'ambition et de l'hypocrisie, grâce surtout aux médias qui sont une loupe grossissante, ce qui règne aujourd'hui, c'est la dérision. Il faut savoir se moquer de tout, il faut savoir rire de tout. À la télévision, l'éternel sourire, le rire à gorge déployée, la drôlerie toujours forcée sont un impératif catégorique et une obligation morale. Nous passons notre temps à voir des politiques nous annoncer des catastrophes avec une mine réjouie. Tout peut être source de plaisanterie. Très indulgent

Sur-Moi, ce jeu-là, moi aussi, je sais, pardonnez-moi, le jouer assez bien. Demandez aux amuseurs de la place de Paris : je suis un bon client. Mais, par-dessous et au-delà, mon truc, et il n'est pas feint, c'est l'admiration.

Je marche à l'admiration. J'ai admiré mes parents.

MOI : Ah !

MOI : J'ai admiré mon frère. J'ai admiré mes maîtres. J'ai admiré mes camarades. Et les grands livres. Et leurs auteurs. Et les grands hommes. De Ramsès II à Alcibiade, d'Alexandre le Grand au général de Gaulle. Et les femmes, plus que tout. D'Aspasie, de Theodora, d'Hypatie, de Louise Labbé – si elle a jamais existé – à Pascaline, à Nine, à Victoire, à Sarah, à Julie, à Françoise, à Ayyam, à Kate, à Anne-Marie, à Ariane, à Sonia, à deux ou trois inconnues à qui je n'ai même pas parlé mais que j'ai croisées sur mon chemin. Et les hommes et les femmes de la vie de chaque jour, qui souffrent et sont si gais.

Sur-Moi des fleurs et des forêts, j'ai admiré le monde. Rien de plus vieillot ni de plus ringard que l'admiration. Dès mes plus jeunes années et tout au long de mon âge, j'ai été et je suis et ringard et vieillot. Ce que j'aime, c'est admirer.

MOI : Eh bien, vous l'avez fait, votre numéro sur l'étonnement et sur l'admiration. Bon. N'en parlons plus. Mais vous avez prononcé quelques noms de jeunes femmes. Quel âge avez-vous, au point où nous en sommes ?

MOI : Dix-neuf ou vingt ans.

MOI : Alors, à cet âge-là, j'imagine tout de même que d'autres femmes que Nine sont entrées dans votre vie ?

Pouvez-vous enfin, à ce stade avancé du procès, nous dire quelques mots de votre sexualité ?

MOI : Je vois bien, très obstiné Sur-Moi, que nous tournons autour de l'affaire depuis pas mal de temps. Et je sais comme tout le monde que la première chose que nous cherchons dans un livre – surtout s'il n'est pas bon –, ce sont les pages qui relèvent, de plus ou de moins près, de l'érotisme ou de la pornographie. Quand nous nous ennuyons à feuilleter un roman de qualité courante, nous nous jetons avec hâte sur la fameuse petite secousse. Laissez-moi pourtant vous rappeler en préface aux révélations que vous attendez, très rigoureux Sur-Moi, un thème que nous avons déjà abordé : la supériorité, pendant deux ou trois siècles, de ce qu'il est permis d'appeler en gros la culture occidentale tient sans doute en grande partie au retard imposé aux pulsions sexuelles. Tout le temps gagné sur l'amour était consacré aux études. Longtemps, je ne me suis pas couché de bonne heure. Longtemps, j'ai travaillé au lieu de baiser.

Cela dit, pour une raison ou pour une autre, j'étais franchement en retard. C'est dans ma turne de la rue d'Ulm, désertée par mes camarades égarés en Sorbonne, que, sauf erreur ou omission, pour parler comme les banquiers, j'ai connu pour la première fois ce tourbillon qui a tant agité les dieux de l'Inde et de la Grèce, les personnages des *Mille et Une Nuits*, Catulle, l'Arétin, Ronsard, Casanova, Choderlos de Laclos, Victor Hugo, Pierre Louÿs, chacun de nous, et que Phèdre aurait tant voulu partager avec Hippolyte.

MOI : Enfin ! Nous allons peut-être parler d'autre chose que de votre père et du pape, que des ministres roumains, que de la guerre qui vous a épargné et de Spinoza.

MOI : À nouveau, très respecté Sur-Moi : ne nous emballons pas.

Je n'ignore pas que mon plaidoyer est plein d'erreurs et d'à-peu-près qui ne manqueront pas d'être relevés par des témoins dignes de foi. Je vous ai déjà prévenu, dès le début des auditions : ma mémoire est pleine de trous et, si beaucoup de mes romans sont en fait des souvenirs, mes souvenirs, à leur tour, ne sont guère que du roman. Mais enfin, au-delà des oublis, des falsifications involontaires et des pures et simples inventions, un procès est tout de même d'abord un effort vers la vérité. Ma vérité, la voici. La plupart des hommes se présentent sous les traits de grands chasseurs, d'automobilistes remarquables et de grands amants. Je ne chasse pas, je suis un conducteur plutôt médiocre et un amant très moyen à qui il est arrivé, pas trop souvent tout de même, de connaître cette infortune immortalisée par Stendhal sous le nom de fiasco. Puisque j'ai aimé le monde et la vie, j'ai aussi aimé les femmes. Et même à la folie. Plusieurs, comme mes parents, comme Boudout, comme Hyppolite, comme Canguilhem, comme mes maîtres, mais différemment, ont été bonnes avec moi. Beaucoup m'ont résisté. Selon une formule que j'ai souvent employée mais qui revient à Yann Moix à la première ligne de ses *Jubilations vers le ciel*, ce que les femmes préfèrent chez moi, c'est me quitter. Si jamais une de ces femmes qui se sont refusées à moi était prise soudain d'un remords rétrospectif et difficilement explicable, qu'elle se console aussitôt : elle n'a pas perdu grand-chose.

Ce qu'il faut dire, flambeau du monde, c'est qu'il n'y a rien d'autre que l'amour. Pour moi, comme pour Stendhal, comme pour beaucoup, j'imagine, l'amour a été la plus grande affaire de ma vie. Et peut-être la seule. J'ai aimé le soleil, la lumière, la mer – la Méditerranée, surtout, notre mer intérieure –, le ski au printemps, les livres, les chats, le cassoulet, les oliviers. J'ai surtout aimé l'amour. Du plus bas au plus haut. Le plaisir, la tendresse, la passion, la folie. Et leurs inépuisables combinaisons. Quand l'amour, le vrai amour, se combine à l'amour, il n'y a rien de plus fort, de plus grand, de plus beau. Je comprends très bien qu'il tourne la tête et les cœurs. Ce que quelques-uns cherchent dans les livres, dans la musique, dans le spectacle de la nature, dans le pouvoir ou dans l'argent, dans la drogue ou la mystique, l'amour le donne à chacun d'entre nous. Dans le sexe et hors du sexe, il offre à chacun le plus fort et le plus beau sentiment d'éternité qu'il nous soit permis de connaître. Il nous transporte au-dessus de nous-mêmes, il nous fait comme rois et possesseurs du monde, il frappe tout ce qui n'est pas lui d'insignifiance et de nullité. Avec le déshonneur, la ruine, la douleur physique ou morale, il nous fournit un des seuls motifs de mettre fin à notre vie.

Des aventures des dieux de l'Olympe à l'atroce Sade et au délicieux Pierre Louÿs, d'Horace et de Catulle à Proust et à Breton, de Tristan et Yseult – « Non, ce n'était pas du vin, c'était la passion, c'était l'âpre joie et l'angoisse sans fin et la mort » – à Jean Genet, d'Andromaque et de Didon à Ninon de Lenclos et à Juliette Drouet, de *Phèdre* à *Aurélien*, toute la littérature tourne, de près ou de loin, autour de l'amour et du désir.

Ronsard :

Aimons donc bel et beau,
Baisons tout à notre aise
Puisque plus on ne baise
Par-delà du tombeau

Hugo :

Elle était déchaussée, elle était décoiffée,
Assise, les pieds nus, parmi les joncs penchants.
Moi qui passais par là, je crus voir une fée
Et je lui dis : Veux-tu t'en venir dans les champs ?

Elle me regarda de ce regard suprême
Qui reste à la beauté quand nous en triomphons
Et je lui dis : Veux-tu, c'est le mois où l'on aime,
Veux-tu nous en aller sous les arbres profonds ?

Elle essuya ses pieds à l'herbe de la rive,
Elle me regarda pour la seconde fois,
Et la belle folâtre alors devint pensive.
Oh ! comme les oiseaux chantaient au fond des bois !

Comme l'eau caressait doucement le rivage !
Je vis venir à moi dans les grands roseaux verts
La belle fille heureuse, effarée et sauvage,
Les cheveux dans les yeux, et riant au travers.

Ou :

Elle défit sa ceinture,
Elle défit son corset...

Puis, troublée à mes tendresses,
Rougissante à mes transports,
Dénouant ses blondes tresses,
Elle me dit : Viens ! Alors...

— Ô Dieu ! joie, extase, ivresse,
Exquise beauté du corps !
J'inondai de mes caresses
Tous ces purs et doux trésors

D'où jaillissent tant de flammes.
Trésors ! Au divin séjour
Si vous manquez à nos âmes,
Le ciel ne vaut pas l'amour.

Baudelaire :

Mère des souvenirs, maîtresse des maîtresses,
Ô toi, tous mes plaisirs ! ô toi, tous mes devoirs !
Tu te rappelleras la beauté des caresses,
La douceur du foyer, et le charme des soirs,
Mère des souvenirs, maîtresse des maîtresses !

Les soirs illuminés par l'ardeur du charbon,
Et les soirs au balcon, voilés de vapeurs roses,
Que ton sein m'était doux ! que ton cœur m'était bon !
Nous avons dit souvent d'impérissables choses
Les soirs illuminés par l'ardeur du charbon...

Verlaine :

J'arrive tout couvert encore de rosée
Que le vent du matin vient glacer à mon front.

Souffrez que ma fatigue à vos pieds déposée
Rêve des chers instants qui la délasseront.

Sur votre jeune sein laissez rouler ma tête
Toute sonore encore de vos derniers baisers.
Laissez-la s'apaiser de la bonne tempête
Et que je dorme un peu puisque vous reposez.

Et Aragon :

Je suis plein du silence assourdissant d'aimer

L'amour !... L'amour !... Le seul ennui est que les chansons, les films, les mauvais romans l'ont usé jusqu'à la corde. Un jour, peut-être, l'amour ne sera plus nécessaire à la propagation de l'espèce. Le clonage, les robots, les progrès de la science le rendront presque inutile. Peut-être aussi le pouvoir, inquiet de ses ravages, le mettra-t-il, qui sait ?, au ban de la société et interdira-t-il sa pratique. Alors, il sera temps de nouveau de le célébrer et de le chanter. En attendant, pour se distinguer des autres, une certaine discrétion semble s'imposer avec force.

Il est vrai aussi que, ringard comme toujours et, sur ce point au moins, franchement réactionnaire, je ne parle pas volontiers de mes moments d'intimité.

MOI : Faites un effort, je vous prie.

MOI : Un beau jour est apparue rue d'Ulm une jeune femme fort séduisante. Je peux bien parler d'elle en ce procès avec toute liberté d'abord parce qu'il ne s'est rien passé entre nous, et ensuite parce qu'elle-même a parlé de moi dans ses souvenirs. Elle s'appelait Marie-Pierre.

Son père, Pierre, était chef d'une des familles les plus anciennes de France. Sa mère, May, qui appartenait à une grande lignée industrielle, était, au vu et au su de tout le monde, la maîtresse de Paul Morand, qui parle d'elle plus d'une fois dans ses *Mémoires inutiles*.

Marie-Pierre est la première femme qui ait fait battre mon cœur. Pourquoi riez-vous ?

MOI : Je ne ris pas. Je vous écoute. Vous m'étonnez. Continuez.

MOI : Je crois me rappeler qu'à Nice ou aux environs de Nice, dans la neige peut-être, à Auron ou à Beuil d'où venaient les chaussures de ski dont j'ai déjà fait état devant le tribunal, deux jeunes filles juives, qui étaient sœurs, m'avaient un peu agité. À ma grande honte, j'ai oublié leur nom. Mais j'ai souvent pensé à elles quand les révélations sur Auschwitz ou Birkenau ont commencé à nous bouleverser.

Marie-Pierre n'était pas belle à la façon de Rita Hayworth ou d'Ava Gardner. Ni de Gene Tierney. Mais elle avait des fossettes, un charme inexplicable et une intelligence assez vive. Elle jouait de la guitare. Ni Laplanche ni moi, sa guitare enchantée ne nous a laissés de marbre. Marie-Pierre, dans ses souvenirs, raconte que je voulais l'épouser. L'idée, à cette époque, d'épouser qui que ce fût, ni d'autres ni elle-même, ne m'est jamais passée par la tête. Mais que Marie-Pierre m'ait plu, c'est un fait indéniable et qui peut être consigné dans les actes de mon procès.

MOI : Il le sera. Greffier !...

MOI : Avec ses fossettes et sa guitare, Marie-Pierre, qui faisait rêver toutes les mères des garçons, plus ou moins doués, du faubourg Saint-Germain, allait être reçue à l'agrégation de philosophie et devenir professeur – à Amiens, si je me souviens bien. Avant de reparaître dans ma vie d'une façon surprenante sur laquelle nous aurons sans doute l'occasion de revenir. Le monde, Sur-Moi du destin, n'en finit pas de se tricoter – et, chose curieuse, autour de moi. Comme autour de chacun. Mais, auparavant… Ah ! auparavant…

MOI : Que se passe-t-il, petit Moi ? Vous avez l'air ému.

MOI : Comment ne le serais-je pas, ineffable Sur-Moi ? Vous me faites revivre ma jeunesse. Marie-Pierre plaisait beaucoup à Laplanche. Et Laplanche lui plaisait. Un sentiment bizarre, que je ne connaissais pas et que j'allais connaître très peu, s'emparait soudain de moi. C'était la jalousie.

Je lisais Proust en ce temps-là. J'avais déjà, à vrai dire, pénétré dans son monde une dizaine d'années plus tôt. J'étais tombé, à Saint-Fargeau, sur un volume dépareillé de sa formidable cathédrale de mots. J'aimais Lupin à cette époque, peut-être même encore la comtesse de Ségur, peut-être déjà Cyrano. Proust m'était tombé des mains. Je me mettais, à Henri-IV et rue d'Ulm, à nourrir pour lui une passion presque sans bornes. J'étais très peu musicien : j'écoutais Bach pendant des heures. Au regard de mes camarades qui ne cessaient jamais d'avaler livres sur livres, j'avais très peu lu : je me plongeais dans Proust avec un bonheur sans fin. D'*Un amour de Swann* au *Temps retrouvé*, je vivais avec Françoise, avec Odette, avec Charlus et Julien, avec le clan Verdurin, avec notre belle duchesse de Guermantes. Ce qui me frappait le plus chez Proust, c'était sa drôlerie. Il passe souvent pour trop long et même parfois pour ennuyeux. Il ne cessait jamais, non seulement de m'émerveiller par des formules brèves et incisives : « J'appelle ici amour une torture réciproque » ou « L'amour, c'est l'espace et le temps rendus sensibles au cœur », mais aussi de me faire rire. Je dois vous avouer, très sérieux Sur-Moi, que toute grande littérature me paraît toujours amusante. Je crois, comme Voltaire, que tous les genres sont bons, hors le genre ennuyeux – qui a atteint des sommets dans la seconde moitié du siècle passé.

MOI : Des noms ! des noms !

MOI : Tout le monde les connaît. Ils ont triomphé dans le roman, dans la critique littéraire, dans la sociologie, jusque dans le théâtre et le cinéma. Tous les plus grands, au contraire, brillent par la gaieté. Ne parlons même pas de Rabelais ou de Cervantes, créateurs ironiques et comiques du roman moderne. Mais Chateaubriand, Stendhal, Flaubert, Zola lui-même m'ont toujours paru pleins de drôlerie. Et Cioran. Et Ionesco. Et Claudel. Sans même parler de Chaplin. J'irai un peu plus loin – et peut-être trop loin : je soutiendrais volontiers que Kafka est un auteur comique. Il y a du comique dans son *Procès*. Il y a du comique dans sa *Métamorphose*. Je sais, bien entendu, que *La Métamorphose* est une tragédie existentielle. Mais si l'histoire d'un type qui se change en coléoptère n'est pas en même temps un sujet de comédie, je veux bien être pendu.

MOI : Méfiez-vous. Vous risquez de l'être.

MOI : À mes yeux de ce temps-là, dans la turne de la rue d'Ulm, l'essentiel chez Proust, le plus beau, le plus fort – le plus interminable aussi –, c'était la jalousie. Je me demandais si Marie-Pierre ne préférait pas Laplanche à ma modeste personne. Et le pire – c'est une malédiction dans ma vie où tout se répète toujours – était que je la comprenais.

Vous savez ce que c'est dans les histoires d'amour et dans la jalousie : toujours...

MOI : Ne me prenez pas pour complice de vos basses turpitudes, libidineux personnage. Ni même pour votre témoin. Je ne suis pas un témoin. Je suis votre juge.

MOI : Pardonnez-moi, noble Sur-Moi... toujours l'inattendu arrive. L'inattendu, cette fois-là, est tombé comme la foudre. Marie-Pierre était allée au cinéma. Je me demandais dans la douleur si c'était avec Laplanche. Mais ce n'était pas avec Laplanche. C'était avec un autre. Avec un garçon un peu plus âgé que nous. Je ne sais pas trop pourquoi – parce que c'était le film que Marie-Pierre était allée voir avec lui ? parce que c'était le film que je suis allé voir moi-même pour me changer les idées ? – mais mon histoire avec Marie-Pierre est restée marquée du sceau de *Mädchen in Uniform*. Vous vous souvenez de la scène où l'essaim de jeunes filles descend un escalier en criant « Manuela ! Manuela ! » ?...

MOI : Vous n'allez pas nous faire maintenant le coup du critique de cinéma ? Laissez tomber Manuela. Qui était ce jeune homme qui surgit dans votre vie ?

MOI : C'était Simon Nora. Le monde se tricotait encore.

Simon était le fils d'un grand médecin à qui était arrivée une étonnante aventure. Dans sa jeunesse, avant la guerre, le docteur Nora exerçait à Marseille. Un soir, déjà tard, on sonne à sa porte. Il ouvre. Deux hommes vêtus de cuir noir en transportent un troisième, plutôt en mauvais état.

— Accident, lance un des deux hommes qui sont avares de leurs paroles.

Le docteur Nora examine le patient.

— Vous vous moquez de moi ? Cet homme a reçu deux balles.

— T'occupe, dit le plus bavard d'un ton sec. Tu le soignes, c'est tout.

Le docteur Nora extrait les deux balles, nettoie la plaie, pose un pansement.

— Ce ne sera pas trop grave. J'ai fait ce qu'il fallait. Dix jours de repos. Pas d'alcool. Pas de femmes. Maintenant, vous emmenez votre homme.

Les trois gaillards s'en vont, les uns soutenant toujours l'autre, à moitié dans les vapes. Le docteur Nora est déjà, à Marseille, un homme très occupé. Il ne pense plus à l'affaire.

Quinze jours plus tard, le téléphone sonne. Il décroche.

— Allô ! Ici Carbone.

Carbone était à l'époque un des truands les plus célèbres de Marseille. Un de ceux qui, plus tard, allaient collaborer avec les Allemands. C'était encore la vieille école. Violente, mais avec des règles.

— Bonjour, Monsieur, répond le docteur, à qui le nom ne dit pas grand-chose.

— Vous m'avez soigné, vous m'avez guéri. Je viens vous remercier. Qu'est-ce que je peux faire pour vous ?

— Me régler ce que vous me devez.

— Qu'est-ce que je vous dois ?

— Trente-sept francs cinquante centimes. C'est le tarif.

Le franc, à cette époque, plus de dix ans avant la guerre, était encore assez fort.

— Vous vous foutez de moi. Vous voulez quoi ? Une voiture ? Un bateau ? Un compte en Suisse ?

— Je veux trente-sept francs cinquante, Monsieur.

— Allez vous faire…

Et la conversation est coupée.

Dix ans passent. Ou douze. Ou quinze ans, peut-être. Le docteur Nora fait une belle carrière. Il s'installe à Paris. La guerre éclate. Il est de ces grands bourgeois juifs violemment attachés à la France. Il décide, envers et contre tous, de rester à Paris occupé par les Allemands.

Un jour du printemps 1942, on sonne, comme bien souvent, à la porte du médecin. La bonne va ouvrir. Elle revient, affolée, vers Nora.

— Il y a là deux messieurs un peu bizarres qui veulent vous parler à tout prix. Je leur ai dit…

— Ne vous inquiétez pas, Marie, dit le docteur, qui a déjà compris. J'y vais.

Il y va et il trouve deux gaillards vêtus de cuir à la mine patibulaire.

— Messieurs ?…

— Pas de questions. Vous nous suivez.

— Puis-je au moins, demande Nora, embrasser ma femme et emporter quelques vêtements ?

— Vous ne prenez rien du tout. Vous embrassez votre femme et vous venez.

Dans la voiture qui l'emmène, le docteur Nora est résigné. Beaucoup d'amis l'avaient prévenu. C'était une folie pour un grand médecin juif de rester à Paris sous l'occupation nationale-socialiste. Il ne les avait pas crus. Il comptait sur sa bonne étoile. Et peut-être sur la France. Maintenant, c'était fini.

On ne lui avait pas bandé les yeux. Pour la dernière fois sans doute, il voyait Paris défiler sous ses yeux. Le boulevard Saint-Germain, le pont sur la Seine, la Concorde, les Champs-Élysées presque vides. Il s'aperçoit avec un peu de surprise que la voiture prend l'avenue du Bois. Il se rappelle que la Gestapo avait des bureaux avenue Foch. La Citroën noire s'arrête en effet devant un immeuble plutôt cossu. On descend. On pénètre dans un grand hall. Toujours entre les deux hommes qui étaient venus le chercher. On prend l'ascenseur. On entre dans un appartement qui n'avait pas l'air d'une prison – et même pas d'un bureau. Au fond d'un petit salon assez mal décoré, avec des croûtes plus que médiocres et des couleurs criardes, le docteur Nora, à sa surprise effrayée, découvre un guéridon avec une bouteille de champagne.

Ça signifie, se dit-il, qu'ils vont me faire disparaître tout de suite. Mais quand même…

Un troisième homme, encore vêtu de noir, s'avance vers lui.

— Je suis chargé de vous demander si vous désirez quelque chose…

— Oui, répond le docteur.

— Quoi donc ?

— Ma liberté.

— Ah ! ça, dit l'homme en éclatant d'un rire sinistre, c'est la seule chose impossible.

Le docteur Nora passa deux jours et deux nuits dans l'appartement cossu et hideux de l'avenue Foch. On le nourrit convenablement. On lui apporta de quoi se raser. Le troisième jour, l'homme en noir reparut. Il avait une enveloppe à la main.

— Vous allez reprendre la voiture qui vous a amené ici.

— Pour aller où ? demanda Nora.

— Vous verrez bien. On vous donnera cette enveloppe quand vous serez arrivé.

Le docteur Nora remonta en voiture. Il se demanda à nouveau où et quand il allait être exécuté. Ou peut-être partait-il pour une prison moins confortable après cet étrange intermède ? Ou vers une gare de triage ? Perdu dans ses pensées qui n'étaient pas très gaies, il s'aperçut soudain qu'il était de retour devant sa propre maison. Il tourna la tête, son enveloppe à la main. La voiture et ses occupants avaient déjà disparu. La concierge de l'immeuble se précipitait vers lui.

— Ah ! docteur ! Quel bonheur de vous revoir ! J'étais si inquiète. La Gestapo est venue vous chercher. J'ai dit que vous n'étiez pas là. Ils sont repartis. Vous avez vu cette horreur de la rafle du Vél'd'Hiv ?

Immobile, égaré, écoutant à peine la brave femme qui s'obstinait à parler, le docteur Nora, d'un geste machinal, avait ouvert son enveloppe. Elle contenait trente-sept francs et cinquante centimes.

MOI : Ah ! bravo, petit Moi ! C'est une jolie histoire. Mais ne vous imaginez pas qu'elle vous vaudra la moindre indulgence de la part du tribunal.

MOI : Le docteur Nora avait trois fils. Disparu il y a peu de temps, Jean était médecin comme son père. Historien, éditeur chez Gallimard, patron de la fameuse collection des « Idées », cheville ouvrière, avec Marcel Gauchet, de la revue *Débats*, mon ami depuis toujours, Pierre sera rendu célèbre par son travail sur les lieux de mémoire. Mais l'aîné était Simon.

Simon Nora avait joué un rôle important dans la Résistance. Il avait participé à des combats dans le maquis. Il avait été un des premiers et des plus brillants élèves de la nouvelle École nationale d'administration d'où il était sorti inspecteur des Finances. Il passait pour un compagnon de route du parti communiste alors au sommet de son pouvoir. Vingt-cinq ou trente ans plus tard, il devait rédiger avec Alain Minc un rapport sur les problèmes de l'informatique. Il allait surtout au cinéma avec la version mutine et française des fameuses sœurs Mitford. Je ne sais pas qui, de lui ou d'elle, j'admirais et en même temps détestais davantage. Tous les feux de l'enfer se mettaient à me brûler.

Il y a un sentiment dont je n'ai pas encore fait état devant vous, très équitable Sur-Moi, et qui m'a longtemps travaillé en sourdine : c'était l'indifférence...

MOI : Mais si ! Vous avez déjà parlé de votre indifférence à propos des risques de guerre à la veille des accords de Munich...

MOI : ... Elle me menaçait assez gravement. Peut-être parce que mes parents m'avaient pris en charge tout entier jusqu'à un âge avancé, peut-être parce que mon tempérament me portait plutôt à la passivité et à une sorte de paresse, les choses, les circonstances, les personnes m'étaient assez égales. Je laissais faire. Je laissais aller. J'attendais les catastrophes avec une sorte d'impatience.

MOI : Le tribunal vous savait déjà médiocre, petit Moi insensible. À plusieurs détails, il vous a pesé et trouvé bien léger. Mais à ce point-là…

MOI : Ne me condamnez pas trop vite, grand fléau de justice. Les hommes – terme générique qui embrasse les femmes – sont d'étranges créatures. Ils sont rarement ce qu'ils sont. J'étais indifférent. Et j'étais passionné. Le grand jeu des idées me mettait hors de moi. Le destin des gens me rendait fou. Au point que j'avais inventé, à mon usage personnel, à peu près en ces temps qui sont en train de nous occuper, une curieuse notion faite de bric et de broc : l'indifférence passionnée. Elle ramassait des thèmes en apparence inconciliables : l'admiration et la paresse, la résignation et l'étonnement. La jalousie, du coup, me faisait plutôt du bien. Elle réduisait en cendres mon insidieuse indifférence. Je crains, radieux Sur-Moi, d'être un incorrigible optimiste. Dans le chagrin, dans les pires souffrances, j'ai toujours cherché le bien capable de surgir du mal. « Entre le chagrin et rien, écrit Faulkner quelque part, je choisis le chagrin. » Je vivais enfin puisque j'étais jaloux.

Marie-Pierre rompit les codes de sa tribu et, à l'effroi des siens, épousa Simon Nora. C'était un mélange des *Liaisons dangereuses* et de *La Demoiselle d'Avignon* et une sacrée leçon pour l'indifférent passionné, abandonné sur le sable.

MOI : D'après plusieurs témoignages – et tout ce que vous venez de déclarer à l'instant au tribunal et d'ailleurs déjà vers les débuts de votre audition les confirmerait plutôt –, il y aurait chez vous un peu plus que des traces de mondanité et de snobisme. Pouvez-vous confirmer ou infirmer cette vision de votre parcours ?

MOI : Dans le tricot cosmique dont je suis la maille la plus infime, il me faut alors revenir, image de la justice, au château de ma mère. Tout au long de mes années d'hypokhâgne et de khâgne, qui se confondent avec l'occupation étrangère du territoire national, Saint-Fargeau avait disparu de l'horizon à mes yeux fixés avec obstination sur Hyppolite et sur Boudout, sur Bachelard, sur Jankélévitch. Après la Libération, au temps de la rue d'Ulm, le château de Jacques Cœur, de la Grande Mademoiselle, de Le Pelletier de Saint-Fargeau et de mes grands-parents monarchistes avait ressuscité des morts. Je ne m'y rendais pas les week-ends, consacrés, en principe, au travail : la distance de Paris était encore trop longue. Les cent soixante-cinq kilomètres qui séparaient les deux pôles de mon univers privé constituaient un barrage. Les autoroutes ne l'avaient pas encore emporté sur l'espace. Il fallait emprunter la fameuse Nationale 7, chère à Charles Trenet, et le voyage n'était pas loin de demander une journée. On déjeunait sur la route, le plus souvent à Souppes, et on arrivait harassés dans le soir en train de tomber. Mais à Pâques et pour les grandes vacances, suivie de ses bagages qui parvenaient par la Petite Vitesse, la famille entière s'installait en Puisaye. La tête se mettait de nouveau à tourner pour l'indifférent passionné.

MOI : Elle tourne beaucoup, votre tête.

MOI : Elle ne fait que ça, immuable Sur-Moi. Le contraste était trop fort entre le trotskisme bientôt travaillé par l'existentialisme que célébraient mes amis et le deuil rituel de l'Ancien Régime écroulé que portaient mes grands-parents. À Paris, Léon Blum, vu de la rue d'Ulm, était le gérant de la bourgeoisie capitaliste. À Saint-Fargeau, il était l'incarnation du bolchevique, déguisé en ministre, le couteau entre les dents. Rue d'Ulm régnaient bientôt pêle-mêle Sartre, patron incontesté d'un existentialisme qui descendait jusque dans les boîtes de nuit, Lacan et ses diableries, ses pièges à snobs, sa redoutable intelligence, ses jeux de maux et de mots, Althusser bien entendu, en un mot tout l'orchestre du crépuscule de la bourgeoisie emportée par le pétainisme, et l'attente du Grand Soir. À Saint-Fargeau, les Boisgelin, les Mortemart, les d'Harcourt, les Castries – nous prononcions *Castre* : les *Castre* vivaient à *Castri* –, les Broglie – nous prononcions *Breuil* : les *Breuil* vivaient à *Brogli* –, les La Tremoille – nous prononcions *La Trémouille* – revenaient en masse et en force. À Paris, je regardais en avant vers la der des ders et vers l'écroulement de notre société avec une sorte d'impatience égarée qui luttait avec succès contre l'indifférence. À Saint-Fargeau, je regardais en arrière sans trop de nostalgie. Le nom de Le Pelletier de Saint-Fargeau, vous le savez déjà, Sur-Moi implacable de la marche de l'histoire, n'était jamais prononcé à la table familiale tout occupée par la chasse à courre et le regret des temps passé. J'étais coupé en deux. Au-delà de l'étonnement et de l'admiration, ce qui se développait dans le cœur de l'indifférent passionné, c'était une schizophrénie historique.

MOI : Oui. Vous n'êtes pas seulement léger. Vous êtes aussi un malade. Greffier ! Notez le diagnostic : schizophrénie historique.

MOI : Ce qui se passait à Saint-Fargeau, où une de mes tantes demandait à ma mère avec une courtoisie implacable ce qui m'avait poussé à devenir maître d'école, c'est que l'histoire y prenait un retard pathétique. Je n'étais pas tout à fait insensible à la grandeur des sentiments exprimés par les personnages de La Varende ou de Michel de Saint-Pierre – ces vieux gentilshommes qui mouraient, impavides, dans les ruines de leur passé. Joué par Henri Rolland au théâtre Hébertot, *Le Maître de Santiago* de Henri de Montherlant m'avait impressionné. Comme m'avait impressionné aussi – presque autant, sur un autre registre, que *Le Dialogue des Carmélites* de Georges Bernanos, en haut, dans le ciel – le dialogue, en bas, à ras de terre, plus léger et pourtant éloquent, au sein de la Chambre des députés entre un dirigeant socialiste et un de mes oncles qui, pour protester contre la lourdeur des impôts, agitait devant lui sa montre en or au bout d'une chaîne :

— Vous voulez me la prendre !

— Non, Monsieur, avait répondu Jean Jaurès ou peut-être Léon Blum. Non, Monsieur. Elle retarde.

Il y a eu un temps, vers le milieu du XIXe siècle, où le domaine de Saint-Fargeau, hérité du conventionnel à la fortune considérable et ami de Robespierre, image même de la bourgeoisie triomphante et proche du Turelure de Claudel dans *L'Otage*, s'étendait, en partie au moins, sur trois départements nés de la Révolution : l'Yonne, la Nièvre, le Loiret. Quelque chose comme vingt ou vingt-cinq mille hectares. Au fil des années, les fermes, les bois de chênes, les layons, les étangs s'étaient réduits peu à peu. J'ai encore connu un peu plus de cinq mille hectares. Ils entretenaient le château, ses briques roses, ses charpentes, ses toits d'ardoises qui couvraient à eux seuls un peu moins d'un hectare.

On racontait l'histoire, j'espère inventée, d'un de mes arrière-grands-pères juché avec Jules, son garde-chasse bien-aimé, sur une des tours de Saint-Fargeau. Mon aïeul demandait :

— Que vois-tu, mon cher Jules ?

— Monsieur le marquis, je vois des champs, des prés, des fermes, des étangs, des forêts de chênes et de hêtres.

— Eh bien, Jules, tout ça est à moi. Et maintenant, ferme les yeux.

— Oui, Monsieur le marquis.

— Que vois-tu ?

— Je ne vois plus rien, Monsieur le marquis.

— Eh bien, Jules, ça, c'est à toi.

L'histoire me remplissait de honte. De retour à l'École, je retrouvais mes trotskistes. Ils remplaçaient mes tantes sorties de Proust ou qui l'avaient inspiré. Et je chantais avec eux *La Butte rouge* et *La Jeune Garde* :

La butte rouge, c'est son nom, l'baptême s'fit un matin
Où tous ceux qui grimpaient roulaient dans le ravin.
Aujourd'hui, y a des vignes, il y pousse du raisin.
Qui boira d'ce vin-là boira l'sang des copains.

ou :

Prenez garde ! Prenez garde !
Vous, les sabreurs, les bourgeois, les gavés et les curés !
V'là la jeune garde, v'là la jeune garde,
Qui descend sur le pavé.
C'est la lutte finale qui commence.
C'est la révolte de tous les meurt-de-faim.

C'est la révolution qui s'avance
Et qui s'ra victorieuse demain !
Prenez garde ! Prenez garde !
À la jeune garde.

Je retournais à Saint-Fargeau. Les soucis de mon grand-père et l'angoisse de ma mère devant les problèmes financiers qui devenaient de plus en plus aigus me remplissaient de tristesse. Mon grand-père finit par mourir. Un mot nouveau et terrible faisait son apparition : l'indivision. Saint-Fargeau était partagé entre ma mère et ses trois frères : Roger, le mari d'Anne-Marie et le père de Jacques que vous connaissez déjà, omniscient Sur-Moi ; Alexandre, dit Toto, le plus charmant des flambeurs, que le sens du devoir et les scrupules inutiles n'étouffaient pas vraiment ; et Henri, le plus terne des trois, célibataire recuit, amateur d'histoires de commis voyageur. Tenir, dans ces conditions, devenait de plus en plus difficile. On m'envoya voir Malraux, alors ministre des Affaires culturelles, pour lui faire une proposition : la famille envisageait de faire don de Saint-Fargeau à l'État. Malraux parut intéressé.

— Ce qu'il faudrait, me dit-il entre deux tics, c'est que vous flanquiez le don du château de… mettons en gros un million de francs…

— Si nous avions un million de francs à ajouter à la donation, lui répondis-je, nous garderions Saint-Fargeau.

Il fallut bien, un beau jour, dans le chagrin, dans les larmes, se résigner à vendre. Quelques années plus tard, indifférent passionné, très conscient des limites de mes capacités, ravagé de culpabilité, remâchant mon chagrin devant la douleur de ma mère frappée à mort par la fin de ses rêves, je remplaçais le château de pierres que je n'avais pas su conserver par un château de mots et j'écrivais un livre dont le sujet était la marche de l'histoire, la crise du monde moderne, la fin d'une société, et dont le succès amer me faisait plaisir et ne me consolait pas : *Au plaisir de Dieu.*

MOI : Le tribunal prend acte de votre chagrin, et il le comprend, petit Moi écrasé par sa médiocrité. Vous avez beaucoup souffert ?

MOI : J'ai oublié de préciser, Sur-Moi de la raison, que je suis né sous le signe des Gémeaux. Je ne crois pas, bien entendu, à ces superstitions d'un autre âge. Mais il faut avouer que j'ai souvent du mal à choisir, qu'une fois ma décision prise je balance encore longuement et que si je suis quoi que ce soit, c'est d'abord et surtout un tissu de contradictions. Pour reprendre une formule chère à Paul Valéry, je suis rarement de mon avis. La fin de Saint-Fargeau m'a été un chagrin surtout à cause de ma mère dont la mère, la grand-mère et les arrière-grands-mères jusqu'à la sixième ou huitième génération étaient nées et mortes dans le château aux briques roses. Mon chagrin à moi était mêlé de soulagement. Un poids trop lourd pour moi m'était retiré par l'histoire.

MOI : *Au plaisir de Dieu* était votre premier livre ?

MOI : Non, très génial Sur-Moi, bienfaiteur des Arts et des Lettres. Non. Loin de là. *Au plaisir de Dieu* était, je ne sais plus, mon sixième ou septième livre. Mais le plus populaire. Celui, sans doute, qui a eu le plus de succès. J'y racontais l'histoire d'une famille, largement inspirée de la mienne, mais en fin de compte inventée, entre 1904 ou 1905 et 1968. La part du souvenir et la part de l'imagination sont difficiles à établir. Un jour où je signais *Au plaisir de Dieu* dans une fête du livre ou à l'occasion d'une séance de dédicaces, il m'est arrivé une minuscule aventure qui m'avait amusé, et même intéressé. *Au plaisir de Dieu* à la main, une dame déjà âgée s'était avancée vers moi pour me dire des choses aimables :

— J'ai beaucoup aimé votre livre. Un détail m'a pourtant étonnée. J'ai bien connu votre oncle Wladimir. Je n'ai pas trouvé trace de son nom dans vos pages.

— Madame, lui avais-je répondu, mon livre est plein de souvenirs et d'événements vécus. Mais il est aussi et surtout un roman. Il suit la réalité de très loin et beaucoup de ses thèmes sont inventés.

— Inventés ! m'avait-elle dit, l'air consterné. Inventés ! Et moi qui croyais que vous aviez tant de talent…

Je me souviens de l'origine de l'aventure d'*Au plaisir de Dieu.* Je passais quelques jours à Salzbourg, au Tyrol, où m'avait envoyé une institution internationale qui apparaîtra bientôt, et je me promenais le soir sur une des collines qui entourent la ville. Je tournais, en ce temps-là, autour d'un projet encore vague qui pourrait succéder à *La Gloire de l'Empire* que je venais de publier. Tout à coup, l'ensemble du livre se présenta à moi. Inspirée évidemment des *Buddenbrook* de Thomas Mann et des *Forsyte* de Galsworthy, ce serait une fresque, qui s'étendrait sur près d'un siècle. Les trois personnages principaux seraient le temps qui passe, un château en train de tomber lentement des mains de la famille et un grand-père atrabilaire, réactionnaire et attachant qui se situerait au centre et au cœur de l'affaire. Le titre du livre allait m'être fourni, un peu plus tard, au cours d'un autre voyage, à Rome cette fois-là. Un peu après les Thermes de Caracalla s'élève la belle église San Giovanni a Porta Latina. À quelques pas de l'église, un cardinal bourguignon, du nom d'Adam, avait fait édifier, à l'emplacement – légendaire – où saint Jean l'Évangéliste…

MOI : Le vôtre ?

MOI : Le mien… aurait été soumis (en vain) à l'épreuve de l'huile bouillante, un petit oratoire chargé de célébrer le miracle : San Giovanni in Oleo. Bramante peut-être, Borromini plus certainement auraient travaillé à l'édifice. Sur le linteau au-dessus de la porte, une inscription en français m'avait enchanté : *Au plaisir de Dieu.*

Le livre tout entier reposait sur la figure du grand-père. Je l'avais baptisé Sosthène. Sosthène de Plessis-Vaudreuil, heureux propriétaire du château de Plessis-lez-Vaudreuil, était entièrement inventé. Situé en Haute-Sarthe, département qui n'existe pas, Plessis-lez-Vaudreuil était évidemment Saint-Fargeau, en Puisaye, dans l'Yonne. Sosthène, au contraire, ne présentait aucun trait de mon grand-père véritable, capitaine de cavalerie sans histoires, élevé chez les jésuites qui lui avaient appris le latin. Sosthène était le fruit de mon imagination. Et s'il ressemblait à quelqu'un, c'était plutôt à ma mère, dont la tendresse autoritaire et inflexible prenait souvent des allures d'épopée.

Sosthène avait des petits-fils. Parmi eux, le narrateur – c'était moi, un moi truqué, bien entendu – et surtout Claude, qui avait des traits de Laplanche et qui jouait dans le roman, derrière Sosthène évidemment, un rôle assez important. Il y avait aussi un régisseur, des cousins russes, un chanoine inspiré des doyens Mouchoux et Voury, une actrice qui ressemblait vaguement à Martine Carol et une famille d'industriels, les Remy-Michault, qui renflouait pour un temps les malheureux Plessis-Vaudreuil.

Bien accueilli par la presse et par les lecteurs, *Au plaisir de Dieu* allait recevoir un renfort inespéré. Robert Mazoyer, qui avait déjà réalisé avec succès plusieurs séries pour la télévision, avait aimé le livre. Il le porta à l'écran.

Pour moi au moins, et peut-être pour pas mal d'autres, ce fut une aventure. Pendant des mois et des mois, nous avons travaillé. Robert surtout, entouré d'une équipe déjà assez nombreuse. Le résultat a été une série de neuf heures : six épisodes d'une heure et demie chacun. Il n'y avait, en ces temps qui relèvent de la préhistoire, que deux chaînes de télévision. *Au plaisir de Dieu* passait sur l'une d'entre elles à huit heures et demie du soir. Un beau jour, l'audience a atteint des chiffres inimaginables aujourd'hui où le nombre des chaînes a explosé. Grâce à Robert, à son équipe et à ses interprètes, le film fut un succès.

Tout dépendait de l'acteur chargé d'interpréter le grand-père. Nous avions pensé, Robert et moi, à Burt Lancaster ou à Laurence Olivier. L'un et l'autre avaient marqué de l'intérêt pour le rôle. Mais, pour l'un et pour l'autre, il eût fallu prévoir trois ou quatre fois le budget total de l'entreprise. Jean Gabin ou François Périer auraient pu aussi faire l'affaire. En fin de compte, un peu comme un pis-aller, Robert s'était décidé pour un acteur qui s'était déjà fait remarquer dans pas mal de films. Il meurt au début d'un chef-d'œuvre – *Les Tontons flingueurs* – où, dans le rôle d'un parrain de la pègre, il confie, sur son lit d'agonie, sa fille à Lino Ventura. C'était Jacques Dumesnil.

Jacques Dumesnil donna au personnage du grand-père dans *Au plaisir de Dieu* une espèce de grandeur. Le rôle de Sosthène du Plessis-Vaudreuil fut le dernier de Jacques Dumesnil. Il avait pris plaisir, je crois, à l'interpréter. En compagnie de ses amis, ou chez lui à Rillieux-la-Pape, près de Lyon, ou dans les rues de Paris, on ne l'appelait plus que « Monsieur le duc ». Des inconnus l'abordaient pour le féliciter et pour obtenir quelques mots griffonnés de sa main. Il s'était confondu avec son personnage.

Ce qui m'avait le plus frappé dans le tournage d'*Au plaisir de Dieu*, c'était l'usage du temps. Trente ou trente-cinq ans plus tard, passant de l'autre côté de la caméra, j'allais retrouver avec des sentiments mêlés le même emploi si surprenant du temps.

Toute l'histoire m'avait amusé. Un beau matin, vers la fin du quinquennat de Nicolas Sarkozy, le téléphone sonne chez moi.

— Allô !

— Allô ! Ici Étienne Comar. Je suis le producteur du film *Des hommes et des dieux*.

— *Des hommes et des dieux* ! Je vous félicite.

Je connaissais *Des hommes et des dieux*. C'était un très beau film sur les moines de Tibhirine.

— Je prépare un nouveau film inspiré des relations entre François Mitterrand et sa cuisinière. La cuisinière sera Catherine Frot. Le Président devait être joué par Claude Rich…

— Claude Rich et Catherine Frot ! C'est une belle affiche.

— Mais Rich est indisponible. Le premier tour de manivelle était prévu dans quelques jours. Je ne vous cacherai pas que je suis dans une situation difficile. J'ai cherché des comédiens. Ils sont tous pris. Je me suis rabattu sur des hommes politiques. Aucun ne veut se mouiller. Je suis descendu plus bas encore : des gens de la télévision, des animateurs, des journalistes, des écrivains. Votre nom est sorti. Je vous donne vingt-quatre heures pour me répondre oui ou non.

— Vingt-quatre heures ?

— Pas une de plus.

— C'est beaucoup trop. Il me faut une minute. Je vous dis oui tout de suite.

C'est ainsi que j'ai interprété, aux côtés de Catherine Frot, le rôle du président de la République dans *Les Saveurs du palais*.

Ce n'était pas la première fois que j'étais tenté de faire l'acteur. Au cours d'un déjeuner offert par Jean Gachassin, un ancien du rugby passé au tennis, à l'occasion d'un match à Roland-Garros, j'avais eu la chance de rencontrer Bernard Murat qui dirigeait, et qui dirige encore avec succès, le théâtre Édouard-VII. Nous nous étions bien entendus. Il me proposa d'interpréter, aux côtés, cette fois, de Pierre Arditi, le rôle du père dans une pièce de Sacha Guitry : *Mon père avait raison*. Je crus défaillir de bonheur.

Bernard Murat et Pierre Arditi me firent passer quelques tests. Ils m'assurèrent avec indulgence qu'on pouvait toujours essayer. C'était la fin du printemps. J'appris mon rôle, qui était bref, en été. Et je revins, faraud, au théâtre Édouard-VII, d'autant plus que ma prestation se limitait au premier acte et que je pourrais, chaque soir, rentrer très tôt chez moi pour travailler à un livre que j'étais en train d'achever.

J'étais trop optimiste. Bernard Murat m'apprit qu'il fallait attendre la fin de la pièce pour saluer le public. Il me proposa une loge confortable où je pourrais m'installer pour m'occuper de mon livre. Je tournai et retournai le problème dans ma pauvre tête. J'hésitais. Je finis par me convaincre que je devais d'abord terminer mon livre et je renonçai au rôle qui m'avait fait rêver. Il n'est pas tout à fait exclu que ma décision ait tiré une épine du pied à Bernard et à Pierre et qu'elle les ait plutôt soulagés. Ils me remplacèrent par François Berléand et le couple Arditi-Berléand connut un grand succès.

J'avais appris à mes dépens qu'au théâtre comme au cinéma le temps joue un rôle essentiel. Si vous me demandiez, très patient et impatient Sur-Moi, en quoi consiste, au stade de la fabrication, la télévision et le cinéma…

MOI : Je vous le demande.

MOI : … je vous répondrais : ils consistent à attendre.

J'ai beaucoup attendu au cours du tournage d'*Au plaisir de Dieu*. J'ai beaucoup attendu en incarnant le président de la République dans *Les Saveurs du palais*. Dans la première aventure, je suis souvent resté immobile et enchanté, pendant des heures et des heures, à attendre les quelques phrases que devaient prononcer, et répéter, et répéter encore Jacques Dumesnil et ses camarades. Dans la seconde, pendant trois semaines, je me suis levé à six heures du matin pour être à huit heures sur les lieux du tournage, à l'Élysée, ou à Chantilly, ou encore quelque part à Paris. L'habillage, la coiffure, le maquillage prenaient entre une et deux heures. Vers dix heures et demie, j'étais prêt. Je me mettais à attendre. Entre onze heures et midi, je prononçais trois phrases. À plusieurs reprises. Trois fois, quatre fois, souvent dix fois.

— Comment était-ce ? demandais-je, l'air penaud.

— Exécrable, me répondait Christian Vincent, le réalisateur, auteur de *La Discrète* quelques années plus tôt, avec un doux sourire.

Et nous recommencions. Avec l'aide de Catherine Frot qui faisait preuve à mon égard d'une patience inlassable. Et puis nous déjeunions. Souvent sous une tente. C'était gai et plutôt bon. Après le déjeuner, nous luttions comme nous pouvions contre l'envie de dormir qui nous envahissait. Entre quatre et cinq heures de l'après-midi, je balbutiais encore quelques mots, avec l'espoir, vite démenti, de rentrer enfin chez moi.

— Attendez ! Juste quelques minutes. On fait un raccord dans un quart d'heure. Après, ce sera fini.

Le quart d'heure durait une heure et demie. J'arrivais chez moi, épuisé de n'avoir rien fait, juste à temps pour dîner et dormir.

Pendant le tournage d'*Au plaisir de Dieu* entre Mazoyer et Dumesnil, autre chose que le maniement du temps m'avait retenu, et même ému. C'était le décor. Une grande partie des neuf heures de la série a été filmée à Saint-Fargeau qui ne nous appartenait plus. Non seulement les promenades de Jacques Dumesnil et de sa famille de fiction autour de la pièce d'eau où m'entraînait jadis mon père, m'interrogeant sur mon avenir dans l'allée des Soupirs et dans l'allée des Arbres verts, mais les conversations sous les tilleuls autour de la table de pierre, les repas dans la salle à manger sous le lustre composé de trompes de chasse, les bals dans le grand salon ou la bibliothèque où le nouveau doyen, l'abbé Bernard Alphonse, faisait danser les actrices me rappelaient, dans la fiction et la répétition, les réalités et les bonheurs du passé évanoui. Quand Mazoyer se mit à filmer le dernier repas de Sosthène et des siens sous le lustre aux trompes de chasse, puis le départ à jamais, loin de la cour aux briques roses, l'émotion me submergea. La fiction nous faisait revivre une seconde fois les douleurs de la séparation. Nous pleurions tous. « Rompre avec les choses réelles, écrit Chateaubriand, ce n'est rien. Mais rompre avec les souvenirs !... Le cœur se brise à la séparation des rêves. »

Pour répondre aux allégations du tribunal sur ma mondanité, mon snobisme, mon caractère superficiel, ma légèreté, je me suis attaché, vaille que vaille, à la filière Saint-Fargeau où ce qui comptait d'abord, c'étaient les places à table et où les jeunes gens baisaient la main de mes tantes. Un beau jour, le duc de Windsor vint déjeuner chez nous. Une question se posa aussitôt : qui mettre à droite, le duc ou le curé du village ? La tradition l'emporta. Dieu premier servi. Ma mère prit à sa droite le cher doyen Voury et à sa gauche l'ex-roi d'Angleterre.

MOI : Peut-être pourrions-nous passer à autre chose, traîne-savates des tréteaux et des dîners placés, qu'à vos expériences de saltimbanque et à vos leçons de savoir-vivre ?

MOI : Peut-être encore un regard, curateur des spectacles, du côté des saltimbanques et sur mon faible pour les tréteaux ?

MOI : Si c'est utile pour l'enquête et s'il le faut, allons-y – mais ne vous laissez pas entraîner.

MOI : Je ne suis pas spécialiste de Napoléon...

MOI : Il semble au tribunal, et à son grand regret, que, volant de fleur en fleur, vous n'êtes, en vérité, pas spécialiste de grand-chose...

MOI : Ah !...

> Papillon du Parnasse et semblable aux abeilles,
> Je suis chose légère et vole à tout sujet.
> Je vais de fleur en fleur et d'objet en objet...

MOI : Êtes-vous devenu fou ? C'est quoi, ce galimatias ?

MOI : Oh ! presque rien. C'est d'une de mes idoles. C'est de La Fontaine. N'y pensons plus.

Je ne suis pas spécialiste de Napoléon. Mais, lisant, entre deux de mes livres, l'un que je venais d'achever, l'autre que j'hésitais à écrire, les *Mémoires* de Mme de Rémusat, les *Mémoires* de Mme de Chastenay, les *Mémoires d'une femme de qualité* – qui sont un faux de Lamothe-Langon – et surtout *Les Récits d'une tante*, chef-d'œuvre de Mme de Boigne, l'adversaire brillante et en fin de compte assez tendre du vicomte de Chateaubriand, j'avais été frappé par toute une série de mots à l'emporte-pièce de Bonaparte Premier consul. Une évidence s'imposait : il y avait chez Bonaparte, comme chez Talleyrand, tout un côté XVIIIe siècle qui avait été étouffé par les circonstances, par la Révolution, par la guerre, par l'ambition. Avant de devenir empereur et solennel, Napoléon Bonaparte était vif, curieux de tout, incisif et presque spirituel. Il n'avait pas seulement du génie : il était très intelligent. L'idée me vint presque aussitôt d'écrire quelque chose sur le Premier consul et surtout sur ces instants stupéfiants où un adversaire farouche de la monarchie, partisan de la Convention nationale et ami de Robespierre, nourrit soudain l'ambition de monter à son tour sur un trône impérial.

Roman ? Essai ? Je n'hésitai pas longtemps. Les mots de Bonaparte étaient si forts qu'un dialogue s'imposait. Je le composai en trois semaines. Une pièce de théâtre ne doit pas être écrite dans le long terme comme un roman, mais dans le mouvement comme un article.

J'avais d'abord pensé à une confrontation entre les deux esprits les plus brillants de l'époque : Bonaparte et Talleyrand. Mais le courant ne passait pas. Chacun des deux monstres sacrés faisait son numéro en se méfiant de l'autre et les choses n'avançaient guère. L'idée me vint soudain de remplacer le diable boiteux par celui qui devait rester pendant quinze ans, comme deuxième consul d'abord, puis comme archichancelier de l'Empire, le deuxième personnage de l'État : Cambacérès. Les choses aussitôt s'enchaînèrent comme en rêve.

Cambacérès était intelligent, homosexuel et bourré de contradictions. Jean-Louis Bory, dans un joli livre, le présente comme une girouette – et il a raison –, mais la girouette s'est révélée d'une fidélité exemplaire à l'Empereur, dont il était peut-être amoureux. L'intéressant chez lui est qu'à la différence de Talleyrand il était ardemment républicain, ce qui l'avait amené à voter la mort du roi. Aussi résiste-t-il, ou tente-t-il de résister au charme et à la magie du verbe de Bonaparte. Mais, au fil du dialogue, il recule pied à pied et finit par se plier avec armes et bagages à la volonté de son vainqueur.

Les mots tombaient en rangs serrés des lèvres de Bonaparte et de son deuxième consul. Plus d'une fois, je ne me suis pas privé de prêter à Cambacérès des formules de Talleyrand ou de Fouché. Quelques années plus tard, à Napoléon qui lui rappelait, sur un ton de reproche, qu'il avait voté la mort de Louis XVI, Fouché répondait :

— Sire, c'est le premier service que j'ai eu le bonheur de rendre à Votre Majesté.

J'ai emprunté la réplique à Fouché pour la mettre dans la bouche du deuxième consul qui avait d'ailleurs flanqué son vote d'une proposition de sursis lui permettant de fournir une deuxième réponse à la question de Bonaparte :

— Mais vous avez tout de même voté la mort du roi ?

— Oh ! à peine...

La pièce achevée, je l'avais soumise au jugement de plusieurs pontes du théâtre. La sentence était tombée comme un couperet : il n'y avait pas les ressorts dramatiques nécessaires pour espérer un succès. *La Conversation* – emprunté à Pinter à qui je présente mes excuses, le titre m'avait été soufflé par ma fille – a été jouée plus de trois cents fois à Paris et s'est promenée longtemps en province et en Suisse.

Tout le mérite de l'affaire revenait à deux acteurs merveilleux et encore jeunes, l'un et l'autre anciens élèves de Jean-Laurent Cochet, que j'avais eu la chance et le mérite de dénicher : Maxime d'Aboville et Alain Pochet. Maxime d'Aboville, qui avait déjà porté à la scène *Le Journal d'un curé de campagne* de Bernanos et des pages de l'histoire de France, a été un Bonaparte plus vrai que nature. Et Alain Pochet a incarné avec finesse Jean-Jacques Régis de Cambacérès, archichancelier de l'Empire, duc de Parme.

La pièce a été accueillie au théâtre Hébertot par Pierre Franck, puis au Petit Montparnasse par Myriam de Colombi. À la première au théâtre Hébertot dans un désordre indescriptible, j'avais le trac. Le théâtre est pour un écrivain une expérience intéressante. Le succès d'un livre, quel qu'il soit, reste toujours abstrait. Au théâtre, au contraire, le contact immédiat avec le public est une source toujours neuve d'émotion et de plaisir.

MOI : À la garde ! À la garde ! Maintenant plus de recours, plus de parenthèse, plus de faux-fuyant : nous passons au cœur du délit, c'est-à-dire à ce qu'il faut bien appeler votre parcours et votre carrière.

MOI : Ma carrière ?... Les mots, maître de mon destin, sonnent bizarrement à mon oreille. Je n'ai pas de carrière. Je ne voulais pas en avoir et je n'en ai pas eu. Je suis passé de livre en livre, d'occupation en occupation et de prétexte en prétexte. Pour y comprendre quelque chose il nous faut remonter en arrière et suivre la double filière littérature – Unesco.

J'étais normalien et agrégé. Du coup, j'étais déjà au service de l'État, j'étais déjà fonctionnaire. Je touchais un traitement. Modeste. Mais enfin, un traitement. Il me fallait prendre un poste. Le soleil, les filles qui étaient supposées le rechercher, la beauté du décor : je demandai Aix-en-Provence. Le ministère me fit répondre qu'Aix-en-Provence était plutôt réservé au *cacique*, c'est-à-dire au premier de la promotion. Je n'étais pas premier. La neige. Le ski. Je demandai Grenoble. Ah ! comme c'était désolant ! On venait de donner Grenoble. Mais on avait bien mieux pour moi. Un vrai petit trésor. J'étais un veinard. Tiens ! Vraiment ? Et c'est quoi, ce rêve à moi destiné ? C'était Bryn Mawr. Bryn Mawr ? C'est quoi, ça, Bryn Mawr ? C'était une université aux États-Unis – avec six mille jeunes filles. Je crus que j'allais défaillir de bonheur. Et je partis pour Saint-Fargeau parce que c'était l'été.

À Saint-Fargeau, je retrouvai mes grands-parents, mes tantes plus ou moins élégantes...

MOI : Passons, petite fleur des pois. Passons...

MOI : ... mon cousin Jacques, surtout, celui que j'aimais par-dessus tout. Nous n'avions pas grandi ensemble puisque j'étais enfoui sous la neige des Carpates et des Alpes ou écrasé par le soleil des tropiques. Mais je l'avais toujours retrouvé avec bonheur chaque été quand nous revenions en France pour les vacances. Et nous repartions tous les deux à bicyclette pour le Cormerat, pour Montréal, pour la Grange-Arthuis où une bien jolie Micheline devait...

MOI : Peut-être pourrions-nous éviter à l'avenir ce perpétuel *name-dropping* qui vous vaut une si fâcheuse réputation, petit lord Fauntleroy...

MOI : ... Nous allions surtout nous perdre dans les layons de la grande forêt de chênes où le soleil avait peine à percer et nous baigner dans les fameux étangs du Parre, du Talon, des Quatre-Vents, du Bourdon, que nous avons déjà rencontrés, radieux Sur-Moi de la nature sauvage. Est-ce là que j'attrapai une fièvre qui se révéla comme une espèce de poliomyélite passagère mais assez violente qui portait le nom délicat de spirochétose ? Elle me jeta en tout cas dans mon lit pendant plusieurs semaines et me valut ma première apparition dans la presse nationale : un article du *Monde*, que vous pourriez retrouver, Sur-Moi de tous les médias, vers la fin de l'année de disgrâce 1949 ou le début de 1950, sous le titre : « Un cas de spirochétose en France ». Ma température monta jusqu'à plus de quarante et un…

MOI : Nous voilà maintenant dans la rubrique médicale ! Comme c'est intéressant, ridicule petit Moi…

MOI : … Ma mère me crut perdu. J'allais mourir de la fièvre. On m'enveloppa, toute une nuit de cauchemar, dans des draps bien glacés et je finis par m'en tirer. Le poste de Bryn Mawr avait été confié, entre-temps, à un autre qui avait bien de la chance.

Au début du printemps, je me retrouvai debout, mais plutôt faible et vacillant. Je me promenais pâle et à pas lents du côté de la rue du Bac et de la maison mortuaire du cher Chateaubriand quand je tombai par hasard sur un ami de mes parents qui habitait cité de Varenne, à quelques pas à peine de la maison paternelle. C'était un personnage important. C'était Jacques Rueff.

Jacques Rueff, que son saint nom aussi soit béni par les dieux tout-puissants, était économiste. Les plans Pinay-Rueff et Rueff-Armand ont marqué leur époque. Il était l'auteur d'ouvrages qui avaient compté : *Le Péché monétaire de l'Occident* et *Combats pour un ordre financier* – et même d'un opéra-bouffe historique et social sur l'aventure humaine – et allait être élu à l'Académie française au fauteuil de Jean Cocteau à qui Paul Valéry avait ouvert la voie en lui confiant, le soir de sa propre élection :

— Tu pourras y aller : ils reçoivent la canaille.

Rueff me demanda des nouvelles de ma santé et me confia ses soucis : il venait d'être nommé à un poste au nom solennel, il était le tout nouveau président du Conseil international de la philosophie et des sciences humaines, créé par l'Unesco pour succéder à l'Institut international de coopération intellectuelle, auquel Valéry et Bergson avaient collaboré à l'ombre de feu la Société des nations.

— C'est fâcheux, me dit-il, mais je n'ai pas vraiment le temps de me consacrer comme il faudrait à ces nouvelles et très prenantes fonctions. Vous ne connaîtriez pas, par hasard, un normalien de vos camarades qui pourrait venir m'aider, au moins quelques semaines, jusqu'à l'été ?

— Un normalien de mes amis ?..., bredouillai-je. Mais peut-être... si j'en étais capable, mais peut-être... qu'en pensez-vous ?... pourrais-je moi-même faire l'affaire ? Je devais partir pour l'Amérique, mais le poste a été donné à un autre. Je suis libre comme l'air.

L'affaire fut bouclée en moins de temps qu'il n'en faut pour le dire. J'arrivai à l'Unesco avec le titre époustouflant de secrétaire général adjoint du Conseil international de la philosophie et des sciences humaines.

— Rien que cela ?..., murmura en se moquant la fille de Jacques Rueff qui était encore toute jeune, qui ne manquait pas d'esprit et qui s'appelait Carine.

Il se trouvait – je passe au plus vite sur les détails…

MOI : Vous faites bien, grotesque petit Moi. Passons, passons… Passons vite au déluge…

MOI : Il se trouvait que le fameux Conseil international de la philosophie et des sciences humaines était flanqué d'une revue, indépendante de l'Unesco mais subventionnée par elle, dont le rédacteur en chef était Roger Caillois. Caillois devint mon autre patron – et mon ami.

Roger Caillois était un écrivain français du premier rang. Il aimait boire et manger. Ses plats préférés étaient le bœuf à la ficelle, le foie gras et tout ce qu'il y avait de plus lourd dans la cuisine bourgeoise française. Aussi, plutôt enveloppé, avait-il l'air d'un Bouddha bienveillant, ironique et savant. Et il pensait si fort et si vite qu'il lui arrivait de bégayer.

Il s'intéressait à une foule de thèmes disparates et sans liens réels entre eux : la fête, le sacré, le jeu, la guerre, les papillons, les poulpes, les méduses – et, à la fin de sa vie, les pierres qu'il aimait d'un amour matériel et mystique et avec une science presque sans bornes. Il avait écrit des livres que je lisais avec passion : *Le Mythe et l'Homme, L'Homme et le Sacré, Les Jeux et les Hommes, Les Impostures de la poésie* et une nouvelle dans le genre de Borges : *Ponce Pilate,* où le Christ finit par être relâché par le procurateur romain et où l'histoire universelle prend un cours très différent de celui que nous avons connu. Seul un mage un peu dérangé rêve un autre monde irréel et invraisemblable – qui est tout simplement le nôtre.

Caillois n'était ni un romancier, ni un philosophe, ni vraiment un sociologue. C'était un grammairien qui avait un faible pour les pierres, un rationaliste qui aimait le mystère, un entomologiste qui s'intéressait à la théorie des jeux. Il était très difficile de lui coller une étiquette. Je crains que cette incertitude ne lui ait beaucoup nui et ne nuise encore à sa mémoire. Elle n'a pas empêché un grand écrivain, Octavio Paz, de lui consacrer dans *Le Monde*, au lendemain de sa mort, un bel article qui réunissait en faisceau toutes les facettes si diverses de sa curiosité et toutes les nuances d'une pensée éclatée.

On racontait que, dans sa jeunesse, il avait été mince et beau. Normalien lui aussi, il avait fondé avec Georges Bataille et Michel Leiris un mouvement littéraire vaguement sulfureux, proche du *Grand Jeu* de Daumal et connu sous le nom de Collège de sociologie. Des bruits un peu inquiétants et entièrement inventés, on raconte n'importe quoi, avaient alors couru sur des sacrifices humains. Caillois était, dans ces temps-là, l'ami d'une jeune normalienne qu'il avait emmenée en Grèce et qui s'appelait Jacqueline de Romilly. Jacqueline avait un culte pour la beauté classique incarnée par Apollon. Roger, lui, inclinait plutôt du côté de Dionysos. Longtemps ami de Breton et proche des surréalistes qu'il retrouvait au café Cyrano, il s'était séparé d'eux après une célèbre discussion à propos de haricots sauteurs importés du Mexique que Caillois, toujours ardent à mettre le mystère en pleine lumière, voulait ouvrir pour voir ce qu'il y avait dedans. Pendant la guerre, gaulliste, il avait vécu en Argentine où il s'était lié étroitement à une amie de Rabindranath Tagore, de Jules Supervielle, de Hermann Keyserling, de plusieurs autres : Victoria Ocampo.

Proche de Bioy Casares, qui avait épousé sa sœur Silvina, et de Jorge Luis Borges, Victoria Ocampo aimait les livres et ceux qui les écrivaient. Elle dirigeait à Buenos Aires une revue appelée *Sur*. Elle avait été, entre autres, la maîtresse de Pierre Drieu La Rochelle dont elle avait fait la connaissance à Paris et qu'elle avait entraîné à Buenos Aires – sans jamais pourtant lui confier un poste important dans sa revue. Elle l'accusait tendrement de toujours laisser tout tomber : sa fourchette au restaurant et ses fins de roman.

— Tu es Pierre, lui disait-elle, et sur cette pierre je ne construirai pas mon église.

Très vite, au contraire, elle associa Roger Caillois à la direction de *Sur*. De retour à Paris, Caillois était entré aux Éditions Gallimard où il avait fondé une collection appelée à jouer un rôle considérable : « La Croix du Sud ». Toute une série de grands écrivains latino-américains – et, au premier rang, Jorge Luis Borges – ont été introduits en France grâce à « La Croix du Sud » et à Roger Caillois. Il me prit auprès de lui avec le titre de rédacteur en chef adjoint de la revue qu'il avait fondée à la force du poignet avec l'aide de l'Unesco et qu'en souvenir du philosophe qui se promenait dans les rues d'Athènes, une lanterne à la main, en quête de l'homme par excellence, il avait baptisée *Diogène*.

J'étais à la fois secrétaire général adjoint du Conseil international de la philosophie et des sciences humaines et rédacteur en chef adjoint de la revue *Diogène*. Vous commencez à me connaître un peu, illustre Sur-Moi de la culture universelle : la tête me tournait encore.

J'ai été très heureux à l'Unesco – ou plutôt en marge de l'Unesco. Je n'appartenais pas au système des Nations unies. Et je ne bénéficiais pas des avantages attachés au statut de fonctionnaire international. J'étais détaché auprès du C.I.P.S.H. par l'Éducation nationale. Avec un traitement de professeur à un niveau honorable. Un de mes rares motifs de fierté est d'avoir résisté à changer de statut et à entrer à l'Unesco. Une ou deux fois, un poste assez tentant aurait pu être à ma portée.

À cette époque, les salaires des Nations unies étaient très élevés. Le C.I.P.S.H. était une espèce de pension de famille intellectuelle au flanc de l'institution en forme de palace pour V.I.P. représenté par l'Unesco. Les traitements de l'Unesco étaient près de quatre fois supérieurs à ce que je gagnais dans mon bureau prêté par l'Organisation mère. Mais, par Caillois, par des camarades de Normale qui auraient pu être des philosophes ou des historiens du premier rang mais qui, happés par le système, rédigeaient pour les directeurs généraux successifs des discours très brillants dont il ne reste rien, par plusieurs autres encore, je savais que l'Unesco était une machine à broyer les individus et à dévorer leur temps. J'étais libre dans mon coin. J'étais mon propre maître. Plus ou moins consciemment, par paresse peut-être – bienheureuse paresse… –, par indifférence ou peut-être par volonté, je décidai de le rester.

Je faisais mon travail avec régularité et conscience. J'étais à mon bureau tous les jours de neuf heures à une heure et de trois à six. Et je n'y écrivais pas pour moi. Je n'avais de comptes à rendre qu'à Caillois – et, bien sûr, au secrétaire général dont j'étais l'adjoint puis, quand je suis devenu secrétaire général à mon tour, au président, le plus souvent absent. Je jouais le rôle d'une sorte de conseiller culturel, ne riez pas, sévère Sur-Moi, aux dimensions de la planète. Il s'agissait de soutenir un certain nombre de projets, de congrès, de colloques, de publications du domaine des sciences humaines. Le budget n'était pas négligeable. Il lui arrivait de s'élever, par an, à un million de dollars.

À la revue *Diogène,* Caillois faisait presque tout. Je ne faisais presque rien. Mais, grâce à Dieu, j'étais aidé. J'assurais les liens avec les auteurs dénichés par Caillois, je relisais des textes et je corrigeais les épreuves. De temps en temps, je proposais des articles que j'avais trouvés intéressants et que Caillois refusait le plus souvent, au grand dam des intéressés, les estimant trop spécialisés. Il s'en tenait, et il avait raison, à une ligne de conduite dont il ne s'écartait pas.

Diogène était une revue internationale et interdisciplinaire des sciences humaines. Caillois croyait, bien entendu, à la division du travail intellectuel et aux vertus de l'analyse. Mais il pensait aussi que le temps d'une synthèse audacieuse et prudente était venu. Cette synthèse se devait d'éviter les généralités abusives et rester rigoureuse. Partisan d'une approche diagonale des différents domaines du savoir, le rêve de Caillois, qui avait longuement mûri son projet avant de le proposer et de l'imposer à l'Unesco, était de faire écrire un historien sur l'économie politique, un psychologue sur la grammaire, un historien de l'art sur la linguistique.

Je me souviens de quelques textes brillants. Le premier article dans le premier numéro de la revue, publiée par Gallimard, était, dans la lignée des travaux de Konrad Lorenz concernant notamment les oies sauvages, un essai du grand linguiste Émile Benveniste sur le langage des abeilles. L'article avait suscité un débat au Conseil exécutif de l'Unesco : un délégué, je ne sais plus de quel pays, s'était étonné de voir une revue des sciences humaines subventionnée par l'Unesco consacrer son ouverture à la danse des abeilles. Un autre article remarquable, tout à fait dans l'esprit de la revue, traitait sous la plume de Jacques-Louis Binet, célèbre hématologue, disciple de Jean Bernard et amateur de peinture, du *Radeau de la Méduse* de Géricault.

J'étais entré au C.I.P.S.H. grâce à Rueff pour une durée de trois mois. J'y suis resté plus de quarante ans, gravissant tous les échelons d'une dérisoire bureaucratie : secrétaire général adjoint, puis secrétaire général et enfin, durant de longues années – remplaçant Rueff et toute une série d'universitaires scandinaves, américains, australiens, néo-zélandais ou africains –, président.

Je me suis lié dans ces fonctions avec Kazantzakis, l'auteur d'*Alexis Zorba* et du *Christ recrucifié*. Avec Julio Cortazar. Avec Carlos Fuentes, grand écrivain mexicain qui allait représenter son pays à Paris et en Inde, et avec sa femme Silvia. Avec William Styron. Avec un Cubain de grand talent, proche des surréalistes, auteur très classique de plusieurs chefs-d'œuvre, *Le Royaume de ce monde*, *Le Partage des eaux*, *Concert baroque*, *Le Siècle des lumières* : Alejo Carpentier. Avec Mario Vargas Llosa dont j'aimais les livres – *La Tante Julia et le Scribouillard* ou *Tours et Détours de la vilaine fille* – et qui devait devenir un ami très cher. Avec Yachar Kemal, que j'ai beaucoup aimé, le père de *Memed le Mince*, qui ne parlait que le turc et avec qui je m'entretenais à coups d'étreintes et de bourrades. Avec Hampate Ba, l'auteur de la formule fameuse : « Un vieillard qui meurt, c'est une bibliothèque qui brûle. » Avec

Raymond Klibansky, l'auteur, avec Panofsky, d'un livre culte sur la mélancolie. Avec un Chinois philosophe et poète, du nom de Lin Yutang, véritable mine de proverbes – authentiques ou inventés – plus enchanteurs les uns que les autres : « À côté du noble art de faire faire les choses par les autres, il y a celui non moins noble de les laisser se faire toutes seules » ou : « Mieux vaut allumer une petite lanterne que maudire les ténèbres » ou : « Il faut faire vite ce qui n'est pas pressé pour pouvoir faire lentement ce qui est pressé. » Et surtout avec Borges dont *La Loterie de Babylone* ou *Le Jardin aux sentiers qui bifurquent* m'avaient bouleversé et pour qui j'avais une admiration sans bornes, au point d'aller deux fois le voir en Argentine où il m'accueillait avec bonté, déjà à demi aveugle, dans l'appartement de la rue Maipu, à Buenos Aires, où il vivait avec sa mère avant de rencontrer Maria Kodama qui adoucira ses vieux jours. Avec beaucoup d'autres. J'avais aussi un ami africain qui était chargé d'acheminer le courrier sur un chariot à travers les couloirs interminables de l'Organisation. Il était sympathique et subtil. Nous buvions souvent un café ensemble et je prenais plaisir à converser avec lui. Les années passèrent et je le perdis de vue. Un jour je le retrouvai et je lui demandai s'il s'occupait toujours du courrier.

— Non, me répondit-il. Je suis maintenant ambassadeur.

C'était une promotion tout à fait méritée. Il a été un excellent représentant de son pays auprès du Conseil exécutif de l'Unesco.

Une jeune femme d'origine copte qui unissait à un point assez rare la beauté, l'intelligence et une volonté de fer, Ayyam Wassef, organisait avec succès un colloque sur un thème original : *Qu'est-ce qu'on ne sait pas ?* Je nous revois encore ensemble, tous les deux, elle et moi, au printemps, à la terrasse du Montalembert, ou ailleurs, en train de parler avec passion de ce projet qu'elle portait depuis longtemps et qui se confondait avec elle. Quelque temps plus tard, elle épousait un de mes amis les plus proches, François Sureau, avocat et poète, et vingt ans après je me suis souvenu de ce colloque en écrivant un livre sur le Rien et le Tout : *Comme un chant d'espérance.*

L'Unesco s'était entourée de Conseils qui assuraient le lien avec le monde universitaire et savant et qui couvraient tout le champ du savoir. Et parmi eux le Conseil international de la philosophie et des sciences humaines. Le C.I.P.S.H. était une fédération de sociétés savantes internationales où la culture et la science françaises jouaient tout naturellement un rôle important. Plusieurs délégués ont été pour moi des amis. Je me souviens d'un linguiste australien d'origine tchèque ou hongroise, le professeur Wurm, qui parlait, comme Georges Dumézil chez nous, une bonne trentaine de langues. Comme Dumézil encore, et comme Hagège, il assurait que le plus difficile était d'apprendre les quatre ou cinq premières. Après, tout s'enchaînait sans trop de peine. Il m'avait rempli de stupeur au cours d'un voyage dans la Chine de Mao où il s'était exprimé successivement dans différents dialectes chinois. Un soir, à Pékin, ou peut-être à Xi'an, à l'ombre de la pagode de l'Oie sauvage, je lui ai raconté le chagrin manifesté quelques semaines plus tôt, quai de Conti, par Georges Dumézil qui venait d'apprendre la mort, au fond du Caucase, du dernier vieillard à parler un dialecte que l'auteur de *Mythe et Épopée* et lui étaient seuls à maîtriser.

Quelques figures, parmi beaucoup d'autres, restent très vivantes dans ma mémoire. Représenté trop brièvement par un Français, spécialiste de la peinture du XVIIe, au grand savoir et au grand charme, Jacques Thuillier, le Comité international d'histoire de l'art a envoyé plusieurs années de suite au C.I.P.S.H. et à l'Unesco un délégué pour qui j'ai nourri une affection très vive : Hans R. Hahnloser.

Hahnloser était suisse. Son père, Arthur Hahnloser, était médecin ophtalmologue. Il aimait la peinture et il comptait plusieurs peintres parmi ses patients. Quelques-uns d'entre eux ne roulaient pas sur l'or et s'acquittaient volontiers de leurs dettes auprès de leur médecin en lui remettant un tableau. Dès le premier tiers du siècle dernier, soutenu par son épouse Hedy Hahnloser-Bühler, Arthur Hahnloser se lia d'amitié avec Giovanni Giacometti, le père d'Alberto et de Diego, avec Valloton, avec Bonnard, avec Odilon Redon, avec Vuillard. Dans sa villa Flora à Winterthur, dans sa villa Paulina à Cannes, il finit par se trouver à la tête d'une remarquable collection de peinture moderne où ne manquaient ni les Matisse, ni les Van Gogh, ni les Cézanne, ni les Renoir. Élevé au milieu de tant de chefs-d'œuvre, leur fils, Hans, se consacra tout naturellement à l'histoire de l'art. Je me souviens de mon étonnement la première fois que je me rendis dans sa maison de Berne, située peut-être à Sonnenberg, si mes souvenirs sont exacts.

Dans le salon, dans la cuisine, dans la salle de bains, partout, étaient accrochés des dizaines de tableaux exceptionnels : des Vuillard, des Bonnard, des Vallo-ton, des Signac, des Matisse, que sais-je encore... Je crus d'abord qu'il s'agissait de copies, avant de comprendre que la collection Hahnloser de peinture moderne était une des plus belles de Suisse – et sans doute d'Europe.

J'ai travaillé à l'Unesco avec plusieurs universitaires africains. Un homme de ma génération, Sur-Moi de l'histoire universelle, a assisté avec un intérêt passionné à l'ascension d'une Chine passée en moins de cent ans des derniers aux premiers rangs de la hiérarchie internationale. L'Afrique est aujourd'hui un continent malheureux et divisé, rongé par la corruption, la maladie, le terrorisme. Je suis de ceux qui croient qu'avant la fin de ce siècle l'Afrique sortira de sa torpeur infantile et de ses troubles d'adolescence. L'Afrique est à l'origine de l'aventure des hommes. Elle reprendra bientôt dans le concert de l'univers la place qui est la sienne. Asiatiques, Européens, Américains, Australiens ou Néo-Zélandais, nous sommes tous des Africains transformés par le temps. La musique, la peinture, la sculpture, la littérature africaines connaissent déjà et connaîtront encore plus le succès. Et nos arrière-petits-neveux verront l'économie africaine se développer et triompher à la façon de celles de la Chine, de l'Inde, du Brésil.

Pour dire les choses très en gros, l'Unesco dans son ensemble et les organisations savantes fédérées au sein du C.I.P.S.H. penchaient plutôt à gauche qu'à droite. Parmi les délégués qui représentaient les différents secteurs du savoir figurait, un peu paradoxalement, un astronome aux opinions franchement de droite qui s'intéressait aux sciences humaines. À un moment où la tension était particulièrement forte entre Palestiniens et Israéliens, je ne résistai pas, mû par une vraie curiosité, à demander au professeur Manneback vers quel camp allaient les sympathies d'un homme de droite tel que lui. Il me répondit :

— Oh ! Querelle de Sémites !...

Au-delà de ces amitiés qui m'ont beaucoup apporté, il y a surtout un nom, très puissant Sur-Moi, que je voudrais prononcer. J'ai été beaucoup aidé, dans mes premières années à l'ombre de l'Unesco, par de grandes figures à qui je garde gratitude et respect. Compagnon de la Libération, Prix Nobel de la paix, René Cassin, en particulier, m'avait invité à parler de mon travail au Congrès juif mondial dont il s'occupait. J'avais fait de mon mieux. Il avait eu la bonté de se montrer satisfait de mes minces interventions.

— Je ne suis pas sûr, me dit-il, que vous ayez un grand avenir dans votre poste à l'ombre de l'Unesco. Ne voudriez-vous pas venir travailler avec moi au Congrès juif mondial ? Et, un jour, pourquoi pas ?, vous pourriez me succéder.

— Je vois tout de même un problème, lui répondis-je. Je ne suis pas juif.

— Bah ! me dit-il, tout peut toujours s'arranger.

Mais l'homme, le savant, l'ami dont le souvenir se confond pour moi avec mes années dans le sillage de l'Unesco est un historien de l'Antiquité romaine. Lié à Oxford, sir Ronald Syme était anglais – ou plutôt néo-zélandais. Il était beau, élégant, plein de charme, très savant, ironique et très amusant. Comme presque tous au C.I.P.S.H., il parlait plusieurs langues à la perfection :

l'anglais, naturellement, le français, l'allemand, l'italien et l'espagnol, un peu ou beaucoup de serbe et de turc. ce qui lui avait valu, je crois bien, d'exercer, notamment pendant la guerre, des fonctions plutôt mystérieuses au sein des services secrets britanniques. Il m'avait appris notamment le sens un peu rude du mot turc *yok*, qui signifie : « Non, non, non, et allez vous faire foutre. » Je n'étais pas le seul à être sensible à son accent, à ses manières et à sa drôlerie. Il était, lui aussi, très lié avec Jacqueline de Romilly qui m'a toujours parlé de lui avec affection et presque avec émotion.

Peu de savants ont été plus familiers que lui des institutions et de la littérature de la Rome antique. Spécialiste de la prosopographie romaine – c'est-à-dire de l'histoire des grandes familles de la République et de l'Empire – et des routes de l'Italie ancienne, il s'était intéressé à Salluste, à Tacite, à César. Il était surtout l'auteur d'un livre sur Auguste qui le situait au premier rang des historiens de l'Antiquité : *The Roman Revolution* – traduit en français et publié chez Gallimard par Pierre Nora dans sa « Bibliothèque des Idées » sous le titre : *La Révolution romaine.* Un jour, les élèves de la rue d'Ulm invitèrent Ronald Syme à venir leur parler. Je le mis en garde :

— Le niveau de l'École normale est assez élevé et ses pensionnaires sont portés à l'ironie. Il faut veiller avec soin au sujet de votre conférence.

— Je vais y réfléchir, me dit-il.

Le lendemain ou le surlendemain, il me confia :

— Je vais leur parler de *Tacite et Proust.*

Son intervention fut un triomphe.

J'ai parcouru avec lui le Mexique, la Chine, l'Égypte, l'Inde – et surtout l'Italie. Voyager à ses côtés était un enchantement. Il savait tout. Il s'amusait de tout. Si je dois à Roger Caillois un certain goût pour cette rigueur qui me manquait tant dans ma jeunesse, je dois à sir Ronald une certaine vision d'un gai savoir où un perpétuel amusement ne cesse de se mêler aux exigences de la science.

Sir Ronald Syme, qui détestait la bureaucratie et s'endormait plus souvent que de raison aux réunions organisées par Jean Thomas, mon ancien examinateur de la rue d'Ulm devenu directeur général adjoint de l'Unesco, se moquait volontiers avec une belle allégresse et parfois avec cruauté de ses pairs qui en savaient moins que lui, des poncifs de la culture dominante et surtout des pontifes de l'administration.

Ma mère, avant de mourir, m'avait laissé trois préceptes : « Ne parle pas de toi. Ne te fais pas remarquer. Toute lettre mérite réponse. » Un jour où, comme d'habitude et avec un peu de ridicule, je me plaignais de mon courrier qui dévorait mon temps, sir Ronald me donna un conseil en contradiction flagrante avec une des recommandations de ma mère et un peu surprenante dans une maison comme l'Unesco :

— *Never answer letters. People might die.* « Inutile de répondre aux lettres. Les gens peuvent mourir. »

Il lui arrivait aussi, je l'avoue, de raconter des histoires qui ne volaient pas très haut. Mais j'étais bon public et elles me faisaient rire.

Il rapportait volontiers sa conversation avec un homme

politique français du premier plan qui lui aurait déclaré, parlant d'un de leurs amis communs :

— Nous avons échangé quelques idées. C'est un personnage remarquable. Nous étions d'accord sur tout.

Je lui faisais répéter sans fin l'histoire du dentiste qui s'occupe de la dent abîmée d'un évêque anglican. Le prélat pousse un soupir et s'écrie :

— *O Christ ! O Christ !*

— *Your Grace !* s'inquiète le dentiste. *Did I hurt you ?*

— *Oh ! no, my brave man ! Il only wanted to know if I could utter the name of the Redeemer without whistling.*

D'Emmanuel Berl à Claude Lanzmann, l'auteur de plusieurs chefs-d'œuvre – *Shoah, Le Lièvre de Patagonie...* –, à la voix grave et prenante, qui me parlait de Simone de Beauvoir, de Bossuet, du malheur des Juifs, des femmes de sa vie et de lui ; de Marc Fumaroli à Paul Veyne qui se demandait, entre Constantin le Grand et Julien l'Apostat, lequel des deux méritait vraiment le surnom d'apostat, et à Lucien Jerphagnon qui m'introduisait auprès d'Horace, de Plotin et de toute cette suite de Césars tardifs et venus de partout, pour qui la pourpre impériale n'était qu'une tunique de Nessus et la promesse d'un linceul, quelques personnages de mon temps ont enchanté mon passage sur cette terre. Je me suis attaché à eux. Historien néo-zélandais, ironique et railleur de la Rome antique, sir Ronald Syme fait partie du cortège.

Vous ne serez pas très surpris, impeccable Sur-Moi, d'apprendre que j'ai commis plusieurs erreurs dans mes fonctions ébouriffantes.

MOI : Surpris ? Non, pas très.

MOI : Peu après mon arrivée, j'avais été chargé de réunir une commission d'historiens de l'art et de conservateurs d'un grand nombre de pays. Impatient de réussir un coup d'éclat, l'idée m'était venue d'inviter André Malraux. À ma surprise et pour mon malheur, il accepta. Fier comme Artaban, j'annonçai sa participation à tous mes invités. Se souvenant, hélas, de Bantea Srei, ils se décommandèrent l'un après l'autre.

Quelques années plus tard, un autre coup de maître faillit me coûter cher. Des sinologues m'avaient alerté : un projet de cartes linguistiques dans le cadre de la Chine de Mao présentait un grand intérêt. Mais les fonds nécessaires manquaient. Ne pourrais-je trouver quelques milliers de dollars pour aider les linguistes chinois ? Je m'entourai de toutes les précautions et de tous les avis nécessaires. Et je trouvai sans trop de peine les cinq ou six mille dollars précieux pour nos Chinois. Quelques semaines ou quelques mois passèrent. Un beau matin, je fus convoqué d'urgence par le directeur général de l'Unesco. Le directeur général était un personnage important. Quelques années avant mon arrivée, le premier titulaire du poste avait été Julian Huxley, le frère d'Aldous Huxley – l'auteur de *Contrepoint* et du *Meilleur des mondes* –, le petit-fils de Thomas Henry Huxley, ardent partisan de l'évolution des espèces, surnommé « le bouledogue de Darwin », à qui l'évêque Wilberforce avait lancé cette apostrophe restée célèbre :

— Il est possible que vous, vous descendiez d'un singe, mais Madame ma mère, certainement pas.

Je n'avais jamais eu l'occasion de rencontrer un de ces hauts fonctionnaires qui avaient presque rang de chef d'État et je me demandais avec une curiosité assez satisfaite ce qu'il pouvait bien me vouloir. Ce qu'il voulait, avec une impatience et une vivacité remarquables, c'était m'engueuler.

— C'est vous, d'Ormesson ? Plusieurs de mes collaborateurs m'ont dit du bien de vous. Je ne leur fais pas mes compliments. Je leur ai indiqué ce que je pensais d'eux. Vous êtes un personnage dangereux. L'ambassadeur des États-Unis sort de mon bureau. Il compte saisir d'une plainte le Conseil exécutif. Non, mais vous vous prenez pour qui ? Vous versez des fonds des Nations unies à un État qui n'en est pas membre !

L'algarade dura cinq bonnes minutes, avec menace d'une demande de renvoi adressée à mon président. Cinq ou six mille dollars, ce n'était pas la mer à boire. La tempête finit par se calmer. Plusieurs années plus tard, j'avais grimpé en grade. Je fus une fois de plus appelé par le directeur général. C'était un nouveau qui venait d'arriver et avec qui j'entretenais des relations – un peu lointaines – d'amitié.

— Ah ! Je voulais vous voir. C'est très curieux. La Chine communiste vient d'entrer aux Nations unies et donc à l'Unesco. J'ai reçu deux de ses délégués. Ils ne connaissent pas grand monde dans la maison. Vous savez ce qu'ils m'ont demandé ?

— Non, Monsieur le directeur général.

— Ils m'ont demandé s'il n'y avait pas dans mes services un certain M. d'Ormesson qui, à leur connaissance, s'occuperait des projets savants dans le domaine des sciences humaines. Vous êtes si bien que ça avec les Chinois ?

MOI : Vous avez encore beaucoup d'histoires comme celle-là, chargées de vous vanter un peu ?

MOI : Quelques-unes, illustre Sur-Moi, trône étincelant de la modestie universelle. Et celle que je vais vous raconter maintenant va encore vous renforcer dans l'opinion peu flatteuse que vous avez de mon snobisme, de ma mondanité et de mon goût pour les noms illustres.

J'ai beaucoup d'admiration pour les Broglie, famille française d'origine italienne qui a donné à notre pays des maréchaux de France, des ministres du premier rang et de grands savants. La plupart des vieilles familles d'Europe ont des devises, sublimes et un peu risibles, qui regardent en arrière. Les Mortemart-Rochechouart : « Avant que le monde fût monde, Rochechouart portait des ondes. » Les Esterhazy, grande maison hongroise : « Sous Adam III Esterhazy, Dieu créa le monde. » La devise des Broglie est : « Pour l'avenir. »

Léon Blum remit un jour la Légion d'honneur à Louis de Broglie, physicien de génie, découvreur de la mécanique ondulatoire, à qui Einstein avait écrit une longue et célèbre lettre – naturellement incompréhensible pour le commun des mortels et donc pour moi. Elle finissait par ces mots qui m'ont toujours fait battre le cœur : « Vous avez soulevé un coin du grand voile. »

Les discours de remise de la Légion d'honneur sont souvent d'interminables pensums. Au lieu de lui adresser, comme tout le monde, pendant quarante minutes un flot de paroles inutiles, Léon Blum lui avait dit avec simplicité et concision :

— Monsieur, vous appartenez à une famille où le talent était héréditaire jusqu'à ce que le génie y entrât.

Et il lui avait collé son ruban rouge, sa cravate ou sa plaque.

L'histoire personnelle de Louis de Broglie, qui n'est pas loin de s'inscrire, avec les Planck, les Bohr et les Heisenberg, dans la lignée des Galilée, des Newton, des Einstein, est curieuse. Son frère aîné, Maurice, était lui-même un grand savant. Louis passait plutôt, et au mieux, pour un original. Il s'occupait d'une collection de timbres-poste et il s'intéressait aux échecs. C'était, de l'avis général, le moins doué de la famille. Un beau jour, Maurice de Broglie, dont la réputation dépassait déjà nos frontières, fut invité à assister en Belgique à une prestigieuse réunion de physiciens et de mathématiciens : le congrès Solvay. Sa mère lui demanda, comme une faveur, de se faire accompagner par son frère Louis.

— Ça lui changera les idées. Ça lui fera du bien.

— Mais à quoi s'occupera-t-il ? Il me sera impossible de passer mon temps avec lui.

— Bah ! Il se promènera en ville ou il ira au cinéma.

Arrivés en Belgique, le jeune Louis, qui devait avoir autour de vingt ans, demanda à son frère Maurice de l'emmener au colloque.

— Tu t'ennuieras à mourir.

— Mais non ! Ça m'amusera beaucoup de te voir parmi tes pairs.

À l'issue du congrès, auquel il avait assisté de bout en bout, Louis confia à Maurice son désir de se consacrer, lui aussi, à la physique mathématique. Vous connaissez la suite, admirable Sur-Moi.

L'Unesco avait décidé de réunir une conférence internationale de mathématiciens et de physiciens du plus haut niveau. La liste des participants me fut communiquée par le directeur général. Je remarquai aussitôt que le duc de Broglie y figurait. Il faut que vous sachiez, Sur-Moi universel, admirable puits de science, que les Broglie appartiennent à une double lignée : princière au titre du Saint Empire et ducale à titre français. Tous les Broglie ont droit au titre de prince. L'aîné de la famille est duc. À la mort du père de Maurice et de Louis, Maurice, l'aîné, était devenu duc. J'indiquai dans une note au directeur général que Maurice de Broglie, le duc, était un grand savant. Mais que le correspondant d'Einstein – il était déjà Prix Nobel de physique – était son frère, le prince Louis de Broglie.

Les années passèrent. Maurice de Broglie mourut à son tour sans héritier mâle. Son frère Louis devint duc de Broglie. L'Unesco réunit à nouveau un colloque d'hommes et de femmes de science venus d'un peu partout. Louis de Broglie figurait parmi les invités sous son ancienne dénomination : prince de Broglie. Je barrai les mots et je les remplaçai par : duc de Broglie. Le coup de téléphone du directeur général ne tarda pas beaucoup :

— Écoutez, d'Ormesson, vous faites ça pour m'agacer ou quoi ? Quand je mets le duc de Broglie, vous me corrigez et vous me collez le prince de Broglie. Mais quand, sur votre propre suggestion, j'invite le prince de Broglie, vous me corrigez encore et vous revenez au duc de Broglie. Ça rime à quoi, tout ça ?

MOI : Il me semble, grotesque petit Moi, que vous soyez assez content de vous dans vos activités publiques ?...

MOI : Tout au contraire, sublime Sur-Moi, ma stupidité m'atterre. Seul, ça passe encore. Tout baigne. Ou à peu près. Mais mettez trois personnes autour de moi : rien ne va plus. Jeune, j'aimais beaucoup le cinéma…

MOI : Nous savons ça.

MOI : … Un jour, pour me faire plaisir, ma chère Cécile, à la voix rauque, qui m'avait déjà plusieurs fois emmené en Grèce avec elle et qui me voulait du bien, m'invita à déjeuner, sous un Manet éblouissant qui représentait Henry Bernstein enfant, avec Greta Garbo, de passage à Paris et dont elle était l'amie.

Le déjeuner fut charmant. Désireux de plaire, j'imagine…

MOI : Vous aimez plaire, ver de terre. Et surtout aux étoiles.

MOI : Hélas… Mais je me suis soigné. J'ai changé. Il m'arrive même souvent de déplaire sans déplaisir… Désireux donc de plaire à ma divine voisine, je me mets, assez bêtement, à fredonner à voix basse :

Ich bin von Kopf bis Fuss
Auf Liebe eingestellt…

C'était la chanson de *L'Ange bleu*. Impavide, sublime, Garbo ne moufte pas. Sûr de mon coup, comme les ivrognes, j'insiste avec lourdeur. Je chante un peu plus haut. Du côté de Greta, toujours rien. Je me dis qu'elle est sourde, ou idiote, ou peut-être les deux à la fois. Alors, je me penche vers elle et je lui glapis à l'oreille :

Ich bin von Kopf bis Fuss
Auf Liebe eingestellt…

Garbo se tourne vers moi et me lance d'un ton sec :

— Je crois que vous me confondez avec Marlene Dietrich.

La fin du déjeuner fut plutôt fraîche.

L'histoire ne s'arrête pas là. Pas mal d'années plus tard, pardonnez-moi, Sur-Moi du dépouillement vainqueur, je dîne, quai d'Anjou, chez Georges et Claude Pompidou...

MOI : Vous ne trouvez pas, papillon affolé, que vous exagérez un peu ?...

MOI : Georges Pompidou était normalien. Les normaliens s'attirent entre eux. Il avait surtout un faible pour une jeune personne, dont je vous ai déjà cité le nom : Victoire, la fille de Nine. Victoire était une amie de Françoise que Pompidou aimait beaucoup aussi et qui se trouvait être ma femme. C'est pour cette raison, Sur-Moi des fleuves et des îles, que je dînais quai d'Anjou. Parce que je parlais allemand, j'étais placé aux côtés de Marlene Dietrich qui venait d'enterrer un de ses oncles en Allemagne et qui passait par Paris. Elle habitait avenue Montaigne et elle cultivait une réputation de solitude et de sauvagerie. J'ose à peine vous avouer, monument de noblesse et de discrétion, que je m'entendis assez bien avec l'impératrice rouge. Je lui parlais allemand, je la faisais rire. Elle me glissa :

— Peut-être pourriez-vous venir prendre le thé chez moi, avenue Montaigne, mardi prochain, à quatre heures et demie ?

— *Dienstag ? Halb fünf ? Einverstanden. Fabelhaft !*

Je me rengorgeais. Je faisais un peu le malin.

— Mais attendez ! ajoutai-je, il faut, avant même mardi, que je vous raconte mon aventure avec Greta Garbo.

Et je lui sors l'histoire que je viens de vous rapporter, mémoire vivante de l'univers.

Elle me jeta un regard glacial :

— Je crois que ce ne sera pas la peine de venir mardi avenue Montaigne.

M'entretenir en tête à tête avec vous, juge suprême des cœurs et des esprits, même dans le cadre d'un procès, est presque une chance pour moi. Une angoisse, bien sûr. Et presque une chance, puisque nous sommes seuls. Ou presque. Vous le savez déjà : dès que se pressent autour de moi plus de six ou huit personnes, je perds tous mes moyens.

Dans les dernières années du siècle passé, de mon siècle, immortel Sur-Moi, résidait parmi nous un ambassadeur des États-Unis venu de la banque Lazard à New York. Félix Rohatyn devint aussitôt la coqueluche de Paris. Un beau soir de printemps ou d'automne, sa femme Elizabeth et lui donnèrent à l'ambassade de la rue du Faubourg-Saint-Honoré à Paris une fête mémorable où était reconstitué le décor du bastringue de Rick, alias Humphrey Bogart, amoureux fou d'Ingrid Bergman, plus belle que jamais dans ce navet sublime qu'était le film *Casablanca.* Peut-être vous souvenez-vous, maître de tous les médias, d'une fameuse *Marseillaise* chantée à pleins poumons. Et de la prière adressée par Ingrid Bergman au pianiste noir, ami de Rick *:*

— *Play it again, Sam !...*

Est-ce au cours de cette fête ou à une autre occasion, raout ou dîner, qu'un peu égaré au milieu de la foule je tombe sur Jean-Claude Trichet, alors gouverneur de la Banque de France, avant de présider aux destinées de la Banque centrale européenne ? Je fais des efforts insensés pour aligner quelques mots sur la balance des paiements, sur le contrôle des changes et sur le déficit de notre commerce extérieur. Au sortir de l'ambassade, je retrouve Françoise qui me demande ce que j'ai fait pendant une heure parmi tant de personnes venues de tous les horizons.

— J'ai surtout parlé à Trichet, lui dis-je.

— Ça m'étonnerait, me dit-elle, Trichet n'était pas là.

Je sens les nuages s'accumuler au-dessus de ma tête.

— Mais alors, avec qui ai-je bien pu m'entretenir ?

— Il me semble t'avoir vu dire quelques mots à Emmanuel Ungaro.

Le lendemain, ou quelques jours après, une de mes amies tomba sur Ungaro dans la rue de Bellechasse.

— Ton ami d'Ormesson, lui dit le grand couturier, n'est pas antipathique. Mais il est vraiment bizarre. Il ne m'a parlé que de dollars et de mouvements financiers.

MOI : Et, tel que vous êtes, vous avez fait une grande carrière dans vos postes à la remorque de l'Unesco ?

MOI : Une grande carrière, non. Non, sûrement pas. Encore que…

MOI : Encore que, patibulaire déchet ?…

MOI : Encore que, tout à fait à mes débuts j'avais réussi à organiser, et en fait à sauver, une assemblée générale à risques et un peu menacée à laquelle participaient des historiens, des linguistes, des philosophes, des anthropologues, des historiens de l'art venus de tous les horizons. Parmi eux figurait un grand historien anglais, sir Charles Webster. Au cours d'une conversation que m'avait rapportée en se tordant de rire Ronald Syme, peu porté aux effusions sentimentales et aux valses des récompenses, Charles Webster lui avait parlé de moi en termes indulgents et flatteurs.

— Il faudrait faire quelque chose pour ce jeune d'Ormesson qui ne me paraît pas mal du tout...

— Ah ! oui, avait répondu Syme d'un ton distrait. Mais quoi ? Il ne fait que son travail. Nous n'allons tout de même pas lui offrir une cravate ou une montre ?

— Non, bien sûr, avait dit sir Charles, l'air rêveur. Mais peut-être... peut-être pourrait-il épouser une Anglaise ?

MOI : Et vous avez épousé une Anglaise ?

MOI : Non. Je n'ai pas épousé une Anglaise. Et je n'ai pas non plus fait une grande carrière internationale. Je crains même d'avoir fait circuler une définition un peu cruelle de l'Unesco : « Un fromage sur un nuage. » Et d'avoir traité, non pas de langue de bois, mais de langue de guimauve les tirades interminables et souvent ampoulées des délégués au Conseil exécutif. Et j'ai vu avec un peu de chagrin les rênes de l'Unesco passer, au fil des ans, des mains des artistes et des créateurs aux mains des diplomates, puis des mains des diplomates aux mains des financiers.

Mais, vous le savez déjà, très digne Sur-Moi, j'ai aimé mes longues années à la marge de l'Unesco. Trop longues, peut-être. J'aurais dû quitter mes universitaires, mes colloques, mes travaux savants, mes bibliographies huit ou dix ans plus tôt. Et consacrer mon temps à écrire quelques livres de plus. Ah ! que voulez-vous ? J'étais attaché aux projets que nous avions soutenus et dont le caractère trop spécialisé et érudit soulevait parfois l'ironie et même l'irritation d'un Conseil exécutif qui ne voyait pas l'intérêt d'une bibliographie de la linguistique ou d'un corpus des vases antiques.

— Des fragments de vases, des tessons de bouteilles, avait grommelé un délégué de je ne sais plus quel pays.

Il arrivait à mon organisation savante d'être attaquée à l'Unesco, mais elle y était aussi défendue par des amis fidèles et passionnés. Impossible de ne pas citer ici, Sur-Moi des cours et des villes, le plus parisien des Brésiliens, un disciple d'Auguste Comte dont la devise *Ordem e Progresso* figure en portugais sur le drapeau brésilien, un familier de la culture française : Paulo de Berredo Carneiro.

Paulo Carneiro était l'éloquence même. Une éloquence qui paraîtrait aujourd'hui sans doute un peu datée – mais efficace et brillante. Au fil de ses interventions qui attiraient toujours une foule d'auditeurs, je l'ai vu et entendu subjuguer l'Assemblée générale et le Conseil exécutif en un français parfait où se jouaient toutes les nuances des sentiments et de l'émotion. Avant lui, un ambassadeur brésilien du nom de Souza Dantas avait fait longtemps les beaux jours et les belles nuits de Paris. Après lui, un troisième ambassadeur brésilien, fils d'un médecin célèbre qui avait découvert la maladie qui porte son nom, médecin lui-même, Carlos Chagas, allait prendre le relais et devenir mon ami.

Carlos Chagas ressemblait au professeur Nimbus. Il avait quatre filles. À la veille d'une de mes missions au Brésil, il m'avait donné leur numéro de téléphone. J'arrivai à Rio avec une vague angine et bourré d'antibiotiques. C'était la fin de l'automne ou l'hiver chez nous. La fin du printemps ou l'été au Brésil. Avec une belle inconscience, je me jetai – pour me guérir – sur la plage de Copacabana sous le soleil des tropiques qui n'a pas grand-chose à voir avec notre pâle soleil de Normandie ou d'Île-de-France. Le soir, dans ma chambre d'hôtel, comme à Saint-Fargeau au temps de la spirochétose, une fièvre élevée me tomba dessus. Je ne connaissais plus personne à Rio. Au bord de l'évanouissement, je composai le numéro que m'avait confié Carlos. Et je sombrai dans quelque chose entre coma et sommeil.

Je me réveillai la tête en feu, mais au paradis. Sortis d'un tableau de Raphaël, deux anges blonds m'entouraient. Je mis quelques minutes à comprendre que j'étais encore sur terre et que les deux créatures célestes au sourire enchanteur étaient les filles de Carlos Chagas. Elles étaient venues avec un médecin qui était sur la liste des candidats au Nobel : elles l'envoyèrent à la pharmacie m'acheter un thermomètre et des médicaments. Sur beaucoup de plans différents, je dois beaucoup au Brésil qui, avec la Bavière et la Roumanie, avec l'Italie évidemment, est ma deuxième patrie.

MOI : On dirait – c'est très curieux... – que le monde tourne autour de vous. Vous occupez un poste modeste dans l'organisation internationale du savoir. On pourrait attendre quelques réflexions, plus ou moins bienvenues, sur la place de la science et de la culture dans le monde moderne. Pas du tout. Vous nous parlez de votre fièvre et de quelques jeunes et belles personnes qui la font, j'hésite, ou monter ou tomber.

MOI : Le monde, immuable Sur-Moi, tourne autour de chacun de nous. Au point qu'il est permis de soutenir que l'univers n'existe que parce que nous existons.

Selon la formule célèbre, une vie ne vaut rien, mais rien ne vaut une vie. Je croyais que j'étais là pour répondre de la mienne, sur la mienne et, à la limite, autour de la mienne.

MOI : Disons-le tout de suite – et passons à autre chose : vous n'avez joué aucun rôle dans l'histoire de l'annexe scientifique et culturelle de l'Organisation des Nations unies.

MOI : Pas le moindre, assurément. Et pourtant…

MOI : Et pourtant ?… Encore une gaffe, j'imagine ? Crachez donc le morceau, vaniteux petit Moi.

MOI : L'Unesco avait décidé de célébrer la figure et l'action d'un grand philosophe : Karl Marx. J'avais été chargé d'organiser un colloque international. Je m'étais mis au travail avec une espèce d'enthousiasme.

J'avais l'habitude de ce genre de manifestation. En mai 1968 déjà, j'avais réuni un colloque sur Kierkegaard où j'avais invité, parmi beaucoup d'autres, Jean-Paul Sartre et Marcuse. Si Marcuse était à Paris au printemps 1968, c'était, en partie au moins, à cause de moi. Pour le colloque sur Karl Marx, j'avais invité des Russes et des Américains, des philosophes et des historiens de ce que nous appelons aujourd'hui les « pays émergents » et que nous appelions alors les « pays non engagés » ou le « tiers monde », des communistes et des non-communistes – Raymond Aron, par exemple. Sir Ronald avait demandé à participer pour rendre hommage, selon ses mots, à « un bon travailleur ».

Les relations entre l'Unesco et les États-Unis, à cette époque-là, s'étaient beaucoup détériorées, jusqu'à devenir franchement mauvaises. Organisé par mes soins, le colloque sur Marx fut la goutte d'eau minuscule qui fit déborder le vase. L'ambassadeur d'Amérique auprès de l'Unesco était alors une femme, Mme Gerard si mes souvenirs sont exacts. Elle prit feu et flamme.

À cette époque, très multiple Sur-Moi, dans un autre épisode de notre saga dérisoire – *Quatre-vingt-dix ans chrono...* –, filière journalisme, j'écrivais chaque samedi un long éditorial dans *Le Figaro Magazine*, dirigé par un écrivain, auteur d'un livre sur lequel j'avais exprimé des réserves mais qui avait connu un grand succès, *Le Matin des magiciens* : Louis Pauwels. Disons les choses comme elles sont : *Le Figaro Magazine* de Pauwels était marqué franchement à droite. C'est là que les choses prennent un aspect comique. Dans un numéro du *Figaro Magazine*, quelques pages à peine après mon article qui ne s'inscrivait pas vraiment dans un contexte de gauche, figurait une grande photographie de Mme Gerard avec, à la main, une affiche annonçant le colloque Karl Marx à l'Unesco. L'ambassadeur des États-Unis dénonçait avec véhémence cette manifestation promarxiste dont elle ne citait pas l'organisateur. L'organisateur, c'était moi.

MOI : Peut-être pourrions-nous mettre fin ici, bureaucrate peu éclairé, à cette trop longue audition de vos exploits planétaires ?

MOI : Pardonnez-moi, implacable Sur-Moi, cette insistance, sûrement exagérée. J'ai passé plus de quarante années, à l'ancien hôtel Majestic d'abord, avenue d'Iéna, devenu de nos jours un palace international, puis rue Franklin, puis place de Fontenoy, puis rue Miollis, à l'ombre de l'Unesco. Rue Franklin, mon bureau était situé à côté de la maison où vécut longtemps Clemenceau. La lumière pénétrait à peine dans son cabinet de travail : un arbre dépendant du collège Franklin lui bouchait la vue. Des amis de Clemenceau l'invitaient à écrire au supérieur de Franklin pour lui demander d'élaguer la branche envahissante. Le Tigre se refusait avec obstination à toute démarche auprès d'un curé. Ses amis intervenant à son insu, le supérieur fit couper la branche. Clemenceau lui envoya une lettre de remerciements qui commençait par ces mots : « Mon Père – je peux bien vous accorder ce titre puisque vous m'avez donné le jour –... »

Vous comprendrez, ineffable Sur-Moi, que cette multitude de souvenirs liés à tant d'événements et d'amis inoubliables m'ait longtemps occupé.

MOI : Point final. Passons à autre chose. *(Consultant ses notes.)* Voyons...

MOI : Ah ! Un mot encore, très patient Sur-Moi. Vers la fin de mon séjour en forme d'imposture dans cette citadelle du savoir planétaire, il y aura encore une grande figure qu'il m'est impossible de passer sous silence. Comme dans un *nô* japonais, un personnage s'avance qui a compté pour moi presque autant, et peut-être plus – et ce n'est pas peu dire –, que sir Ronald Syme. C'est une philosophe, une femme et une amie.

Mon correspondant le plus proche au sein même de la Grande Maison était le chef de la division de philosophie de l'Unesco. Un beau jour fut nommée à ce poste – parité obligeait déjà – une femme dont la réputation, déjà grande, m'inquiétait beaucoup.

De bonnes âmes m'avaient prévenu : elle était odieuse. Suisse d'origine polonaise, juive, communiste, d'un physique peu avenant, d'un caractère très difficile, elle allait me rendre impossible une vie jusqu'alors supportable. D'autres âmes, tout aussi bonnes, l'avaient alertée de son côté. Elle allait avoir affaire à un individu assez médiocre, très plein de lui-même, superficiel, mondain, dont il n'y avait rien à attendre : c'était moi.

La première fois que je la rencontrai, la mort dans l'âme, je fus aussitôt subjugué et ébloui. J'ose le dire, très tendre Sur-Moi, ce fut comme un coup de foudre. Elle, pour sa part, je crois, ne me détesta pas aussitôt. Elle s'appelait Jeanne Hersch.

Jeanne Hersch est une des femmes que j'ai le plus aimées. Elle enseignait la philosophie à Genève. Elle était l'élève favorite de Karl Jaspers, l'amie de Jean Starobinski, du père Fessard, de Raymond Aron. Elle n'a jamais cessé de me témoigner une bienveillance indulgente, affectueuse et sévère.

Sur les routes d'Italie qu'il connaissait comme sa poche, à Xi'an, à Lahore, aux quatre coins du monde, dans mon gourbi de la rue Miollis où j'arrêtais le chauffage en hiver pour raccourcir les visites des raseurs qui, s'ennuyant dans leur bureau ou à leurs réunions, venaient se distraire avec moi, sir Ronald Syme a enchanté mon existence. Entre deux lettres à des auteurs, entre deux lectures d'épreuves, Roger Caillois m'a appris la rigueur, le sens des mots, une certaine forme d'exigence qui m'était étrangère. Jeanne Hersch m'a élevé un peu – très peu, bien sûr, très haut Sur-Moi –, mais enfin un peu au-dessus de moi-même.

Le peu que j'ai appris dans le domaine qui était censé être le mien, c'est à elle que je le dois. Je n'avais rien compris à la philosophie. J'avais lu Platon et Descartes. J'avais essayé de lire un peu de Spinoza et de Kant. Je me débattais parmi les présocratiques. Avec une patience et une douceur angéliques, elle a éclairé pour moi le monde obscur du savoir. Ne croyez pas, invraisemblable Sur-Moi, que j'aie bénéficié de leçons particulières dispensées par Jeanne Hersch. Mais à tout petits coups de réserves et de conseils, avec amitié, presque sans y toucher, elle m'a encouragé en me faisant à la fois honte de mon ignorance et confiance pour l'avenir.

Jeanne Hersch avait du caractère. Ses adversaires allaient jusqu'à prétendre qu'elle avait un caractère difficile. Je me souviens d'une séance de travail sur les droits de l'homme au Conseil exécutif de l'Unesco où, exaspérée par les atermoiements d'un certain nombre de délégués, elle avait soudain explosé et dénoncé, au scandale de beaucoup, une Organisation qui se grisait de grands mots et payait à un taux dérisoire les travailleurs étrangers en train de nettoyer les vastes fenêtres vitrées de la salle où travaillait le Conseil et qu'elle montrait du doigt.

Jeanne Hersch laisse derrière elle, sous le titre *L'Importance d'être un homme*, un ouvrage important sur la diffusion des droits de l'homme à travers la planète. Une maxime foudroyante figure dans ce recueil : « N'importe quel tyran est capable de faire chanter à ses esclaves des hymnes à la liberté. »

Un été, en Suisse, près de Fribourg, dans une maison de famille de ma femme Françoise, j'avais écouté en allemand, peu après notre rencontre, une série de cours radiophoniques de Jeanne sur l'histoire de la philosophie. J'avais, une nouvelle fois, été émerveillé par ce qui faisait le propre de sa pensée : une simplicité qui allait jusqu'à la racine des idées et des mots, une espèce de profondeur liée à la transparence. L'eau du savoir était si claire avec elle que vous vous y plongiez avec bonheur jusqu'à toucher le fond. Je lui demandai s'il existait un texte français de ces cours en allemand. Elle me répondit que oui. Je la suppliai de les publier chez un éditeur parisien.

— Je ne demande pas mieux, me dit-elle. Mais vous vous en occupez.

Pour une fois, très actif Sur-Moi, je me suis occupé de quelque chose. J'ai pris ma tâche au sérieux. J'ai proposé, sans trop de succès, le texte de Jeanne Hersch à quelques éditeurs. Après plusieurs échecs, l'un d'eux, Éric Vigne, chez Gallimard, me proposa de le publier directement dans la collection de poche « Folio », sous le titre *L'Étonnement philosophique*.

À ma surprise enchantée – et à celle, je crois, de Jeanne Hersch –, le succès fut immédiat. Sans l'appui de la radio ni de la télévision, sans éloges dans la presse (sauf un mince article de votre humble serviteur dans *Le Figaro Magazine* qui ne pouvait pas passer pour une revue de philosophie), le tirage dépassa toute espérance.

Souvent, des jeunes gens, ou des parents de jeunes gens, ou de simples amateurs me demandent quelle pourrait être la meilleure introduction à la philosophie. Je réponds immanquablement : *L'Étonnement philosophique* de Jeanne Hersch dans « Folio ».

Presque tout ce que je sais en matière de philosophie, je l'ai, sinon découvert, du moins compris avec Jeanne Hersch. Un exemple, un seul, impatient Sur-Moi.

MOI : Bon. Si vous y tenez… Mais nous prenons du retard.

MOI : Tout au début de l'histoire du savoir, à Éphèse et sur la côte ionienne, ou à Élée, en Grande Grèce – c'est-à-dire en Italie du Sud –, les présocratiques, Thalès, Anaxagore, Anaximandre et les autres, s'interrogent sur les fondements de l'univers et de l'existence. Les uns parlent de l'eau, les autres de l'air, d'autres encore du feu ou de l'infini – ἄπειρον –, personne ne comprend grand-chose à ce galimatias, qui ne repose d'ailleurs que sur des fragments épars, échappés à la destruction. Jeanne Hersch explique, souveraine, qu'il s'agit simplement de trouver, sous le changement, qui est la loi de ce monde, sous le passager et le périssable, dans ce temps qui emporte tout, quelque chose, enfin, d'immuable et de constant.

Plus tard, Héraclite, à Éphèse, et Parménide, à Élée, incarnent l'un le flot continuel du changement périssable – πάνια ῥεῖ, « tout passe » –, l'autre la permanence de l'Être auquel il est inutile et vain et, mieux encore, interdit, d'opposer le Néant : « L'Être est, le Non-Être n'est pas. » Toute l'histoire de la philosophie à venir se décline sur cette opposition : du côté de Parménide, l'être et la substance, Spinoza et Heidegger ; du côté d'Héraclite, la dialectique de Hegel et de Karl Marx.

MOI : Dites donc, jeune homme : il ne faudrait pas abuser. Saltimbanque de la culture, funambule du savoir, il me semble que vous ne détestez pas faire vos numéros. En voilà encore un. Il serait peut-être temps de vous arrêter et de revenir à un peu de modestie qui, à mon avis, vous siérait plutôt mieux.

MOI : Pardonnez-moi, cruel Sur-Moi. Un dernier mot, je vous prie…

MOI : Encore !

MOI : Lorsque Jeanne Hersch a quitté son poste à l'Unesco, savez-vous, prince de l'histoire faite et en train de se faire, par qui elle a été remplacée à la tête de la division de la philosophie ?

MOI : Vous êtes là pour nous le dire.

MOI : Par Marie-Pierre qui avait, entre-temps, après Simon Nora – pourquoi inventer des romans quand vous avez la vie ? –, épousé Maurice Herzog, lassé de Nine qui l'aimait trop, et dont elle était déjà, à son tour, séparée après lui avoir donné une fille, Félicité, qui allait allier la beauté au goût de l'écriture et publier sur son père un livre appelé à faire du bruit.

J'en ai fini, très patient juge et auditeur, avec le Conseil de la philosophie et des sciences humaines, avec Diogène et Caillois, avec l'Unesco, avec sir Ronald, avec Jeanne Hersch. Nous pouvons passer…

MOI : C'est moi qui décide, vermisseau. C'est moi qui décide si nous allons passer à autre chose – et à quoi…

MOI : Je vous proposais humblement, Sur-Moi de la superbe et de l'autorité, de passer enfin à une autre filière…

MOI : Quelle filière, orgueilleux abruti ?…

MOI : La filière livres, grand Sur-Moi. La filière littérature.

MOI : Je pensais bien qu'il faudrait, un jour ou l'autre, en passer par là. Allons-y.

MOI : Vous vous souvenez peut-être, inaccessible Sur-Moi, que tout au long de mon enfance et durant une bonne partie de ma jeunesse je mettais les livres et la littérature si haut qu'ajouter quoi que ce fût à Homère, à Eschyle, à Horace, à Cervantes, me paraissait inutile et plutôt inconvenant. Un beau jour pourtant, au lendemain de l'agrégation, vers mes débuts à l'Unesco, l'envie me vint, irrésistible, de pondre quelque chose qui pourrait passer pour un livre.

MOI : Mais qu'est-ce qui vous a pris, Eugène Sue au rabais, Ponson du Terrail à la traîne ?

MOI : Très miséricordieux Sur-Moi, je voulais plaire à une fille.

MOI : Quelle fille ? Greffier !...

MOI : Même Landru, Sur-Moi des cours et des assises, même Landru invoquait le droit de s'abriter derrière le mur de la vie privée...

MOI : Avez-vous au moins été récompensé de votre délire d'amour et de littérature ?

MOI : Pas du tout, Votre Honneur. Elle préférait à juste titre les coureurs automobiles. De mon manuscrit, en tout cas, j'ai fait le meilleur usage. Je l'ai déposé, comme il fallait, sans la moindre recommandation, entre les mains de la demoiselle de l'accueil des Éditions Gallimard, situées, en ces temps reculés, au 5 de la rue Sébastien-Bottin, devenue de nos jours le 5 de la rue Gaston-Gallimard. Changement d'adresse, mais non de décor.

J'aurais pu envoyer mon ours par la poste. Mais j'habitais rue du Bac, à deux pas, au coin de la rue de Varenne. J'ai préféré jouer moi-même, en cette noble occurrence, le rôle d'Hermès aux pieds légers.

Depuis maintenant pas mal d'années, je reçois tous les jours que Dieu fait entre deux et cinq manuscrits.

On dirait qu'une proportion non négligeable de nos contemporains s'est mise soudain à écrire avec mon nom en tête. Je ne suis ni critique ni éditeur. Le seul moyen d'être édité consiste à envoyer le fruit de ses nuits d'insomnie à l'une ou l'autre de nos maisons d'édition. Mes correspondants s'écrient volontiers :

— Mais vous le savez bien ! il faut être connu pour avoir une chance d'être édité. Le tout-venant n'est même pas lu...

Tout est faux dans ces arguments. Les éditeurs font leur travail. Il leur arrive de se tromper, mais ils lisent les manuscrits. Et mon nom était totalement inconnu du milieu littéraire quand je me suis présenté, les mains nues, rue Sébastien-Bottin.

J'étais jeune – déjà plus très jeune... –, inepte, impatient, orgueilleux. Il aurait fallu attendre quelques semaines ou peut-être quelques mois une annonce anonyme d'acceptation ou de refus. J'attendis quinze jours une réponse manuscrite de Gaston Gallimard. Du genre de celles qu'il envoyait à Proust, à Gide, à Claudel. Elle ne venait pas. Un samedi soir, après le boulot, vers six heures et demie ou sept heures, je déposai le double de mon chef-d'œuvre chez la demoiselle de l'accueil des Éditions Julliard, juste en face de Gallimard, au 30 de la rue de l'Université. Le dimanche matin, avant huit heures, le téléphone sonnait chez mes parents, rue du Bac. C'était René Julliard.

Plutôt grand derrière ses lunettes, volontiers chaleureux, éditeur à succès de Françoise Sagan et de beaucoup d'autres, René Julliard avait passé une bonne partie de la nuit à lire mes élucubrations. Croyez-moi si vous voulez, dolmen de justice et d'impartialité, il était franchement enthousiaste.

— C'est un petit chef-d'œuvre. C'est aussi bien que Sagan. Ce sera un grand succès.

Un bonheur m'envahit. Le contrat m'attendait. J'allai le signer aussitôt. Dans les années qui suivirent, René Julliard publia encore quatre ou cinq de mes livres. Aucun ne fut un grand succès. René Julliard me confiait sa perplexité. J'avais un adversaire. Et de taille. *Le Figaro* refusait toute mention de mon nom.

— C'est curieux, me disait Julliard. On dirait que c'est la guerre entre *Le Figaro* et vous.

C'était la guerre. Par ma faute. Une double faute. *Le Figaro* était dirigé de main de maître par un grand journaliste. Pierre Brisson avait pris la tête du *Figaro* vers le milieu des années 1930. Le journal connaissait alors un tirage encore modeste. En moins de dix ans, Brisson l'avait hissé au premier rang de la presse française. Bon connaisseur du théâtre, auteur d'un beau *Molière*, Pierre Brisson, malheureusement, écrivait aussi des romans. Parce qu'il était le directeur d'un journal qui commençait à devenir puissant, la critique presque unanime chantait les louanges du romancier. À cette époque-là, l'idée d'écrire des livres ne me passait pas encore par la tête, mais des gazettes d'étudiants ou des journaux aujourd'hui disparus, tels, par exemple, qu'*Arts*, où apparaissaient de temps en temps les noms de Jacques Laurent, de Blondin ou de Nimier, me demandaient parfois des articles. On m'envoya *Double Cœur* de Brisson pour lui tresser quelques lauriers. Je dis du livre ce que j'en pensais et ce qu'il fallait en penser : il était à peu près nul. Mais je ne pus m'empêcher de terminer l'article par une clausule un peu définitive : « Il y a tout de même une justice : on ne peut pas à la fois être directeur du *Figaro* et avoir du talent. »

Cette phrase malheureuse eut au moins deux conséquences. La première, immédiate : frappé d'excommunication majeure, rejeté d'emblée dans l'enfer de la liste noire, mon nom, pendant des années, a été banni avec rigueur des colonnes du *Figaro*. La seconde, à plus longue échéance : quinze ou vingt ans plus tard, Sur-Moi de l'ironie et des coups de théâtre, je devenais moi-même directeur du *Figaro*. Je réunissais les journalistes et je leur assurais qu'il était inutile de me rappeler ces paroles fatidiques : je me souvenais fort bien de les avoir prononcées.

Il me faut maintenant, prince de la souveraine justice, aller un peu plus loin. Dans l'hostilité du *Figaro* à mon égard, il y avait encore autre chose que ma phrase malheureuse ou peut-être trop heureuse sur les relations entre le journalisme et la littérature. À chaque fois que j'aborde un nouveau pli de ce tissu qui fait notre existence, il me semble toucher à l'essentiel. Mes parents étaient l'essentiel. Mes études étaient l'essentiel. La rue d'Ulm était l'essentiel. Les sciences humaines étaient l'essentiel. Les livres étaient l'essentiel. Voici qu'un essentiel nouveau se profile à l'horizon. Et cet essentiel nouveau, autour duquel semblent tourner enfin et ma vie et ce procès, juge suprême du Sur-Moi, c'est une faute que j'ai commise.

Il y avait d'un côté Saint-Fargeau, que vous commencez à connaître, Sur-Moi des tours et des forêts. Et de l'autre côté – un peu, si vous voulez, et pour me vanter sans fin, comme Méséglise et Guermantes – Ormesson, où vivaient Wladimir, le frère de mon père, la vedette du *Figaro*, l'ami de Pierre Brisson, sa femme Conchita et la tribu de mes cousins : trois filles et trois garçons. J'avais un faible pour André, le méchant garçon, si amusant, si séduisant, qui aimait les dames et le plaisir, et que le plaisir et les dames aimaient aussi en retour.

Le bruit courait qu'en Argentine il avait un peu écorné les biens de son père pour offrir des diamants à une actrice de la Comédie-Française – était-ce Lise Delamare ? – en tournée à Buenos Aires sous la houlette de Louis Jouvet. L'affaire rappelait, en moins sérieux, la détresse d'un représentant de la France dans un pays des Balkans dont le fils avait vendu à son profit des tapisseries appartenant à l'État. Le malheureux diplomate avait alors écrit à son ministre des Affaires étrangères à Paris une lettre de repentir restée célèbre. Elle s'ouvrait sur ces mots : « Père elle-même, Votre Excellence comprendra mieux que personne les sentiments... »

Le frère d'André, Antoine, dont le domaine était la musique, avait épousé une Espagnole, fille elle-même de diplomates. J'écris son nom en tremblant. Je ne l'ai plus jamais prononcé, enfouissant son souvenir dans un oubli honteux, le faisant apparaître ici ou là sous le masque de *C.* Elle s'appelait Charete.

Comme Marie-Pierre, Charete n'était pas une beauté dans le style de Grace Kelly ou de Marella, l'épouse de Gianni Agnelli, ou d'Anne-Marie Deschodt, la femme de Louis Malle, puis du peintre Rougemont. Elle était, comme on dit, beaucoup plus et beaucoup mieux. Elle avait la grâce, le charme, l'intelligence, la beauté du diable. Je ne voudrais pas me laisser aller, cher et illustre ami, à vous faire perdre votre temps…

MOI : Je ne perds pas mon temps. Je vous écoute. Et je ne suis pas votre camarade. Je suis votre juge.

MOI : Je vais le plus vite possible. Pour vous d'abord. Pour moi ensuite. Je voudrais que ce calice fût déjà derrière moi. Elle était vive et attirante. Nous ne cessions de nous voir. Antoine et Charete habitaient un pavillon devant le château où vivaient mon oncle Wladimir et ma tante Conchita – aux noms étranges et flamboyants. Ils me recevaient avec amitié. Je faisais le malin. Je voulais plaire. Une flamme habitait ma cousine. Elle s'ennuyait un peu. Un jeu de séduction se mettait lentement en place. Nous nous jetions vers l'abîme. Les yeux clos, et grands ouverts. J'avais le goût de la catastrophe. Vous connaissez l'histoire. Je l'ai déjà racontée. J'ai enlevé Charete. Nous sommes partis tous les deux.

MOI : Il n'y a pas de quoi se vanter.

MOI : Je ne me vante pas. Dans une famille comme la mienne, le vaudeville bourgeois se changeait en tragédie. Vous savez ce que je suis, estimable vieillard ?

MOI : Oui, je le sais. Mais c'est vous qui le direz.

MOI : Je suis un menteur et un traître.

MOI : Eh bien ! Nous y voilà.

MOI : Très doux vieillard, il y a pire.

MOI : Pire ?… Vraiment ?

MOI : Vraiment. N'insistons même pas sur la bassesse des sentiments qui m'agitaient. Peut-être avais-je contracté en hypokhâgne et en khâgne le virus de l'émulation. Il me fallait toujours l'emporter sur les autres, marquer mon territoire, masquer mes faiblesses sous d'apparents et dérisoires succès. J'étais coupable, pyramide d'innocence, à l'égard d'une famille qui m'avait traité avec indulgence et bonté. J'étais plus coupable encore à l'égard de Charete. Après l'avoir – faut-il dire : enlevée ? –, je l'ai abandonnée. Elle m'aimait peut-être. Je n'ai pensé qu'à moi. Quelque chose me submerge : c'est la honte.

MOI : Je vois ça. Le tribunal n'est pas dupe. Vous essayez de vous faire passer, au moins à vos propres yeux, pour une espèce de Valmont. Vous n'êtes qu'un traître – et un lâche.

MOI : Une phrase me brûle, torrent de la mémoire. Autour de ces années-là, une guérilla parisienne et littéraire m'opposa plus d'une fois à un des écrivains les plus brillants de ma génération : il s'appelait Bernard Frank. Je ne sais pas si son nom dit encore quelque chose aux jeunes gens d'aujourd'hui. Il était né dans l'entourage de Sartre et à l'ombre de la couveuse de talents que constituait alors la revue *Les Temps modernes*. C'est lui qui avait inventé le nom de *hussards* qu'il attachait à un groupe de jeunes gens exaltés et doués, emmenés par Nimier, par Blondin, par Jacques Laurent, par Michel Déon. Je n'appartenais pas aux hussards. Mais je virevoltais autour d'eux. Nous échangions, Bernard Frank et moi, des coups de poignard et de griffe. Bernard avait un grand talent. Il l'emportait sur moi. Jusqu'au jour où, grâce à la générosité de Jean Daniel et de son équipe, *Le Nouvel Observateur* m'ouvrit ses colonnes, où il officiait, pour répondre aux attaques de mon bourreau le plus intime. Je fis de mon mieux et je réglai mes comptes envers lui avec une ombre de succès. Un souvenir me vrillait : il m'avait lancé deux torpilles qui m'avaient secoué. La première : que je n'avais pas assez souffert pour devenir jamais quelque chose comme un grand écrivain ; la seconde : que ce qui me manquait le plus, c'était le courage.

Si le courage m'a jamais manqué, père de grandeur et d'équité, c'est d'abord avec Charete. Je me suis beaucoup accusé de m'être conduit de façon indigne à l'égard d'une famille qui ne m'avait fait que du bien. Je ne me suis pas assez accusé de m'être conduit plus mal encore à l'égard de Charete que j'avais poussée, par orgueil, par vanité, à aimer quelqu'un qui ne le méritait pas. Je me traîne à ses pieds. Qu'elle me pardonne, où qu'elle soit, d'avoir été contrainte par moi à finir par me mépriser.

Comme tous les menteurs, j'étais enfermé dans un cercle de feu. J'ai poussé mon père au désespoir. Il aimait son fils – c'était moi – et il aimait son frère. Impavide de partialité, ma mère essayait, mais en vain, de me soutenir. C'était une tâche sans espoir. Finissons-en, maître de justice. Condamnez-moi. Je me tairai.

MOI : Trop facile, fangeux rebut. Vous parlerez, au contraire. Vous ferez le malin. Mais tout ce qui va venir encore sera marqué de votre honte. Vous serez condamné à vivre dans le remords.

C'est moi maintenant qui vous le demande : parlez-moi de votre père qui était si lié avec son frère. Entre votre père et vous, je vois les rapports s'inverser. À l'affection, à la tendresse, à l'estime, qu'est-ce qui a bien pu succéder ?

MOI : Le souvenir de la fin de mon père que ma conduite avait désespéré est une plaie dans mon cœur. Je ne vous en dirai pas beaucoup plus, estimable vieillard. La crise de l'adolescence, j'ai dû la connaître très tard. J'ai été odieux avec mon père vieillissant. Je devais tenter, j'imagine, de me libérer coûte que coûte du poids que sa douceur écrasante faisait peser sur moi. À la soumission affectueuse, ou même tendre, que je lui témoignais se substituait peu à peu, sinon une hostilité, du moins une sorte de hargne. Il faut reconnaître, grand vieillard, que sa rigueur jansénisante ne me rendait pas la tâche facile. À l'âge de dix-neuf ou vingt ans, habitant toujours chez mes parents, par paresse, je suppose, ou par incapacité, déjà normalien ou sur le point de le devenir, je me ruais sur le téléphone dès qu'il se mettait à sonner. Car si mon père me précédait et distinguait une voix de femme ou de jeune fille en train de prononcer mon nom, je l'entendais répondre d'un ton irrité :

— Vous voulez parler à mon fils ? Qu'est-ce que vous lui voulez encore ?

Peut-être m'est-il resté quelque chose de cette course perpétuelle et vaguement sexuelle au répondeur téléphonique : mes proches prétendent que je me précipite toujours en hâte vers la moindre sonnerie.

Des souvenirs par bribes. Je m'efforçais de lire, avec peine, l'*Introduction à la philosophie de l'histoire* de Raymond Aron. À table, la conversation, toujours vive, en vient à rouler sur les grandes premières du théâtre français : le triomphe du *Cid* à la fin de 1636 ou au début de 1637, qui donne du jour au lendemain la gloire à Pierre Corneille ; la bataille d'*Hernani*, en 1830, avec Gautier en gilet rouge ; la première de *Cyrano de Bergerac* en 1896, l'enchantement du public, les applaudissements de la salle entière debout pendant près de vingt minutes, le président de la République ôtant sa Légion d'honneur pour la remettre à Rostand. Mon père aimait *Cyrano* qu'il savait par cœur comme tous ceux de sa génération – y compris la dédicace de la pièce à Coquelin par Rostand : « C'est à l'âme de Cyrano que je voulais dédier ce poème. Mais puisqu'elle a passé en vous, Coquelin, c'est à vous que je le dédie. » Je ne sais trop pourquoi, par snobisme probablement, par soumission à la mode intellectuelle autour de moi, je pris feu et flamme. Je comparai *Cyrano de Bergerac* aux *Cloches de Corneville* et je réduisis en cendres l'œuvre de Rostand qui devait, plus tard, m'enchanter à mon tour. Sur ce détail minuscule qui nous opposait pour la première fois, mon père ne cacha pas sa tristesse. Je trouvais sans trop de peine d'autres occasions de me heurter à lui. On eût dit que je les cherchais. Me revient soudain à l'esprit une discussion qui tournait autour du sentiment de l'honneur. Je me permettais de donner des leçons d'honneur à mon père.

Je suis tombé récemment, maître des psychologues et de leurs psychologies, sur une page de Stefan Zweig tirée de *La Confusion des sentiments*, où je me suis retrouvé autour de mes vingt ans : « La nature, conformément à son devoir mystique qui est de préserver l'élan créateur, donne à l'enfant l'esprit de révolte et le mépris des goûts paternels. Elle ne veut pas d'une succession tranquille et indolente, d'une simple continuation, d'une répétition d'une génération à l'autre : elle commence toujours par introduire la discorde entre les êtres de même nature et ce n'est qu'après un pénible et fécond détour qu'elle permet aux descendants de rejoindre la voie des aïeux. »

Avec mes hontes et mes folies, j'ai désespéré mon père. Il est mort dans une clinique de la rue Oudinot, à peu près à l'époque où René Julliard s'étonnait du peu de succès de mes premiers griffonnages. C'est presque avec soulagement, avec un bonheur amer, avec une sorte d'enthousiasme épuisé que j'écrivis d'une traite les pages qui, dans mon esprit, allaient être les dernières. Un salut au public. Un pied de nez. Une ultime révérence. Un testament ironique. *Au revoir et merci* constituait mon adieu à une littérature qui, comme la philosophie, ne voulait guère de moi.

Le temps passait. Il ne fait que ça. La guerre d'Algérie prenait fin. Mai 1968 déferlait.

MOI : Ah ! Vous allez enfin nous parler d'autre chose que de vous. Et nous allons en savoir un peu plus sur les temps que vous avez vécus : quel regard jetez-vous sur l'histoire en train de se faire dans la seconde moitié du siècle écoulé ? Quelle part prenez-vous à la marche des événements, au combat des idées ?

MOI : L'histoire en train de se faire, très illustre maître, je m'en suis un peu occupé, surtout à partir de la mort de Georges Pompidou : chacun a le droit de s'asseoir au café du Commerce et de raconter n'importe quoi. Je n'ai pourtant pas grand-chose à ajouter à ce que tout le monde connaît déjà : la ronde des ministères, l'éternelle querelle entre la gauche et la droite, le déclin du parti communiste, les drames de la décolonisation après les horreurs du colonialisme, la succession des grèves, la montée en force du sport, l'attente impatiente et le refus obstiné du changement, la méfiance, le mécontentement, le pessimisme croissants des Français. Longtemps, les Français ont passé pour gais, spirituels, légers, insouciants. Ils sont devenus, selon le mot fameux de Cocteau, des Italiens de mauvaise humeur.

Que s'est-il passé chez nous tout au long de la seconde moitié du XXe siècle, pendant que le communisme triomphait et déclinait, pendant que la Chine ressuscitait d'un long sommeil historique, pendant que l'Église catholique s'affaiblissait chez nous en attendant Jean-Paul II ? Presque rien. Deux choses seulement, mais décisives : grâce au général de Gaulle, la France vaincue a fini par rejoindre le camp des vainqueurs et, dans le même mouvement irrésistible de l'histoire, elle a perdu la presque totalité des territoires extérieurs qui composaient son empire. Tout le reste n'est qu'une écume plus ou moins honorable qui ne laissera aucun souvenir dans la mémoire des hommes. Personne ne se souviendra dans trois ou quatre cents ans de la suite des présidents et des gouvernements, de leurs minces ambitions et de leurs vastes intrigues, de leurs contradictions et de leur continuité, d'une sorte d'endormissement à la limite du déclin. Comme pour la guerre du Péloponnèse, pour la guerre de Cent Ans ou pour la guerre de Trente Ans, les trois guerres franco-allemandes qui nous ont tant bouleversés apparaîtront comme une seule guerre entrecoupée de fausses paix. Ne flottera dans la mémoire que le souvenir atroce des grands massacres de masse en Russie, en Allemagne, en Chine, au Cambodge, au Rwanda et ailleurs.

Dans les années 1950 ou 1960, je me contentais de m'occuper, en commis appliqué, en comptable à visière, de linguistique comparée, d'histoire de l'art baroque ou précolombien, de fragments de vases grecs, de fouilles en Égypte ou au Mexique, de philologie et de prosopographie romaines. J'étais à l'égard de la littérature militante dans la situation du fumeur qui a renoncé au tabac, du buveur qui refuse la moindre goutte d'alcool. Mon crayon ne me servait qu'à établir des documents destinés à mes assemblées générales, des projets de colloques, des comptes-rendus de débats. Je n'utilisais mon stylo qu'à envoyer, sur instruction de Caillois, des lettres de refus aux candidats à *Diogène*. Mais un poison secret faisait lentement son œuvre au plus profond de moi-même. Je me disais – oh ! de très loin, et tout bas... – que les paysages, les angoisses, les efforts, les échecs et les succès du savoir feraient un roman formidable.

J'avais renoncé à tout projet de carrière. Je savais très bien que j'étais dans une impasse. Sinon dans un cul-de-basse-fosse, du moins dans un cul-de-sac. Confortable. Mais sans avenir. J'étais agrégé. J'aurais dû m'atteler à une thèse de doctorat. Dans mon enfance, nul en cosmologie et faible en sciences naturelles, je rêvais souvent, la nuit, à des examens qui portaient sur la reproduction des dicotylédones ou des phanérogames vasculaires. À mes débuts de greffier et d'expert-comptable des sciences humaines, j'avais souvent des cauchemars en forme de thèse de doctorat. L'idée, très vague, d'un substitut à une thèse toujours manquée me rongeait lentement le cœur.

Plusieurs livres m'avaient marqué. Les travaux d'Hyppolite. L'*Introduction à la philosophie de l'histoire* de Raymond Aron, déjà citée. La biographie de Frédéric II Hohenstaufen par Ernst Kantorowicz, le plus beau morceau d'histoire qui me soit jamais tombé sous les yeux.

Mes lectures successives de l'*Iliade* et de l'*Odyssée* ou des *Mille et Une Nuits.* Tout ce que j'avais pu grappiller sur Alexandre le Grand, sur Gengis Khan, sur Tamerlan, sur Symmaque et sur Boèce, sur les empereurs byzantins de Justinien à Basile le Bulgaroctone qui avait renvoyé chez eux des milliers de prisonniers bulgares dont il avait fait crever les yeux et qui étaient emmenés, à raison d'un pour cent, par des guides qu'il s'était contenté d'éborgner. Les ombres de saint Augustin à Hippone, d'Arius et d'Hypathie à Alexandrie, de Zénobie à Palmyre.

L'Unesco m'avait expédié ou allait m'expédier en Égypte, en Iran, en Afghanistan, à Peshawar et à Samarkand. Je m'étais souvent assis sur des pierres ou des marbres qui avaient vu défiler des cortèges de conquérants, de héros, de savants et de saints. Des légions, des flottes, des découvertes, des inventions se promenaient dans ma tête. Je rêvais de ces Romains faits prisonniers par les Parthes, vendus par eux aux Chinois et établis dans le Lob Nor. Ou à ces gens de Samarkand que des miniatures nous montrent en train de vivre dans la terreur des invasions chinoises et qui voient déferler un beau jour, après les défaites d'Al-Qadisiyya et de Nehavend, non pas des cavaliers chinois ou mongols montés sur leurs petits chevaux, mais des envahisseurs inconnus, vêtus de burnous blancs et surgis de nulle part : les Arabes.

L'histoire des hommes m'agitait. Je l'avais négligée et abandonnée pour la philosophie. Elle me revenait en boomerang sous les espèces du roman. Le roman historique ne m'intéressait pas. C'était le roman de l'histoire qui me faisait rêver.

Je méprisais un peu les biographies romancées. Le savoir m'épatait et les canulars m'amusaient. J'aimais Bach et Offenbach. Je passais volontiers des travaux de Massignon, d'Élie Faure, de Braudel aux farces et attrapes des faussaires et des pasticheurs. La fameuse mystification de Vrain-Lucas, qui avait vendu à un membre de l'Institut des lettres de Cléopâtre à Jules César pour lui donner des nouvelles de leur fils Césarion ou de Lazare à saint Pierre pour annoncer sa résurrection, me remplissait de joie. Je montais jusqu'à la *Revue de métaphysique et de morale*, à *Gilgamesh*, au *Livre des morts* égyptien, à l'*Histoire secrète des Mongols*, au *Popol-Vuh* précolombien ; je descendais jusqu'à *L'Habit vert* et au *Roi* de Flers et Caillavet – chers à Jankélévitch –, à Sacha Guitry et à Victorien Sardou dont la pièce sur Théodora, ancienne courtisane devenue la femme toute-puissante de l'empereur Justinien, m'avait enchanté :

> Sur les places publiques
> Quand tu rôdais le soir,
> À l'ombre des portiques
> Chacun a pu t'avoir.
>
> Ah ! ah ! Théodora !
>
> Alors, beauté fatale,
> Tu valais un sou d'or.
> Que l'empereur détale,
> Tu vaudras moins encor.
>
> Ah ! ah ! Théodora !

Je devais beaucoup à mes amis préhistoriens, anthropologues, linguistes, historiens de l'art. Le soir, à Lahore ou au Zimbabwe, après nos colloques ou nos assemblées générales où nous discutions du budget de nos organisations savantes et de l'extension géographique de nos activités trop longtemps limitées à la France, à l'Angleterre, à l'Allemagne, au Benelux, à l'Italie, à l'Espagne et aux pays scandinaves, ils me racontaient des histoires fabuleuses sur nos origines africaines, sur la naissance du langage, sur les migrations de nos ancêtres en train de peupler l'Asie et l'Europe, sur l'éclosion de l'art entre technique et magie.

De mes lectures désordonnées, je retenais des bribes éparses qui me transportaient de bonheur. Des phrases aussi banales que la déclaration de Braudel, l'auteur d'un maître ouvrage rédigé en partie dans un camp de prisonniers en Allemagne, *La Méditerranée et le monde méditerranéen à l'époque de Philippe II* : « J'ai aimé passionnément la Méditerranée » suffisaient à me mettre hors de moi. De Braudel encore, l'étonnant dialogue sur l'espace et le temps, sur la géographie et l'histoire entre un prince Sforza et un pêcheur provençal ou toscan.

Le prince Sforza : « La Méditerranée est une mer qui peut se révéler difficile. Quels sont les bons ports de la Méditerranée ? »

Le pêcheur : « Il n'y a que trois bons ports en Méditerranée : Carthagène, juin et juillet. »

Je me souvenais surtout des voyages sans fin que j'avais entrepris d'un bout à l'autre de l'Italie en compagnie de sir Ronald. Nous n'étions jamais seuls. Les ombres des Étrusques, des Samnites, des Sabins, des éléphants d'Hannibal, des compagnons de Spartacus arrachés à l'esclavage, se dressaient autour de nous. Nous partions à la chasse des œuvres de Piero della Francesca que nous découvrions un peu partout : à Borgo San Sepolcro, à Arezzo, à Urbino, à Rimini, à Spello, à Florence. Nous vénérions Carpaccio, Michel-Ange, Raphaël, Titien, le Tintoret, mais nous avions aussi un faible pour les portraits et les anecdotes du cortège des Rois mages de Benozzo Gozzoli dans la chapelle Médicis de Florence ou pour la vie de Enea Silvio Piccolomini, devenu le pape Pie II, par le Pinturicchio – le « peinturlureur » –, dans la bibliothèque de la cathédrale de Sienne.

L'immense cathédrale de Sienne, qui ne devait être, à l'origine, que le transept d'un monument plus gigantesque encore, constituait, à elle toute seule, le but d'un voyage en Italie, l'occupation d'une vie entière, un enchantement de tous les instants. Nous entrions. Le pavement, dès le seuil, suffisait à nous éblouir. D'abord, l'image d'Hermès Trismégiste avec cette inscription qui m'a longtemps fait rêver : « *Contemporaneus Moisi* ». Et puis, les quatre Sibylles – Cumes, Thèbes, Éphèse, Érythrée –, récupérées sans vergogne par la sainte et subtile Église catholique et romaine. Et, bien sûr, tout le reste.

Une version rustique du somptueux pavement de la cahédrale de Sienne nous était offerte au cœur de la cathédrale d'Otrante, dans les Pouilles, à l'extrême pointe de la botte, par le pavement naïf, dû au prêtre Pantaleon vers le début du XIe siècle, où Alexandre le Grand est emporté vers le ciel par deux griffons ailés.

Le bon Enea Silvio, nous le retrouvions à Pienza,

à deux pas de Montepulciano et de son époustouflante basilique érigée par Sangallo le Vieux et dédiée à saint Biagio. J'ai aimé à la folie et Montepulciano et San Biagio et Pienza. Les deux rues principales de Pienza, qui était alors une petite bourgade silencieuse et endormie, portaient les noms enchanteurs de via dei Bacci et de via del'Amore. Je courais à droite et à gauche. Je poussais des cris de bonheur. Je songeais à m'établir à jamais entre Montepulciano et Pienza. Sir Ronald se moquait de moi et me disait du mal d'Auguste dont il s'était occupé dans sa *Roman Revolution* : il préférait César.

Il y avait Alexandre le Grand et son maître Aristote ; César encore qui versait des larmes amères sur son sort misérable à l'âge où Alexandre avait déjà trouvé la mort ; Galla Placidia, fille, sœur, femme, mère d'empereurs…

MOI : Toujours snob, hein, toujours mondain ?…

MOI *(haussant les épaules)* : … épouse éphémère du barbare Athaulf, successeur d'Alaric à la tête des Wisigoths, triomphante à Ravenne ; Théodoric le Grand, roi des Ostrogoths – le fameux Dietrich von Bern (c'est-à-dire de Vérone) des légendes germaniques –, qui organise, toujours à Ravenne, le banquet décisif de réconciliation entre ses Ostrogoths et les Hérules d'Odoacre, banquet au terme duquel chaque Ostrogoth poignarde le guerrier hérule assis auprès de lui ; le formidable Frédéric II Hohenstaufen, *Stupor mundi*, mi-souabe, mi-normand, qui devient, excommunié par le pape, roi de Jérusalem sans la moindre violence et qui réconcilie l'Orient musulman avec le monde germanique et avec la Sicile ; Jean du Plan Carpin, Guillaume de Rubroek, Marco Polo à Karakorum, sous la tente du Grand Khan, ou sur la route de la soie, Christophe Colomb et ses pairs qui se jettent sur des océans dont ils ne connaissent ni la nature ni le terme ; un petit lieutenant corse au nom imprononçable qui ressuscite une France exsangue et se retrouve à la fois l'égal du tsar de toutes les Russies et le gendre de l'empereur d'Autriche ; et Alcibiade et ses délires ; et Churchill et ses cigares ; et de Gaulle, le rebelle vaincu changé soudain en vainqueur ; et tous les autres, mes héros, mes maîtres, mes frères, mes égaux, tous faisaient dans ma tête un vacarme effroyable.

Un beau jour, n'y tenant plus, relaps et inconscient, je me suis à nouveau jeté dans un roman, inventé d'un bout à l'autre et plus vrai que nature. Il allait avoir six cents pages et commençait par ces mots qui me trottaient dans le cœur depuis des mois et des mois : « L'Empire n'avait jamais connu la paix... »

Je l'ai écrit avec patience, page après page, avec obstination et avec enthousiasme. Avec fatigue aussi. Parfois presque avec ennui. Il m'arrivait, le soir, après mon boulot à l'Unesco – j'étais un écrivain du dimanche et du soir –, de m'endormir sur mes feuillets. Je m'accrochais pourtant. Derrière chacun de mes personnages il y avait une situation ou un héros tirés de l'histoire des hommes ou de ma propre expérience : Romulus ou Rémus, le Christ, Mahomet, Bouddha, Confucius, Attila, sir Ronald Syme ou Jeanne Hersch, la guerre entre Rome et Carthage, Stalingrad, Mehmet II, Louis Massignon ou l'Arménie.

L'affaire a duré des années. Entre-temps, je m'amusais. Je me baignais en Grèce ou en Corse. Encore un peu mondain, implacable Sur-Moi, il m'arrivait de dîner avec Marcel Pagnol ; avec Arthur Rubinstein qui me faisait rire et que j'admirais ; dans leur propriété de Louveciennes, le *Cœur volant*, avec Pierre et Hélène Lazareff, qui me proposaient d'écrire dans *Paris-Presse* et dans *Elle* ; avec Giscard ou Servan-Schreiber. Mais j'avais cessé de sautiller. Tous les week-ends et la nuit, je m'accrochais à ma tâche. Je m'amusais même au travail. À la page, je ne sais plus, mettons 164, j'écrivais : « le plus grand des historiens de l'Empire dit quelque part :... » À cet endroit, appel de note. Renvoyant à elle-même, la note, en bas de page, indiquait la source de la citation : « *La Gloire de l'Empire*, page 164. » Je me trompais aussi. Parfois gravement. Inspiré par le banquet de Ravenne organisé par Théodoric, je faisais revivre un repas formidable, censé se dérouler, quelque part entre les Apennins et le Caucase, autour du IVe siècle – aucune importance – avant ou après le Christ. Les princes et les capitaines dégustaient des crêtes de coq, des faisans, des vulves de truie, des poissons monstrueux qui recelaient des perles. Pour la foule des guerriers, une espèce de bouillie de maïs. Le malheur était que j'avais négligé un détail important : tout le monde sait que le maïs apparaît en Europe avec la découverte de l'Amérique. Des lettres plutôt à cheval, comme aurait dit mon père, m'arrivaient du quai de Conti, de la Sorbonne, du Collège de France. Je corrigeais en hâte : le maïs se changeait en orge.

Mon ours enfin léché, il fallait le placer. Le bon Julliard était mort. Bernard Grasset était mort aussi. Mais ses successeurs, et notamment son neveu, Bernard Privat, qui avait aimé mes premiers romans, me réclamaient un livre. J'allai trouver Bernard, mon chef-d'œuvre sous le bras. Je compris très vite l'embarras de mon ami.

— Tes livres précédents, me dit-il, valaient ce qu'ils valaient. Mais ils étaient gais et légers. On les lisait avec plaisir. Tu t'es tu longtemps. Voilà que tu reviens avec une grosse machine, ambitieuse peut-être, mais difficile à lire. Sévère. Presque rasante. Je ne suis pas sûr que les lecteurs – et encore moins les lectrices – vont se jeter dessus avec impatience et désir.

Dépité, ivre de chagrin...

MOI : Parce qu'il vous arrive d'avoir du chagrin, perpétuel bilboquet ?

MOI : Je ne fais rien d'autre, maître des larmes et du rire. Quand ce ne sont pas des chagrins d'amour, ce sont des chagrins professionnels. Vous croyez que c'était drôle d'assister à l'échec, ou au semi-échec, de mes quatre premiers livres ? Je versais des larmes de sang, je serrais les dents, j'errais avec désespoir dans les rues de Paris.

MOI : La Cour a du mal à vous imaginer la gorge serrée, les larmes aux yeux...

MOI : La Cour a tort, Monsieur... Ivre de chagrin, je repris mon paquet sous le bras et le remis, tête basse, à mon maître et patron, Roger Caillois. Il le transmit au comité de lecture de Gallimard. Le comité chargea un écrivain breton, Michel Mohrt, auteur d'un beau livre, *La Prison maritime*, de rédiger un rapport. Michel aima mon délire. Son rapport fut positif. Claude Gallimard fit publier *La Gloire de l'Empire* sous la couverture blanche qui m'avait tant fait rêver au temps de ma jeunesse. Le livre fut bien accueilli. Jacques Le Goff écrivit dans *Le Nouvel Observateur* un article épatant qui parlait d'une

« œuvre pionnière ». Je garde une gratitude éperdue au grand souvenir de Jacques Le Goff. Et Michel Mohrt devint pour tout le reste de nos vies et à lui et à moi mon ami le plus intime.

MOI : Ah ! tout s'arrange enfin ! Content de vous, n'est-ce pas ?

MOI : Non, Monsieur. Épuisé. Je n'étais plus très jeune : j'avais quarante-cinq ans. J'avais donné tout ce que je pouvais. J'avais beaucoup travaillé. Autant, et plus peut-être, que pour le sacré procès que vous êtes en train d'instruire. Mais 1971, c'est vrai, marque une date dans ma vie. Toutes nos existences ne se déroulent pas sur un rythme identique. Il y a des temps faibles et des temps forts. 1971-1974 est pour moi une période faste. Plus tard, il y aura 1981. Et peut-être 2014 et 2015...

MOI : Ho là ! Nous verrons ça... N'allons pas plus vite que la musique. Un peu de calme, jeune homme !

MOI : *La Gloire de l'Empire* m'a ouvert plusieurs portes. Celle du quai de Conti, d'abord : je reçois en 1972, pour *La Gloire de l'Empire*, le Grand Prix du roman de l'Académie française. Celle de la N.R.F. ensuite : Claude Gallimard me fait entrer, cette même année, au comité de lecture de Gallimard.

MOI : Joli doublé. Racontez-nous ça, ver de terre enivré et vaguement ridicule.

MOI : Le comité de lecture de Gallimard m'a beaucoup plus intimidé que l'Académie française. D'un côté, une institution ; de l'autre côté, une légende. Toute ma jeunesse avait été fascinée par les filets rouges et noir de la couverture blanche des livres de la N.R.F. Gaston Gallimard, déjà âgé, siégeait encore, en silence, parmi les membres du comité hanté par l'ombre des grands ancêtres : Gide, Proust, Claudel, Malraux, Aragon… et où je vis arriver un beau jour un jeune homme d'une vingtaine d'années ou un peu plus qui était le fils de Claude, le petit-fils de Gaston et qui s'appelait Antoine. Conscient du trouble que j'éprouvais en pénétrant dans le Saint des saints, Caillois me prit à part à l'instant de mon arrivée et me bégaya à l'oreille :

— Vous serez ici aussi libre que po-possible. Vous p-pouvez être f-fasciste ou com-communiste, ça n'a aucune imp-importance. Je ne vous conseille pas de d-dire que vous aimez *Cyrano de Bergerac*.

Un de mes bonheurs, au comité, fut de me lier avec Raymond Queneau. J'avais lu presque tous les livres du père de Zazie, qui habitait Neuilly comme moi, et j'ai eu la chance de le ramener souvent chez lui en voiture le mardi soir après le comité. J'aimais son rire irrésistible et je l'interrogeais sans me lasser sur ses amitiés surréalistes, sur l'Oulipo – Ouvroir de littérature potentielle – et sur les tenants et aboutissants de la maison Gallimard. J'apprenais avec un étonnement proche de la stupeur son retour à la foi de son enfance et aux formes les plus classiques et les plus traditionnelles de la littérature. Il se détournait des caves de Saint-Germain-des-Prés et il retournait sur l'Acropole auprès de Sophocle, et à Rome aux côtés de Virgile et d'Horace.

Les membres du comité de lecture se plaignaient souvent de la qualité médiocre des manuscrits qui leur étaient soumis. Mais les discussions étaient brillantes – même sur des textes insignifiants. Les formules de Paulhan étaient encore dans toutes les mémoires :

— J'ai reçu un petit texte très beau, dans le style de la Bible ou de l'Apocalypse. Je l'ai lu avec beaucoup de plaisir et d'intérêt. À refuser.

J'écoutais avec enchantement Michel Mohrt parler d'un manuscrit qui relatait les espérances et les angoisses d'un transsexuel britannique dont la préoccupation principale était de savoir s'il avait encore le droit, étant devenu une femme, de porter une cravate aux couleurs de son club.

Je faisais lentement mon trou dans ce monde littéraire dont je ne savais presque rien…

MOI : Arriviste, peut-être ?…

MOI : Arriviste ? Je ne crois pas. J'aimais trop m'amuser pour être vraiment arriviste. Je prenais les choses comme elles venaient. Avec une ombre d'indifférence – et aussi avec gaieté. Je me liais avec des écrivains. Avec François Nourissier, pape des lettres, auteur de plusieurs livres que j'avais beaucoup aimés : *Un petit bourgeois*, d'abord, *À défaut de génie*, pas mal d'années plus tard ; avec Michel Déon, écrivain du premier rang, amateur d'îles, de Spetsai à l'Irlande, séducteur discret, dont tous les livres m'enchantaient ; avec Michel Mohrt surtout, déjà nommé, que j'ai aimé tendrement ; avec Pierre Combescot, l'auteur des *Funérailles de la Sardine*, des *Filles du Calvaire* qui décroche le Goncourt et des *Petites Mazarines* ; avec Gabriel Matzneff ou avec Pierre Bourgeade. Deux grands écrivains surtout ont beaucoup compté pour moi. L'un de droite : Paul Morand. L'autre de gauche : Aragon.

Mes rapports avec Paul Morand remontent assez loin. Mon père et lui ne s'aimaient pas beaucoup. Bien avant ma naissance, ils s'étaient retrouvés ensemble à Londres attachés d'ambassade auprès de Paul Cambon qui avait été pendant de longues années l'artisan principal de la nouvelle Entente cordiale. Un différend minuscule les avait déjà opposés dans ces temps reculés.

— Quel est le numéro de la dépêche du Quai qui nous est parvenue hier soir ? avait demandé mon père à Morand.

— Je crois que c'était la 267 ou la 268, avait répondu avec insouciance l'auteur de *L'Europe galante.*

— Je ne vous demande pas une opinion, avait répliqué mon père, mais un renseignement.

Morand, apparemment, n'en avait pas trop voulu à son collègue. De passage en Allemagne, il avait envoyé à mon père, réputé pour son amour des généalogies, une ravissante carte postale que je crains d'avoir, comme d'habitude, classée, c'est-à-dire égarée, mais dont, heureusement, je me souviens encore :

Marquis, toi que dans la science
Des grands noms nul ne dégota,
C'est presque un cas de conscience
De penser à toi dans Gotha.

Plus tard, avec la guerre notamment, leurs relations se détériorèrent encore un peu plus. Morand fut nommé par Pétain à Bucarest, au poste qu'avait occupé mon père. Il écrivit un livre – *Bucarest* – qui faisait pendant à son *Londres.* Mon père n'apprécia pas beaucoup cet ouvrage et condamna formellement l'attitude de Morand – et surtout de sa femme, Hélène – pendant l'occupation allemande. Ce qu'il leur reprochait surtout, c'était leur antisémitisme. Un jour où j'avais invité Paul Morand à déjeuner, je demandai à ma mère si elle souhaitait venir à la maison avec lui.

— Eh bien ! me répondit-elle avec cette résolution mêlée de tendresse et de brutalité qui la caractérisait, tu n'es pas dégoûté.

J'aimais les livres de Paul Morand. Je le voyais en cavalier mongol, les jambes un peu arquées, en train d'ouvrir toutes grandes à la littérature les portes du monde moderne. Ses nouvelles m'éblouissaient. *Milady* ou *Parfaite de Saligny* me paraissaient des chefs-d'œuvre. Lui avait pour moi une amitié doublée d'une affection teintée d'admiration pour ma femme qu'il trouvait élégante. Il est venu plus d'une fois déjeuner ou dîner avec nous. Fidèle à sa réputation d'homme pressé, il avait l'habitude de disparaître très vite après le repas. On racontait qu'à un banquet officiel au Quai d'Orsay, coincé entre des importants qui l'ennuyaient à mourir, il était passé, pour s'échapper au plus vite, sous la longue table en forme d'U d'où il était impossible de se défiler discrètement. Un soir, vers la fin de sa vie, après être arrivé autour de huit heures, il nous a quittés un peu avant dix heures pour sauter dans sa petite voiture rouge qui allait le mener, après un long et fatigant voyage de nuit, sur la tombe de sa femme à Trieste. Car il aimait Hélène qu'il avait trompée toute sa vie.

J'avais connu Morand par François Nourissier. Nous étions en Suisse tous les deux, François et moi, quand il me proposa d'aller rendre visite à Morand au château de l'Aile, à Vevey. C'était une maison bizarre, de style abencérage où, entouré de Jean et Simone Jardin, les parents de Pascal, les grands-parents d'Alexandre, lui adoré de ses amis, ancien directeur du cabinet de Pierre Laval, elle très proche de l'auteur d'*Ouvert la nuit*, le grand écrivain s'était exilé loin d'une France qui lui était devenue hostile. J'avais un peu hésité, par fidélité à la mémoire de mon père. Citant Céline, qui avait fait bien pire que Morand, et plusieurs autres, François m'avait convaincu de la supériorité de la littérature sur tous les avatars de la politique. Bien des années plus tard, à la sortie des *Mémoires inutiles* de Morand auxquels Nourissier avait consacré une chronique vengeresse, je lui ai rappelé ce souvenir.

Entouré d'un halo d'antisémitisme, ambassadeur de Pétain en Roumanie et en Suisse, Morand devait devenir l'ami intime de Maurice Rheims qui était juif et gaulliste. Souvent, le dimanche, il venait participer aux dîners animés par le sourire et le charme de Maurice rue du Faubourg-Saint-Honoré, sous les Klimt et les Canaletto. Et c'était un spectacle étonnant de voir ces deux hommes que tout aurait dû séparer unis par quelque chose de lumineux et d'obscur où se mêlaient l'intelligence, l'ironie, un formidable appétit pour la vie et un peu de mépris pour les règles sociales et pour les conventions, auxquelles ils se pliaient pourtant l'un et l'autre avec une ombre de cynisme.

Maurice Rheims a été le premier commissaire-priseur à siéger sous la Coupole. Son métier – « votre coupable industrie », lui disait le général de Gaulle – et un goût très sûr lui avaient permis de rassembler des tableaux, des meubles, des objets qui constituaient une collection assez exceptionnelle. Federico Zeri, l'illustre historien de l'art italien, venait de temps en temps lui rendre visite rue du Faubourg-Saint-Honoré. Un jour, Maurice Rheims surprit sur le visage de Zeri, planté devant un joli Canaletto qui représentait évidemment une vue de Venise, comme une moue de désapprobation.

— Vous savez, lui glissa Maurice, vaguement vexé, ce n'est pas une copie. C'est un Canaletto.

— Je suis tout sauf aveugle, lui répondit Zeri qui ne portait pas dans son cœur les *vedutisti* vénitiens. Je vois bien que c'est un Canaletto. C'est même ce que je lui reproche. Si vous n'y prenez garde, mon cher Maurice, vous finirez entre des murs couverts de Murillo, de Canaletto et de chats en train de jouer avec des pelotes de laine.

Federico Zeri était célèbre et redouté pour ses jugements peu conformistes et à l'emporte-pièce. Au terme de la restauration des fresques de Michel-Ange dans la chapelle Sixtine au Vatican, la presse, la télévision, la radio, les médias guettaient avec impatience la réaction du maître. Un journaliste l'interroge en frétillant :

— Alors, *Professore*, votre sentiment ?

— Quelle horreur ! lâche Zeri.

— Ah ! La restauration ne vous donne pas satisfaction ?

— La restauration est hors de question. Elle approche de la perfection. Ce qui est une horreur, ce sont, rendues à leur état d'origine, les couleurs criardes de Michel-Ange, hier encore si belles sous la patine du temps.

Un soir du printemps 1973 – un ou deux ans après la parution de *La Gloire de l'Empire* –, le téléphone sonne chez moi. C'était Morand, pressé comme d'habitude.

J'ai à peine le temps de répondre qu'une conversation rapide et hachée s'engage à fond de train :

— As-tu envoyé ta lettre ?

— Quelle lettre ?

— Ta lettre de candidature.

— De candidature à quoi ?

— À l'Académie.

— À l'Académie ? Je n'y pense même pas.

— Envoie-la.

Et il raccroche.

Montherlant s'était donné la mort avec un poison doublé d'un coup de pistolet à une date inoubliable : le jour de l'équinoxe d'automne, le 21 septembre 1972. J'obéis à Morand et je me portai candidat au fauteuil laissé vacant quai de Conti par la disparition de l'auteur de *La Reine morte*, du *Maître de Santiago* et de *Service inutile*. Je n'aurais pas détesté parler sous la Coupole de la grandeur de Rome, des charmes de l'alternance et de formules qui m'avaient frappé : « Ouvrez-vous, portes de la nuit ! Les portes s'ouvrent. Et derrière, il n'y a rien. » Ou : « En prison ! En prison pour médiocrité ! » Ou : « Roulez, torrents de l'inutilité ! »

Mais j'appris très vite que Claude Lévi-Strauss, que je connaissais encore peu mais pour qui j'avais une grande admiration, envisageait lui aussi de se présenter au fauteuil de Montherlant. Claude Lévi-Strauss me traita avec une courtoisie confondante, comme si j'étais son égal. Je ne l'étais pas. Je me retirai.

Quelques semaines à peine avant Montherlant, à une date inoubliable elle aussi, et tout à fait catastrophique pour un homme public – le 14 août 1972, en pleines vacances d'été où la France entière ne pense qu'à la plage et à se baigner –, était mort un autre grand écrivain : Jules Romains.

Vous savez déjà, mon cher Maître, le rôle qu'avaient joué dans ma jeunesse studieuse Jerphanion et Jallez sur les toits de la rue d'Ulm. Les vingt-sept volumes des *Hommes de bonne volonté* constituaient une fresque imposante. La doctrine de l'unanimisme, à laquelle Louis Farigoule, né à Saint-Julien-Chapteuil, dans le Velay, et dit Jules Romains pour des raisons encore mystérieuses, a attaché son nom, avait d'ores et déjà sa place dans l'histoire de notre littérature. *Knock ou le Triomphe de la médecine*, *Volpone*, *Donugoo Tonga*, *Les Copains*, surtout, avaient enchanté mes jeunes années. Quand les copains, Bénin, Broudier, Huchon, Lamendin et les autres, tournent inlassablement sans jamais se rencontrer autour de la mairie d'Ambert où ils ont rendez-vous mais qui, malheureusement, est ronde, quand l'un d'entre eux assure, pour faciliter les discussions avec un patron de bistrot, que sa capacité d'ingestion d'un liquide alcoolisé est exactement égale à un litre, une douce hilarité s'emparait de moi avec force. Je me portai candidat au fauteuil de Jules Romains en juin 1973. Je fus élu en septembre. Deuxième femme de l'auteur des *Copains*, Mme Jules Romains s'appelait Lise. Sa silhouette apparaît, aux environs de Nice, dans *Les Hommes de bonne volonté*. Elle me fit cadeau avec bonté de la cape de son mari.

MOI : Parlez-nous un peu de la Coupole du quai de Conti, traître et menteur bicorné, de ses rites, de ses discours, de ses mensonges et de ses querelles, des fameuses visites académiques auxquelles, je présume, vous vous êtes vous-même plié…

MOI : J'ai tout fait comme il fallait. Avec une ombre aussi d'ironie – non pas à l'égard de l'institution, mais à mon propre égard. Personne ne m'a contraint à me présenter à l'Académie. On ne m'y a pas traîné de force, les menottes aux poignets. J'ai souvent été critique envers l'Académie. Moins que Paul Valéry : « L'Académie est composée des plus habiles des gens sans talent et des plus naïfs des hommes de talent. » Moins que Jules Renard qui, dans son irrésistible *Journal*, appelle les académiciens : « le commun des immortels ». Encore candidat, j'ai raconté à la radio ou à la télévision l'histoire des deux académiciens qui se rencontrent :

— Comment va notre confrère Un Tel ? demande le premier.

— Oh ! à moitié gâteux, répond l'autre.

— Ah ! reprend le premier. Il va mieux.

Mais je ne conserve que de bons souvenirs de l'Académie et je me garderai bien d'en dire le moindre mal.

Ce que j'ai trouvé quai de Conti, c'est d'abord des amis – et peut-être presque une famille. Il y a peu d'endroits, je vous assure, où je me sois autant amusé. Les conversations y sont toujours vives et très libres – et parfois même brillantes. J'ai passé plus de quarante ans à l'Académie française. Je me souviens très bien de ce que je pensais, quand j'étais jeune, des académiciens blanchis sous le harnais : ils avaient à peine l'âge que j'ai moi-même aujourd'hui – et je n'étais pas tendre avec eux. J'essaie à la fois de ne pas cracher dans la soupe et de ne pas me faire d'illusions sur l'immortalité académique. Vous

vous rappelez, maître des grandeurs et des cérémonies, ce que disait Jean Cocteau : « Nous sommes immortels pour la durée de notre vie. Après, nous nous changeons en fauteuil. » Je n'ai détesté ni mon recoin à l'Unesco, ni mon bureau au *Figaro*, ni mon fauteuil quai de Conti. J'ai beaucoup aimé m'entretenir avec Maurice Druon et avec François Jacob, avec André Roussin et avec Marcel Pagnol, avec René de Obaldia et avec Eugène Ionesco. Avec François Cheng, l'auteur de *Cinq Méditations sur la beauté* et de *Cinq Méditations sur la mort.* Avec Marc Fumaroli.

Dix-septièmiste et spécialiste de la rhétorique passé à l'histoire de l'art, familier de La Fontaine, d'Ingres, de Perrault, de Chateaubriand, et critique du monde moderne, auteur de *L'État culturel* et de *La République des Lettres*, défenseur de la langue française et aussi connu en Italie ou aux États-Unis que chez nous, Marc Fumaroli m'apparaît comme un continuateur de la grande tradition des Braudel, des Lévi-Strauss, des Jacqueline de Romilly, et comme l'incarnation de ce qu'il était convenu d'appeler jadis la culture française. D'une curiosité sans bornes, d'une érudition époustouflante, il sait tout de Peiresc, de Nicolas de Cues, des jésuites, de Mme Vigée-Lebrun ou de Mme de Duras. Il a tout lu et tout compris, ses livres sont devenus des classiques, sa conversation est un bonheur. J'ai pour lui affection et admiration. Vous savez, très grand homme, ce qu'a été pour moi l'Académie française ?

MOI : Eh bien, dites-le-nous !

MOI : Un honneur et un plaisir. À la question indéfiniment posée : « À quoi sert l'Académie française ? », Jean

Dutourd répondait : « Elle sert à être beau. » Quand je suis arrivé quai de Conti, ce qui m'a d'abord frappé, c'était la beauté des hommes. Jean Delay était beau. Marcel Brion était beau. Julien Green était beau. Jacques de Lacretelle était pour Marcel Proust un des hommes les plus beaux qu'il eût jamais rencontrés. Plus tard, Michel Mohrt ou Bertrand Poirot-Delpech étaient aussi, comme disaient nos grands-parents, « très bien de leur personne ». Ne croyez pas que je me moque, prince de l'ironie. Il y avait à l'Académie plus et mieux que la beauté physique. Il y avait quelque chose qu'on hésiterait peut-être à appeler du génie – Chateaubriand avait du génie, Hugo avait du génie, Louis de Broglie avait du génie... –, mais qui était bien au-dessus du talent. Pendant de longues années, j'ai été assis, quai de Conti, entre Claude Lévi-Strauss à ma gauche et Jacqueline de Romilly à ma droite. Je n'ai pas à faire le malin.

Je me souviens... Je me souviens... Je me souviens d'une soirée chez Jacques de Lacretelle, l'auteur de *Silbermann*, où quelques confrères et moi étions allés trouver Maurice Druon, alors secrétaire perpétuel, pour lui exprimer nos doutes sur tel ou tel candidat qui ne nous paraissait pas avoir sa place quai de Conti. Maurice, qui était un ami du candidat contesté, nous avait regardés droit dans les yeux et, pointant son doigt tour à tour vers la poitrine de chacun d'entre nous, il nous avait dit d'une voix forte :

— Et toi, et toi, et toi, vous y êtes à votre place ?

C'était drôle et élégant. Et c'était bien dans le goût de l'auteur des *Rois maudits* qui s'y connaissait en allure.

J'aurai vécu quai de Conti sous quatre secrétaires perpétuels successifs : Maurice Genevoix, Jean Mistler, Maurice Druon, Hélène Carrère d'Encausse. Je leur dois beaucoup…

MOI : Encore !…

MOI : Oui, Monsieur, encore… Je dois beaucoup à beaucoup. À propos des héros de la Royal Air Force en 1940, Winston Churchill disait dans une formule éblouissante : « *Never so many owed so much to so few.* » Je pourrais dire, moi aussi, dans de moins hautes circonstances, que personne, jamais, n'a dû autant à autant. J'ai parlé de mes parents, j'ai parlé de mes maîtres, j'ai parlé de Jeanne Hersch, j'ai parlé de Berl et de Caillois, j'ai parlé de sir Ronald, j'aurais pu parler de Françoise, ma femme, à qui je dois tant, j'aurais pu parler de mes médecins qui m'ont sauvé de la mort. Je peux bien parler de mes secrétaires perpétuels qui ont été mes amis.

Se moquant de sa petite taille, Maurice Genevoix employait une formule que je pourrais reprendre à mon compte. « Si vous voyez un trou dans la masse d'une foule nombreuse et dense, le trou, c'est moi. » Maurice Genevoix aimait sa Loire, ses forêts, ses braconniers, ses camarades de la Grande Guerre qui avaient tant souffert et dont il parlait comme personne. Oui, à lui et à Suzanne, sa femme, comme à Jean Mistler ou à Maurice Druon, je dois beaucoup.

J'étais gaulliste. Il y avait encore quai de Conti des partisans de Pétain. Pierre Benoit, Charles Maurras, Paul Morand, plusieurs autres avaient été du nombre. Abel Bonnard et Abel Hermant avaient franchement collaboré. Un distique courait à Paris sous l'occupation allemande :

Quai Conti, tout est calme : on se serre la main.
Pourtant les deux Abel sont tous deux des Caïn.

Plus tard, Jean Mistler, qui avait voté en juin 1940, à Bordeaux, avec la grande majorité de la Chambre du Front populaire, les pleins pouvoirs à Pétain, Jean Guitton, Michel Mohrt étaient encore plus proches du Maréchal que du Général. À l'Académie, un jeudi après-midi, Jean Mistler demande en séance s'il y a des volontaires pour se rendre à Verdun où doit se tenir une cérémonie de commémoration. Tout le monde baisse la tête et se tient à carreau. Soudain Jean Guitton lève la main : il est volontaire. Le perpétuel le remercie. Réponse de Jean Guitton qui ne manque pas de panache :

— Ne me remerciez pas. Je reste très fidèle au souvenir du maréchal Pétain.

Michel Mohrt vivait dans le remords. Il avait donné en 1940 ou 1941 un article sur un thème littéraire à une revue pétainiste qui s'appelait, je crois, l'*État français*. Je lui apportai un jour, pour le rasséréner, rue du Cherche-Midi où il habitait, un numéro de l'*État français* qui datait de 1943 : il contenait un article politique de François Mitterrand.

Jean Mistler occupait un appartement au 11 de la rue de l'Université où devait habiter aussi, plus tard, Marc Fumaroli. Souvent, le matin de bonne heure, il descendait se promener dans la rue où il lui arrivait de rencontrer son voisin, René Julliard, qui sortait de chez lui, au 30. Un matin de printemps, très tôt, ils se retrouvent une fois encore sur leur trottoir familier. La conversation roule sur la guerre.

— Tout le monde, dit Mistler, attend le débarquement. Je dois vous dire, cher ami, que je n'y crois pas du tout. Ils ne réussiront jamais car…

— Avez-vous écouté, coupe Julliard, la radio ce matin ?

— Non, répond Mistler.

— Ils ont débarqué en Normandie, ce matin, 6 juin, à l'aube.

Contrairement à ce que pensent l'extrême droite et l'extrême gauche, les fascistes et les communistes, tout n'est pas politique. Mistler, malgré tout, était un bon compagnon. Et sa femme nous préparait d'admirables cassoulets.

Aragon m'appelait : « Petit ». Druon m'appelait : « Mon grand ». Maurice Druon a été pour moi une sorte de parrain dans tous les sens du mot. Je l'ai connu compagnon de route de ce parti communiste qu'il allait, plus tard, attaquer avec virulence. Je le vois encore, rue de Varenne ou de Grenelle, l'œil ironique, d'une vivacité extrême, un rien solennel et un rien provocateur, au volant d'une voiture de grand luxe, en train de partir pour l'U.R.S.S. où le tirage de ses livres le mettait au rang d'une vedette. Je le revois à l'Académie où il faisait la pluie et le beau temps – le plus souvent la tempête : ses colères sont restées célèbres. Je le revois chez lui, rue de Lille ou dans sa maison de Faize, au fond du Bordelais, où il recevait ses amis – depuis des jeunes gens qu'il voulait voir s'installer quai de Conti jusqu'aux membres du Sacré Collège ou à Vladimir Poutine, ancien agent du K.G.B. devenu tsar de toutes les Russies, qui aimait les chevaux comme lui et qu'il avait à la bonne – avec une simplicité majestueuse de grand seigneur désabusé.

Les Grandes Familles, roman naturaliste plutôt de gauche, et *Les Rois maudits,* fresque historique plutôt de droite, lui avaient valu une célébrité qui dépassait nos frontières. Il était orgueilleux, chaleureux, prompt à monter sur ses grands chevaux, fidèle en amitié. Il aimait le succès et les femmes – qui le lui rendaient bien. Ses adversaires le craignaient, ses amis l'adoraient. D'une grande élégance d'allure et d'esprit qui le faisait parfois ressembler à Sacha Guitry, il avait connu d'innombrables aventures et il s'était marié deux fois. D'abord avec la fille d'un poète aujourd'hui oublié, Fernand Gregh, qui s'était présenté onze fois à l'Académie, avant de finir par être élu ; ensuite avec Madeleine qui occupa toute sa vie avec grâce et fermeté. Il formait avec Madeleine un couple très uni qui savait se faire respecter et même craindre et qui a tenu une grande place dans le Paris du gaullisme et du post-gaullisme. Pendant des années, il y a eu, au cœur du petit monde intellectuel de Paris, dans le sillage de Malraux ou d'Aragon, à gauche, Edmonde Charles-Roux, auteur d'*Oublier Palerme,* épouse de Gaston Defferre, présidente des Goncourt, et, à droite, secrétaire perpétuel de l'Académie française, Maurice Druon.

Un mystère, que Maurice Druon lui-même évoque avec subtilité et discrétion dans ses *Mémoires* en partie posthumes, règne sur sa naissance. Sa mère avait épousé le frère de Joseph Kessel, qui était comédien. Il se donna la mort à la naissance de Maurice. Maurice fut élevé par le second mari de sa mère, qui s'appelait Druon et qui lui laissa son nom.

Avant même ses succès littéraires, Maurice Druon avait connu un peu plus que la notoriété avec son *Chant des partisans*, écrit à Londres dans les années sombres en collaboration avec son oncle Joseph Kessel et Anna Marly.

Ami, entends-tu le vol noir des corbeaux sur nos plaines ?
Ami, entends-tu les cris sourds du pays qu'on enchaîne ?
Ohé ! partisans, ouvriers et paysans, c'est l'alarme.
Ce soir, l'ennemi connaîtra le prix du sang et des larmes...

Après la guerre, jusqu'à sa mort, il restera gaulliste et finira par s'en prendre avec fermeté et souvent avec violence aux adversaires du Général – communistes ou centristes. Georges Pompidou fera de lui, dans le dernier gouvernement Messmer, son ministre des Affaires culturelles. Il me proposa, à cette occasion, de devenir son directeur de cabinet. Je ne gardais pas un souvenir radieux de mes brefs passages dans les cabinets de Georges Bidault et de Maurice Herzog. Je souhaitais déjà me consacrer à mes livres. Je déclinai son offre et il ne m'en voulut pas.

Il y avait quelque chose de mirobolant dans les succès de Maurice. Il n'était pas seulement un des rares écrivains français à être traduits en russe, mais, dans le seul Brésil, la traduction portugaise de son *Tistou les pouces verts*, un ouvrage agricole et déjà écologiste à l'usage des enfants, avait dépassé le million d'exemplaires. Et son influence ne s'éteint pas avec sa disparition. Les auteurs d'une série telle que *Game of Thrones* qui triomphe à la télévision depuis trois ou quatre ans reconnaissent volontiers ce qu'ils doivent aux *Rois maudits*.

Plus encore peut-être qu'un écrivain, Maurice Druon était d'abord un personnage. Un personnage haut en couleur et qui ne laissait personne indifférent. Venu de l'extrême gauche, il avait fini par s'établir dans une sorte de grandeur solitaire et un peu hautaine, à l'écart de la mode et même du monde littéraire, d'où il s'élevait avec humeur contre le déclin de la France et d'où il lançait, sous les huées d'un établissement qui le dénonçait comme réactionnaire, ses mises en garde enflammées et bougonnes.

Spécialiste de l'histoire de la Russie, d'origine russe et géorgienne, descendante d'Orlov, le favori – répudié au bénéfice de Potemkine – de la Grande Catherine, Hélène Carrère d'Encausse est la première femme à occuper quai de Conti le poste de secrétaire perpétuel. Parmi les récifs de l'intrigue ordinaire et du mensonge élevé à la hauteur d'une institution, elle pilote avec le sourire et avec habileté le vaisseau de l'Académie. Elle veille à renforcer entre les membres, parfois butés, de la vieille famille les liens, souvent fragiles, de la cohérence et de l'amitié. Quand l'un ou l'une d'entre eux tombe malade ou connaît des ennuis, elle est toujours là, avec efficacité et bonté, pour lui venir en aide et le tirer d'affaire. On la critique et on l'estime. On admire son activité. On a pour elle plus de sentiments de respect et d'affection que n'en a jamais recueilli aucun de ses prédécesseurs masculins. Elle est la bonne fée, la cantinière, le proviseur, la maîtresse d'école d'une troupe de garnements insupportables et mutins qui lui tirent la langue dès qu'elle a le dos tourné et qui lui sont attachés. Elle est la mère d'Emmanuel Carrère, un des meilleurs écrivains français d'aujourd'hui, l'auteur de *La Classe de neige*, de *La Moustache* et du *Royaume*.

MOI : En avez-vous terminé, cher et illustre maître, avec votre sacrée Académie, ses pompes et ses œuvres ?

MOI : Pas tout à fait, perpétuel de mes deux, mais presque. Dans toute sa splendeur près de quatre fois séculaire, elle n'en mérite pas beaucoup plus. Fondée en 1634 ou 1635, à la veille du triomphe du *Cid*, de la naissance de Boileau et de la victoire de Rocroi, par Richelieu qui voulait garder la haute main sur ces inquiétants personnages que sont les écrivains, elle était destinée en principe à veiller sur la langue en rédigeant une grammaire qui n'a jamais vu le jour et un dictionnaire qui n'en finit pas et traîne d'âge en âge. Elle s'est changée au fil des ans en une société de notables toute prête à accueillir des médecins, des avocats, des ducs et pairs, élus parfois à moins de vingt ans, des hommes d'État, des maréchaux et des cardinaux – et, de temps en temps, des écrivains.

Un peu plus de sept cents académiciens se sont succédé depuis trois cent quatre-vingts ans sur leurs quarante fauteuils. Une quarantaine à peine ont laissé un nom derrière eux. Au fauteuil 12, le mien, aucune figure du premier rang, sauf Jules Romains : Habert, Cotin, Dangeau (non pas l'auteur du célèbre *Journal*, mais son frère), Morville, Terrasson, Thiard, Gaillard, Esmenard, Jean-Charles Dominique de Lacretelle, Biot, Carné, Blanc, etc.

Tous ces noms dont pas un ne mourra, que c'est beau !...

Au fauteuil 19, jusqu'à René Clair, brille, mais avec éclat, le seul nom de Chateaubriand. Au fauteuil 20, au fauteuil 21, au fauteuil 38, au fauteuil 40, presque personne jusqu'à Jules Lemaître et Thierry Maulnier, à Marcel Achard et Félicien Marceau, à Anatole France et Paul Valéry, au grand Malesherbes et à Jules Cambon. On pourrait passer en revue la quasi-totalité des fauteuils du quai de Conti : sur chacun d'entre eux, plus de bougies que de flambeaux, plus d'inconnus que de grands noms.

Les quatre siècles passés offrent pourtant de beaux feux. Au XVIIe : Corneille, Racine, Boileau, La Fontaine, La Bruyère, Fénelon, Massillon... Au XVIIIe : Montesquieu, Buffon, Voltaire, d'Alembert, Diderot, Condorcet... Au XIXe : Chateaubriand, Hugo, Vigny, Lamartine, Musset, Mérimée, Heredia, Leconte de Lisle... Au XXe : Anatole France, Paul Valéry, Paul Claudel, François Mauriac, André Maurois, Bergson, Montherlant, Paul Morand, Jean Cocteau, Claude Lévi-Strauss, Marguerite Yourcenar, Jacqueline de Romilly... Il y a des trous, bien sûr, et surtout des déchets, mais, franchement, ce n'est pas si mal.

La vérité, mon bon maître, la voici : l'Académie est une institution très illustre, au caractère indéfinissable, mi-indépendante, mi-publique, qui n'a que des rapports accidentels et lointains avec la littérature. De Corneille et Racine, de La Fontaine et Voltaire à Chateaubriand et Hugo, elle brille par ses choix, et de Molière et Rousseau à Baudelaire, à Zola, à Aragon, elle brille par ses erreurs. En dépit de ses faiblesses, elle a contribué sans aucun doute à l'éclat de notre culture et sa renommée n'est pas près de faiblir.

Ce que je retiendrai surtout, en fin de compte, de ce club de copains, de ce cercle familial, de cette confrérie de croque-morts ou de pénitents verts toujours à l'affût de funérailles nationales ou solennelles, sources inépuisables de souvenirs dans le passé et d'élections dans l'avenir, prince des farces et attrapes, c'est son esprit très français, ironique et railleur, qu'illustrent tant d'histoires indéfiniment répétées de génération en génération.

Le cardinal de Fleury, déjà âgé, recevant l'abbé de Bernis et grommelant que, lui vivant, jamais le jeune Bernis n'entrerait à l'Académie. Et Bernis répondant, avec une révérence :

— Cela ne fait rien, Monseigneur. J'attendrai.

Victor Hugo griffonnant sur son bulletin de vote, lors d'une élection où tous les candidats lui paraissaient, comme trop souvent, médiocres :

> Je ne voterai pas du tout
> Car l'intrigue a semé d'embûches
> Pour le génie et pour le goût
> Cette urne d'où sortent des cruches.

Le vieux Molé recevant le jeune Vigny et lui déclarant tout de go qu'il n'avait rien lu de lui :

— À mon âge, Monsieur, je ne lis plus. Je relis.

Albert de Mun recevant sous la Coupole le délicieux Henri de Régnier dont il réprouvait les romans pourtant bien innocents, mais qu'il jugeait libertins :

— Je vous ai lu, Monsieur. Je vous ai même lu jusqu'au bout car je suis capitaine de cuirassiers.

Selon une vieille tradition toujours en vigueur quai de

Conti, Pierre Loti, ancien marin pomponné, et Victorien Sardou, qui habitait Marly-le-Roi, se détestaient cordialement. Loti envoya à Sardou une lettre dans une enveloppe rédigée en ces termes :

Monsieur Victorien Sardy

Marlou-le-Roi

Les postes françaises fonctionnaient. La lettre parvint à bon port. Sardou répondit à :

Monsieur Pierre Loto

Capitaine de vessie

Paul Valéry, faisant l'éloge d'Anatole France qu'il remplaçait sous la Coupole et qu'il n'aimait pas, lui préférant Mallarmé, s'arrangea pour ne pas citer une seule fois le nom de son prédécesseur, se contentant de laisser tomber comme par mégarde huit mots restés fameux :

— ... cette France dont il avait pris le nom.

L'amiral Lacaze qui souffrait du cœur et était soigné par son confrère le professeur Mondor, spécialiste de Mallarmé, nourrissait une vive antipathie à l'égard d'André Chaumeix, alors secrétaire perpétuel. Au cours d'une séance, l'amiral Lacaze, rouge de fureur, congestionné, n'en pouvant plus d'indignation, se leva de son fauteuil avec l'intention à peine dissimulée d'aller flanquer une torgnole au secrétaire perpétuel. Levant les bras au ciel, le professeur Mondor s'écria :

— Amiral ! Vos vaisseaux !

MOI : Vous voilà bien féru d'anecdotes et d'histoires prétendues drôles, bateleur des foires et des estrades. Je crois me souvenir avoir lu naguère de vous des ouvrages plus sérieux où seuls le Tout et le Rien avaient droit de cité…

MOI : Nous sommes dans le temps, Monsieur. Et nous le remontons. Longtemps, j'ai aimé les anecdotes. Et je les défendais. J'y voyais comme la chair et la saveur très gaie de l'histoire en train de se faire.

MOI : Vous, en tout cas, immortel plaisantin, vous semblez n'avoir pas fait grand-chose dans votre fauteuil du quai de Conti…

MOI : Qu'ai-je donc fait à l'Académie, cher et illustre maître ? Vous avez raison : pas grand-chose, en vérité. Sauf une révolution. En 1981, j'y ai fait entrer, contre vents et marées, la première femme de sa longue histoire. Disons, une fois de plus, les choses comme elles sont : à tort ou à raison, mes estimables confrères ne voulaient d'une femme à aucun prix. L'Académie est une tribu. La tribu avait ses rites. Aucun règlement n'interdisait l'accès des femmes au sein de la vieille institution. Mais il y avait plus fort que le règlement. C'était la tradition. Ni Mme de Sévigné, ni Mme de La Fayette, ni Mme du Deffand, ni Julie de Lespinasse, ni George Sand, ni Anna de Noailles, ni Colette n'avaient jamais été élues. Il n'y avait aucune raison de modifier quoi que ce fût.

Je n'ai pas agi par féminisme, maître de vérité. Ni par complaisance. Je ne connaissais pas Marguerite Yourcenar. Je ne l'avais jamais rencontrée. J'admirais tout simplement l'auteur de *L'Œuvre au noir* et des *Mémoires d'Hadrien.* Avec une naïveté d'enfant, je ne voyais aucune raison de ne pas la prendre parmi nous.

Rien ne m'irrite davantage que la bienveillance des

bonnes âmes qui me félicitent d'avoir contribué à l'élection d'une femme à l'Académie française. Je n'ai contribué à rien du tout. J'ai imposé Marguerite Yourcenar à une Compagnie attachée depuis toujours à ses particularités et qui répugnait au changement.

La bataille fut très rude. Les insultes ont fusé de partout. J'ai été traité de voyou. Un de mes confrères m'a accusé de soutenir la candidature d'une femme pour servir ma propre publicité. Il m'est arrivé de quitter, avec une indignation à peine feinte, notre salle des séances.

Les arguments, de part et d'autre, ont volé assez bas. Les plus modérés comparaient l'Académie à une tour Eiffel qui ne tiendrait que par la peinture, et peut-être par la rouille : la moindre éraflure risquait de jeter à bas le vénérable monument. Les plus excités s'interrogeaient avec angoisse. La règle de l'Académie est que tous ses membres sont égaux. Quand un maréchal, un Prix Nobel, un ancien président de la République est élu, ses nouveaux confrères lui indiquent avec le sourire qu'en attendant une nouvelle élection il passera à son rang, c'est-à-dire le dernier. Qu'allait-il advenir quand Marguerite Yourcenar, membre toute fraîche éclose de la Compagnie, se présenterait devant une porte avec l'un ou l'autre de ses confrères ? Qui passerait en premier ? Elle, parce que c'était une femme ? Ou l'un de nous, parce qu'il était plus ancien ?

À ces arguments assez bas, je répondais, par des arguments plus bas encore :

— Vous ne voulez pas de femme ? Je vous en propose une qui cumule tous les avantages. Non seulement elle a un talent qui n'est pas loin du génie – ce n'est rien, ce n'est rien du tout –, mais encore elle ne vous encombrera pas beaucoup : elle habite l'Amérique, elle ne sera jamais là.

Et, pour faire bonne mesure, j'ajoutais une flèche du Parthe, largement empoisonnée, que je devais à un autre écrivain que j'admirais beaucoup et qui ne portait pas Yourcenar dans son cœur, l'auteur de *Belle du Seigneur*, Albert Cohen :

— Je vois bien ce que vous craignez chez une femme : sa beauté, sa grâce, son charme, toujours capables du pire. Avec Yourcenar, tout risque est écarté.

Marguerite Yourcenar fut élue contre les convictions et les vœux d'une large majorité parce qu'il était impossible de se déclarer ouvertement contre elle. Le jour du scrutin, la presse du monde entier, les radios de partout, toutes les télévisions assiégeaient le quai de Conti. Un journaliste me demanda :

— Alors ? qu'y a-t-il de changé à l'Académie française ?

Je répondis :

— Désormais, il y aura deux toilettes. Sur l'une sera inscrit :

Messieurs

et sur l'autre :

Marguerite Yourcenar

L'Académie mit assez longtemps à faire entrer le mot *Madame* dans son vocabulaire. Pendant des mois et des mois, tous les discours solennels commençaient encore par : *Messieurs.*

J'avais réussi – mais à quel prix !... – avec Marguerite

Yourcenar. J'échouai avec deux hommes que j'admirais beaucoup.

Le premier était Aragon. Il venait de démissionner de l'Académie Goncourt. À un dîner je ne sais plus où, il m'avait déclaré, avec un peu de provocation :

— Tu sais, petit, je suis snob…

— Vous êtes snob ! m'étais-je écrié. Venez à l'Académie.

Je m'étais précipité quai de Conti. Je répétais à qui voulait m'entendre :

— Nous pouvons avoir Aragon !

La réponse ne se fit pas attendre :

— Ah ! très bien ! Qu'il écrive sa lettre de candidature et qu'il fasse ses visites.

Il fallait évidemment déployer un tapis rouge – c'était le cas de le dire –, nous jeter à ses genoux et le supplier de nous faire l'honneur de venir parmi nous. L'image de l'Académie en aurait été changée.

Le second était Raymond Aron. Il faisait profession de dédaigner l'Académie. À la fin de sa vie, pourtant, en vieillissant, un changement se fit en lui.

— Vous m'avez souvent tanné, me dit-il, avec votre Académie. Ce qui est sûr, c'est que je ne veux pas être battu…

— Hugo l'a été, plusieurs fois, l'interrompis-je, avant d'être élu. Et Zola s'est présenté un nombre incalculable de fois…

— Ça m'est égal. Moi, je ne veux pas être battu. Mais je vous autorise à faire un tour d'horizon et à m'apporter vos conclusions.

Je me mis au travail, et quelques semaines plus tard, je retournai le voir boulevard Saint-Michel.

— Je ne crois pas, lui dis-je à regret, qu'il faille vous présenter. Vous avez contre vous cinq catégories d'opposants. Les antisémites, d'abord, plus ou moins dissimulés…

Il y avait encore, en ces temps reculés, quelques antisémites embusqués quai de Conti.

— … les Juifs, ensuite. Plusieurs d'entre eux estiment que ça va bien comme ça et que point trop n'en faut. Vous avez encore contre vous les antigaullistes. De droite ou de gauche, leur nombre n'est pas négligeable. Vous avez enfin contre vous, que vous le vouliez ou non, les gaullistes qui sont puissants.

Maurice Schumann m'avait rapporté un de ses dialogues avec le Général. Ministre de la Recherche scientifique ou peut-être des Affaires sociales, il était allé faire signer quelques papiers par de Gaulle. Histoire d'engager une conversation, il lui avait glissé :

— Avez-vous vu, mon Général, l'article de Raymond Aron dans *Le Figaro* d'aujourd'hui ? Il ne vous est pas très favorable.

Le Général ne répond pas. Schumann le salue et reprend ses dossiers. En se retirant, sur le pas de la porte, il entend de Gaulle qui soliloque :

— Aron ? Aron ? Est-ce ce personnage qui est journaliste au Collège de France et professeur au *Figaro* ?

Devant Aron impassible, je résumais la situation :

— Ces quatre catégories-là – les antisémites, les Juifs, les antigaullistes, les gaullistes –, nous pourrions encore nous en accommoder. Mais il y a une cinquième catégorie, bien plus nombreuse et autrement redoutable :

ceux à qui vous avez fait comprendre un jour ou l'autre que vous étiez plus intelligent qu'eux.

Raymond Aron renonça à se présenter. Je le regrettai amèrement. Mais je crois qu'il avait raison : le risque était trop grand.

MOI : Pouvons-nous clore enfin ici le long chapitre de vos rapports avec les institutions ?

MOI : Pas encore, Président. Des institutions, j'en vois deux autres au moins dont je dois vous dire quelques mots. La première : le mariage. La deuxième : *Le Figaro*.

Près de dix ans après la mort de mon père, plus de dix ans avant l'Académie, je me suis marié. Pas plus que l'idée de devenir écrivain lorsque j'étais jeune, l'idée de me marier ne me traversait l'esprit. À dire vrai, j'étais plutôt hostile au mariage. Ce que j'aimais par-dessus tout, ce que j'ai toujours aimé, c'est la liberté. Je n'acceptais aucune limite. Je ne voulais d'aucun lien. Je ne détestais pas le changement. La solitude ne me faisait pas peur. Ma vie me plaisait. Mais Françoise me plaisait aussi. Elle était ravissante. Elle était douce, honnête et droite. Elle n'était pas tête en l'air. Elle avait toutes les qualités qu'on pouvait espérer d'une jeune femme. Et elle avait du caractère. Elle savait ce qu'elle voulait. Je n'avais pas envie de la perdre. Elle m'aimait. Je l'aimais. Je l'ai épousée.

Je me souviens – et elle aussi – que je suis allé à la mairie et à l'église sinistre de Saint-Jean-de-Passy où, au scandale de sa famille, elle portait un manteau jaune, comme un chien que l'on fouette. Peut-être parce que mes parents m'avaient donné l'exemple d'une union sans nuage, je savais très bien, dès le premier jour, que je n'étais pas fait pour le mariage. J'aimais trop les tempêtes. Je le répétais sans cesse à Françoise. Je lui ressassais qu'il était plus dangereux pour une jeune fille d'épouser un écrivain qu'un pilote de chasse ou un coureur automobile. Parce que tout écrivain tiendra toujours moins à son bonheur qu'à ses manuscrits, quelque médiocres qu'ils puissent être. Et, pire encore, qu'il acceptera et recherchera aventures, tribulations et même malheurs avec l'espoir qu'ils pourraient être de nature à nourrir ses romans. Elle prenait les choses en riant et avec gaieté. Elle m'épatait.

Je me souviens aussi que mon frère Henry était allé trouver son père. Ferdinand Béghin était un industriel de la vieille école, plus près du technicien que du financier. Il avait hérité d'un empire fondé sur le sucre et le papier et il l'avait considérablement développé. Un jour d'été, à la campagne où nous passions nos vacances, je l'ai beaucoup admiré. Un coup de téléphone venait de lui apprendre qu'une de ses machines, dans son usine du Nord, était tombée en panne et que personne ne parvenait à la réparer. Pendant une heure ou deux, de loin, au téléphone, il a réussi à remettre les choses en marche et à faire repartir la mécanique.

À sa stupeur, mon frère lui déconseilla de m'accepter dans sa famille. Un dialogue surprenant, qui m'a été rapporté des deux côtés, s'était engagé entre eux.

— Vous savez, murmurait Henry, je ne conseillerais à personne de prendre mon frère pour gendre.

— Quoi ! s'écriait Ferdinand, pensant à sa fortune qui ne prêtait pas à rire, vous me dites qu'il n'est pas honnête !

— Il est tout à fait honnête, insistait mon frère. Mais il n'est pas très sûr.

— Pas très sûr ! s'inquiétait mon futur beau-père. Il boit ? Il joue ?

— Il ne boit pas. Il ne joue pas.

Par un joli paradoxe, c'était plutôt mon frère qui était joueur. Inspecteur des Finances, il aimait tellement les casinos que, par un excès de scrupule, il s'en était fait interdire l'accès pour ne pas être tenté par le diable.

— Il est malade ? Il a une tare ? demandait Ferdinand. Il y a quelque chose qui cloche dans votre famille ?

— Non, non, répondait Henry qui était la rigueur même, notre famille va très bien et mon frère est tout à fait normal. Mais il est d'une légèreté effrayante. Il est charmant et changeant. Il l'a déjà montré : il est prêt à toutes les folies. Il a désespéré mon père. Je ne voudrais pas qu'il vous déçoive. C'est mon devoir de vous le dire : je le crois tout à fait incapable de faire le bonheur de votre fille.

Henry me fit part de sa démarche et Ferdinand, éberlué, en fit part à Françoise. Elle me la raconta à son tour en se tordant de rire. J'eus beau lui affirmer que je partageais en tout point le jugement de mon frère. Rien n'y fit. C'était à prendre ou à laisser. Je ne voulais pas laisser. Je pris.

Je ne l'ai jamais regretté. J'espère que Françoise, de son côté, ne s'en est pas trop repentie. Je lui dois presque tout. Je ne sais pas si les craintes de mon frère se sont réalisées. Je sais que Françoise n'a jamais cessé d'être pour moi une espèce de rêve et de salut. La tendresse, le dévouement, une attention de tous les instants.

À l'amour que je lui portais se sont ajoutés le respect, la gratitude, une affection profonde et sans fin.

En épousant Françoise, j'entrais dans une famille et j'en fondais une autre. La famille où j'entrais était très différente de la mienne. C'était une famille d'industriels du Nord qui avaient fait fortune dans le sucre grâce au blocus continental, à Benjamin Delessert et à la culture de la betterave qui remplaçait la canne à sucre. Le sucre avait mené au papier et Ferdinand Béghin s'était associé à Jean Prouvost, qui était passé lui-même de l'industrie textile à l'édition et dont le nom reste attaché à *Match*, à *Marie-Claire* et au *Figaro*. Les relations entre Ferdinand Béghin et Jean Prouvost avaient connu des phases successives où alternaient, à un rythme capricieux, rapprochements et hostilité.

Ce milieu, nouveau pour moi, et qui aurait surpris mon père (il aurait pourtant, j'imagine, s'il est permis d'évoquer les morts, beaucoup aimé Françoise), était bourré de gens intelligents qui se méfiaient des intellectuels. Ferdinand avait une sœur qui était la mère de Louis Malle. Le monde continuait à se tricoter autour de moi. L'auteur d'*Ascenseur pour l'échafaud*, des *Amants*, du *Souffle au cœur*, de *Zazie dans le métro*, devenait mon cousin germain et, avant ou après Alexandra Stewart et Candice Bergen, épousait Anne-Marie Deschodt dont j'avais toujours admiré la beauté et le charme et dont la mort récente a été pour moi un grand chagrin.

La mère de Françoise était suisse. Une maison près de Fribourg qui était dans sa famille depuis le XVIIIe siècle devenait un de mes séjours favoris. Avec une maison de rêve en Corse, près de Saint-Florent. Françoise avait deux sœurs que j'ai aimées tendrement : Roselyne et Pascaline. Chacune d'entre elles pourrait, sans aucune peine, fournir matière à romans. La planète entière se reconstruirait autour d'elles. Le plus important, pourtant, était ailleurs – mais je ne le savais pas : un enfant était né. Je m'en fichais un peu. Je le craignais plutôt : un enfant, c'était un lien de plus après celui – si dur – du mariage. Il n'allait plus être possible d'en faire à ma seule tête, de partir au loin pour un oui ou pour un non, de multiplier des existences que j'aurais voulues innombrables.

Il m'était souvent arrivé, le vendredi soir, en sortant de chez Gallimard ou d'ailleurs, avec Jean-François Deniau ou avec d'autres, de prendre ma voiture et de partir pour l'Italie. Le soleil se levait sur les bords de la Méditerranée, du côté de Menton ou de Portofino. Nous arrivions à Rome le samedi vers deux heures. Nous déjeunions un peu tard sur la piazza Navona. Nous couchions n'importe où. Nous repartions le dimanche au début de l'après-midi et nous arrivions au bureau, épuisés de fatigue, le lundi, autour de neuf heures du matin. Ces délires-là étaient finis. J'étais attaché, ligoté, prisonnier.

Une espèce de carnet de naissance comportait des rubriques qui me paraissaient imbéciles : « Le père voudrait que l'enfant s'appelle... » et « La mère voudrait que l'enfant s'appelle... » Dans l'espace qui lui était réservé, Françoise, toujours prompte à la décision, avait écrit : « Héloïse » – moins à cause d'Abélard ou de Jean-Jacques qu'à cause du Plazza et d'une tortue menée en laisse. *Héloïse au Plazza* était une bande dessinée qui avait, à l'époque, connu un grand succès. Ma rubrique à moi était restée vierge : le nom que porterait l'enfant m'était indifférent. Le médecin accoucheur de Françoise me jugeait sévèrement et me traitait de tous les noms. Ne m'accusez pas trop vite, maître de justice. J'essaie de dire ma vérité. Elle n'est pas glorieuse – et je m'en repens amèrement. J'ai beaucoup aimé, plus tard, la jeune femme brillante, fondatrice d'une maison d'édition du premier rang, qu'est devenue Héloïse. Je m'en veux d'avoir perdu les années évanouies de sa petite enfance. À Héloïse, comme à Françoise, qui m'ont, toutes les deux, entouré de tendresse, je dois quelque chose qu'on pourrait appeler des excuses mais qui à mes yeux serait plutôt des remords.

La vie, vous savez ce qu'elle fait, maître des galaxies et des astres dans le ciel : elle continue. Héloïse, à son tour, a été la mère d'une fille. J'ai reporté sur Marie-Sarah, et j'en demande pardon à ma fille, la tendresse et l'attention que j'avais mesurées à Héloïse.

MOI : Vous aimeriez peut-être nous arracher quelques larmes mêlées d'indignation. Nous savons, par bonheur, et par malheur pour vous, que le fond de votre nature est l'indifférence. Les choses vous sont égales. Et les êtres aussi. Vous avancez au hasard dans une sorte de brouillard. Vous brillez de temps en temps, mais rien n'a de sens pour vous. Je crains, mon pauvre ami, que le verdict de ce tribunal, dont vous devez commencer à reconnaître les motifs et la pertinence que vous faisiez semblant de contester à l'ouverture de ses débats, ne soit sévère pour vous.

MOI : Je vous baise les mains, maître de justice. Je me plie d'avance à vos décrets. J'essaie de vous guider comme je peux dans une enquête dont, à ses débuts au moins, je ne comprenais pas le sens. Qu'importe. Nous devons avancer. Il nous faut quitter, prince des destins et des générations, ce monde d'alliances et de parentés où nous nous sommes engagés pour un domaine nouveau où se côtoient et se combattent le meilleur et le pire : le journalisme.

MOI : Allons-y, vermisseau des marécages, imposteur flamboyant.

MOI : Une légende erronée s'est souvent répandue : j'aurais été élu à l'Académie française parce que j'étais directeur du *Figaro*. C'est le contraire qui est vrai : j'ai été élu à la tête du *Figaro* parce que j'étais le plus jeune des académiciens.

Une autre légende prétend que mon beau-père, qui avait, en effet, à travers le papier, eu des liens avec la presse et avec *Le Figaro*, était à l'origine de ma carrière de journaliste. C'est encore une erreur. Ferdinand Béghin venait de vendre à Jean Prouvost, dont il s'était beaucoup éloigné, ses actions du *Figaro* quand celui-ci me proposa pour le poste de directeur. Son choix était, à l'égard de mon beau-père, plutôt comme un camouflet ironique qu'un signe d'amitié.

Ministre de l'Information dans le dernier gouvernement Paul Reynaud, haut-commissaire à l'Information de Pétain pendant quelques jours, patron de *Paris-Soir*, qui deviendra *France-Soir*, de *Match*, qui deviendra *Paris-Match*, et de *Marie-Claire*, installé au coin de la rue François-Ier et de la rue Pierre-Charron, entouré de personnages surprenants tels qu'Hervé Mille ou Gaston Bonheur qui lui donnaient du « Patron », et de photographes qui étaient des vedettes du Tout-Paris et de la jet-set – Jean-Pierre Pedrazzini, qui allait trouver la mort à Budapest en 1956, Benno Graziani ou Willy Rizzo –, Jean Prouvost mériterait à lui tout seul une longue biographie. Suspect à la fois aux partisans du Général et à ceux du Maréchal, il s'était assuré la collaboration de Cocteau, de Saint-Exupéry, de Simenon, de Kessel, de Mac-Orlan, de Pierre Lazareff, et il aimait ce qui brille à la première page des journaux. Mon élection sous la Coupole à quarante-sept ans sur la seule *Gloire de l'Empire* avait fait parler du plus jeune des académiciens. J'ai été, pendant des années, le benjamin du quai de Conti. Le temps passe, et très vite. Me voilà soudain, après Druon et Lévi-Strauss, le doyen d'élection. À l'époque, en 1973, Prouvost pensa à moi pour prendre les rênes du *Figaro* qui avait connu une longue grève meurtrière et qui flottait un peu depuis la mort de Pierre Brisson, directeur du journal de 1936 à 1964.

La désignation du directeur du *Figaro* n'était pas une mince affaire. Le propriétaire avait le droit de proposer un nom, mais la décision appartenait à un vote des journalistes. Il fallait tenir compte aussi, non seulement de la pression des syndicats, mais des humeurs d'un fameux Groupe des Cinq, composé d'amis et d'héritiers de Pierre Brisson et qui détenait quelque chose d'obscur et d'assez fort comme un droit moral sur le journal.

Ma première réaction fut d'aller voir Raymond Aron pour qui j'avais beaucoup d'admiration et dont tous les articles publiés par *Le Figaro* connaissaient un grand retentissement.

— Si vous souhaitez prendre la direction du journal, lui dis-je, je m'efface aussitôt.

Le problème n'était pas seulement que Prouvost ne lui avait rien proposé, mais aussi et surtout qu'Aron lui-même n'avait aucune envie de se mettre sur le dos la charge écrasante et souvent ingrate de la direction d'un journal. Raymond Aron n'était pas fou. Très conscient de ce qu'il représentait, il voulait continuer à travailler en paix à ses livres et à ses articles sans se préoccuper des lourdes tâches d'intendance. Peut-être légèrement agacé par la promotion d'un jeune blanc-bec sans la moindre expérience, il me souhaita bonne chance et m'assura de son soutien. De mon côté, je pris la ferme résolution, que je n'ai jamais cessé de respecter, de considérer Raymond Aron comme mon maître en politique, en économie, en journalisme, et de lui faire en toutes circonstances la place la plus large et la plus respectueuse. Dans toute la mesure de mes pouvoirs, j'ai déroulé au *Figaro* un tapis rouge sous ses pas. Au point de m'attirer de la part des journalistes quelques commentaires ironiques dont je n'ai tenu aucun compte : l'évidence de la supériorité de Raymond Aron ne pouvait être mise en doute. S'il y a quelqu'un qui a fait honneur, dans la seconde moitié du siècle écoulé, non seulement au journalisme mais à la pensée politique, c'est bien Raymond Aron. La fameuse formule : « Mieux vaut avoir tort avec Sartre que raison avec Aron » n'était que l'illustration du dévoiement des esprits de l'époque. Entre Sartre et Aron, camarades à l'École normale, séparés par leurs choix politiques, l'histoire n'a pas tardé à rendre son verdict.

Les journalistes du *Figaro* ne savaient pas grand-chose

de moi. Ils m'envoyèrent deux délégués chargés de m'ausculter dans mon gourbi de l'Unesco. Ils revinrent au journal avec leur conclusion :

— Il a les yeux de Michèle Morgan et le nez de Raymond Aron.

Raymond Aron lui-même, qui jugeait, à juste titre, que je ne savais presque rien, se chargea de ma campagne électorale avec une bienveillance sarcastique. Son argumentation tenait en trois points :

— Il n'est pas tout à fait stupide. Votez pour lui ! Il a des opinions très fermes mais assez vagues. C'est très commode. Votez pour lui ! Il est d'une ignorance encyclopédique. Aucune importance. Votez pour lui !

Devenir directeur d'un grand quotidien comme *Le Figaro* constituait pour moi une sorte de rêve éveillé. Le pouvoir politique ne me disait rien qui vaille. Faire de la politique consiste à être persuadé qu'on a raison et que les autres ont tort. J'étais trop rarement de ma propre opinion pour m'engager dans cette voie. Je n'avais aucune envie de devenir député. Encore moins d'être ministre. Mais j'aimais écrire des articles. Le spectacle du monde et de l'histoire en train de se faire m'intéressait passionnément. Diriger un journal me paraissait le comble de la félicité. À la dernière minute cependant, j'éprouvai un doute sur ma capacité à exercer cette fonction difficile et dont je ne savais rien. Un sentiment, sinon d'angoisse, du moins d'inquiétude s'empara de moi avec force. J'hésitais. Je déclarai qu'une seule opposition me ferait renoncer à ma candidature. Ce recul, presque cet abandon, fit l'effet le plus positif. Je fus élu à l'unanimité.

Le Figaro, en ces temps-là, était installé au rond-point des Champs-Élysées, en face de Dassault et de ses *Jours de France*. La première fois que je pénétrai en patron de presse dans mon bureau somptueux et ovale d'où vous pouviez apercevoir, en vous penchant à peine, d'un côté la Concorde et de l'autre l'Arc de triomphe, un sentiment m'envahit qui ressemblait à de l'orgueil. J'avais le pouvoir – ou cette apparence du pouvoir qui se confond si aisément avec lui.

Mes assistantes m'accueillirent. Elles succédaient à une figure légendaire qui avait été la secrétaire et la confidente de Pierre Brisson et qui portait le nom prédestiné de Mlle Parlebas. Les choses commencèrent plutôt mal. En ces temps reculés – il y a plus de quarante ans –, le téléphone portable n'existait pas. Aussi une de mes assistantes m'entreprit-elle aussitôt :

— Je dois pouvoir vous joindre à toutes les heures du jour et de la nuit. Chaque matin, j'aurai sous les yeux votre emploi du temps de la journée et je vous demanderai de m'indiquer les activités publiques et privées auxquelles vous pourriez vous livrer.

— Je sais qu'au *Monde*, lui dis-je, qui est un journal du soir, le premier comité de rédaction a lieu de très bonne heure. Et, si je suis bien renseigné, pour que personne ne se rendorme, la conférence se tient debout. Le *Figaro* est un journal du matin. Le comité se tient à dix heures et demie et à six heures et demie du soir. Il me suffira donc d'arriver vers neuf heures et demie ou dix heures. Demain, par exemple, je déjeune place Beauvau, au ministère de l'Intérieur. Je serai de retour au journal vers trois heures moins le quart. Je le quitterai vers sept heures et demie pour aller me changer : je dîne avec l'ambassadeur des États-Unis. Je sortirai de l'ambassade vers dix heures et demie. Et je serai là à onze heures et demie jusqu'à une heure du matin comme chaque soir.

— Et entre dix heures et demie et onze heures et demie, me demanda l'assistante en train de prendre des notes, où serez-vous ?

J'hésitai un instant.

— Suis-je obligé de vous le dire ?

— Oh ! Monsieur, me répondit-elle, c'est couvert par le secret professionnel.

Mes débuts au journal furent pittoresques. Dès le premier jour, j'avais apporté au Rond-Point, avec l'intention d'y jeter un coup d'œil dans les rares moments libres dont je pourrais disposer, le brouillon de mon discours de réception au fauteuil de Jules Romains que je devais prononcer quelques semaines plus tard sous la Coupole. J'ai la mauvaise habitude de jeter par terre les papiers sur lesquels je travaille. À l'heure du déjeuner, avant de partir pour le ministère de l'Intérieur, j'avais ajouté ou supprimé quelques virgules à mon texte et j'avais tout laissé en plan. Ce que j'ignorais, c'était que la femme de ménage passait dans les bureaux à l'heure du déjeuner. À mon retour de la Place Beauvau, mon discours sur Jules Romains répandu sur la moquette avait disparu. Une rapide enquête m'apprit que les détritus, constitués surtout de tonnes de papier usé, étaient stockés dans la cour intérieure de l'immeuble du *Figaro*. Le métier de journaliste consiste à tout savoir tout de suite. Quand je me présentai dans la cour pour aller fouiller dans les poubelles – où j'allais, par miracle, retrouver mon manuscrit –, le journal entier était aux fenêtres pour voir le nouveau directeur s'agiter comme un dément, les mains dans les ordures.

Quelques jours plus tard, l'huissier de service – les huissiers du Rond-Point suivaient encore un protocole très strict et portaient l'habit avec une chaîne autour du cou ; les choses allaient changer du tout au tout avec l'installation rue Montmartre pour des raisons d'économie… – me remit une carte de visite, visiblement bricolée à peu de frais, où je lus avec surprise :

Madame Joseph Caillaux

Tout le monde sait que Mme Caillaux avait assassiné, en 1914, à la veille de la guerre, Gaston Calmette, alors directeur du *Figaro,* qui venait de publier des lettres compromettantes pour son mari en train d'instaurer – à 2 %… – l'impôt sur le revenu.

— Cette dame, me dit l'huissier, demande à être reçue.

— Faites-la entrer.

Et, à ma stupeur, je vis débouler dans mon bureau, vaguement déguisé en femme, Jean Dutourd que je reconnus aussitôt. Je n'eus le temps ni de poser des questions ni de faire des politesses. Un chapeau à plumes sur la tête, une voilette devant les yeux, un boa autour du cou, il tenait à la main un pistolet à eau dont il me déchargea le contenu sur le nez.

Je n'étais pas directeur de la rédaction. J'étais directeur du journal, puis directeur général, et président du directoire. Une foule de problèmes syndicaux, économiques, sociaux ne cessaient de m'assaillir. Françoise prétendait que c'était elle qui m'annonçait par téléphone les grands événements politiques pendant que je discutais avec les associations de journalistes ou le fameux Groupe des Cinq. *Le Figaro* n'était pas encore automatisé. Il y avait encore des protes, des plombs, les vieilles techniques traditionnelles. Je m'entendais bien avec les typographes qui étaient communistes et savants et qui corrigeaient souvent les fautes de français des journalistes. Selon une vieille tradition, ils organisaient à l'arrivée de chaque nouveau directeur une cérémonie, un peu privée et presque clandestine, appelée *Ala* ou *Alla* parce qu'ils y buvaient *à la* santé du néophyte. Or, au cours de mes fréquents voyages en Italie, j'étais tombé, à Rome, sur une belle église moins connue que les grandes basiliques : San Giovanni a Porta Latina…

MOI : Vous nous en avez déjà parlé à propos d'*Au plaisir de Dieu.*

MOI : … et j'avais découvert que saint Jean à la Porte latine était le patron des typographes. Je trinquai avec eux dans le souvenir de saint Jean à la Porte latine et de Rome.

J'étais, bien entendu, entouré de nombreux conseillers, plus compétents que moi dans tous les domaines. Un honorable inspecteur des finances s'occupait des problèmes économiques. Des journalistes chevronnés faisaient tourner la machine. Des noms innombrables me reviennent à la mémoire. J'en citerai seulement trois, parmi beaucoup d'autres : Jean Griot, qui vivait dans le culte du maréchal Joffre, qui aurait pu aspirer à la direction du journal et qui me fut d'un grand secours amical ; Max Clos, baroudeur chevronné et sympathique, qui exerça longtemps les fonctions décisives de rédacteur en chef ; Xavier Marchetti, venu de l'Élysée et de l'entourage de Pompidou – ce qui créa des remous dans la rédaction –, connaisseur subtil du milieu politique, qui ne cessa jamais de m'apporter une aide précieuse et qui devint très vite un ami.

Je m'étais présenté comme un directeur stagiaire et mes amis me recommandaient avec sagesse de me tenir sur la réserve et en arrière de la main lorsque éclatèrent coup sur coup deux événements dont la brutalité me projeta aussitôt, à mon corps défendant, sur le devant de la scène : la mort de Pompidou, le 2 avril 1974, et le premier choc pétrolier.

Il y avait dans la fin du président Pompidou comme un reflet des tragédies de Shakespeare. À la descente d'un avion qui le ramenait de Reykjavik, la France entière l'avait vu avec stupeur sur le petit écran soudain changé et défait. Jour après jour, sa santé se détériorait un peu plus. Avec des rémissions subites et incompréhensibles, comme la maladie elle-même. Tout le monde savait que le Président était gravement atteint mais personne – et peut-être pas lui-même – ne pouvait mettre un nom sur son mal mystérieux. Il continuait à travailler comme si de rien n'était et, conservant le silence, laissait les rumeurs poursuivre leur chemin. Tout le mois de mars fut un calvaire. Le 2 avril, après quelques heures passées chez lui, à Orvilliers, où il espérait se reposer un peu, il expira sur le chemin du retour à Paris. Sa mort fut un chagrin pour Françoise et pour moi qui étions liés avec lui. Elle me mit surtout brutalement en face de mes responsabilités. Une campagne présidentielle s'ouvrait. Quelle serait la position du *Figaro* ?

Le bruit avait couru que Pierre Messmer, Premier ministre, ou Edgar Faure pourraient se mettre sur les rangs. J'avais du respect pour Messmer et de l'amitié pour Edgar Faure. Quarante ans plus tard, Edgar Faure n'aurait pas manqué d'être mis en examen. Même son talent exceptionnel n'aurait pas suffi à le tirer d'affaire. Mais son intelligence et sa rapidité d'esprit ne cessaient jamais d'être empreintes de drôlerie et d'originalité. Ministre de l'Éducation nationale en 1968, il répétait en zézayant, à qui voulait l'entendre :

— Ne dites zamais qu'Edgar Faure a mis la pagaille à l'Éducation nationale. Dites : la pagaille a mis Edgar Faure à l'Éducation nationale.

Il assurait volontiers que deux personnes seulement auraient pu éviter la Révolution de 1789 : la première était Turgot – mais il était mort. La seconde était Edgar Faure – mais il n'était pas né. Il répondait aux attaques qui ne manquaient pas contre lui en prétendant que ce n'était pas la girouette mais les vents qui changeaient.

Edgar n'était pas facile à épater. Il m'avait à la bonne à cause de Rutilius Namatianus. Un jeudi, à l'Académie, il murmura quelques vers latins d'un poète du début du Ve siècle, assez peu connu, disait-il, contemporain de Sidoine Apollinaire et venu comme lui de la Narbonnaise.

— Inconnu ? glissai-je. Rutilius Namatianus : *De Reditu suo.*

Il me regarda, l'air surpris.

L'évidence s'imposa très vite : sans Messmer et sans Edgar Faure, l'affaire allait se jouer entre trois candidats : Jacques Chaban-Delmas, gaulliste, Premier ministre de Pompidou avant Pierre Messmer ; Valéry Giscard d'Estaing, l'homme du « Oui, mais... », ministre de l'Économie et des Finances ; et François Mitterrand qui, venu de la droite et premier secrétaire du parti socialiste depuis 1971, avait réussi à mettre sur pied avec Georges Marchais et les communistes le Programme commun de la gauche.

La rédaction s'agitait. Conduite par Michel-P. Hamelet, une délégation vint me trouver. Membre du fameux Groupe des Cinq, Hamelet était un curieux personnage. Très actif, assez vif, plutôt sympathique, il avait dû jadis être assez bien physiquement. Le bruit courait qu'il avait été introduit au *Figaro* par François Mauriac qui serait tombé sur lui le long des quais de Marseille. Et qu'il entretenait des liens étroits et lucratifs à la fois avec la Roumanie communiste de Ceausescu et avec plusieurs grandes entreprises françaises. À défaut d'un appui ouvert à François Mitterrand, il venait réclamer, au nom de la liberté de la presse, une stricte neutralité du *Figaro* dans la campagne qui s'ouvrait. Je lui répondis que la liberté de la presse ne consistait pas à pousser *L'Humanité* vers la droite ou *Le Figaro* vers la gauche, ni même à les confondre dans une commune neutralité. La liberté de la presse permettait à *L'Humanité* d'être un organe de gauche et au *Figaro* d'être un journal de droite.

La question du ralliement à Mitterrand réglée, restait un problème autrement épineux : *Le Figaro* devrait-il soutenir Chaban-Delmas ou Giscard d'Estaing ? J'étais un ami de Giscard et j'étais gaulliste. Aron inclinait vers Giscard. Jean Griot, Max Clos, Xavier Marchetti plutôt vers Chaban. Je me souvenais de mes débuts au

Figaro avant même ma nomination au poste de directeur. Quelques années après la mort de Pierre Brisson, ils avaient marqué la fin de mon bannissement. C'était au temps où, coup de tonnerre, le général de Gaulle quittait le pouvoir à la suite de l'échec du référendum de 1969 : « Je cesse d'exercer les fonctions de président de la République… » Jean-Jacques Servan-Schreiber avait aussitôt écrit dans *L'Express* que « pour la première fois, il se sentait fier d'être français ». Je me promenais alors en Sicile et, à tout hasard, sous le coup de l'émotion, j'avais envoyé de Palerme au *Figaro* une chronique où, partisan ardent du Général, je demandais à Jean-Jacques Servan-Schreiber, qui avait à peu près mon âge, si vraiment il n'avait jamais eu d'autres occasions d'être fier de son pays. Quelques jours après, à ma stupeur, je découvrais à la première page du journal mon texte publié. Un peu plus tard, toujours en 1969 et toujours dans *Le Figaro*, j'avais écrit un ou deux articles pour soutenir Georges Pompidou contre Alain Poher. Au printemps 1974, j'hésitais cruellement entre Chaban et Giscard.

L'affaire se régla d'elle-même. En 1974, il n'y avait encore que deux chaînes de télévision en France. L'une d'elles avait invité Chaban. Il vint accompagné de Malraux. Pour une raison ou pour une autre – à deux ans de sa mort, Malraux apparut épuisé et au bout du rouleau –, l'émission fut un désastre. Jamais débat politique n'eut pareilles conséquences. La cote de popularité de Chaban-Delmas s'effondra d'un seul coup. Il devenait tout à fait clair que seul Valéry Giscard d'Estaing pouvait l'emporter sur François Mitterrand qui venait déjà de connaître un beau succès aux législatives de 1973 avec la poussée des deux formations de gauche unies dans le Programme commun. Quelques semaines plus tard, l'élection présidentielle confirma ces prévisions : Giscard fut élu président de justesse avec un peu plus de 50 % des voix contre un peu plus de 49 % à François Mitterrand.

La principale caractéristique du nouveau Président était l'intelligence. Il y a des gens qui ont une case de moins dans la tête. Lui en avait, avec évidence, une de plus que les autres. Il suffisait d'écouter quelques instants Valéry Giscard d'Estaing pour constater qu'il était d'une souplesse et d'une rapidité d'esprit merveilleuses. Il m'épatait depuis longtemps. J'étais lié avec lui sinon depuis l'enfance, du moins depuis ma jeunesse. De la Pléiade de Ronsard et de Du Bellay aux fameux dîners du Siècle, en passant par le Salon bleu de la marquise de Rambouillet et par les Salons de Mme du Deffand ou de Julie de Lespinasse, par le Cénacle de Charles Nodier puis de Victor Hugo, par les dîners Magny où se retrouvaient Maupassant, Flaubert, George Sand, les frères Goncourt, et par le Café de Flore ou celui des Deux Magots, les Français ne détestent pas se retrouver en comité restreint pour discuter entre eux de choses futiles ou sérieuses. Un petit groupe informel réunissait dans les années 1950 ou 1960 Valéry Giscard d'Estaing, Simon Nora, Jean-Jacques Servan-Schreiber, quelques autres et moi-même. Nous avions tous à peu près le même âge et tous les autres étaient plus brillants, plus ambitieux, plus proches des réalités politiques et économiques que moi. Aucun n'avait encore atteint cette notoriété à laquelle ils aspiraient, mais tous étaient d'avance convaincus qu'ils y parviendraient. J'avais le sentiment qu'ils s'amusaient de ma légèreté et de mon ironie. Il m'arrivait, je l'avoue, d'être dépassé par leurs débats et par leur vocabulaire. Valéry, notamment, s'exprimait avec une recherche et une complexité qui me laissaient pantois. Sans cesser d'être toujours aussi éblouissant, il a beaucoup depuis lors simplifié son langage. À l'époque, je ne comprenais pas toujours les choses brillantes et obscures que lui et d'ailleurs les autres débitaient avec assurance, et je me disais souvent que je ferais mieux d'aller me promener dans ma chère Italie ou dans ces ports de Méditerranée où j'aimais ne rien faire et rêver à presque rien au milieu de ces bateaux que j'ai toujours aimés. Il m'arrivait de murmurer en moi-même les vers d'une simplicité biblique du bon Gabriel Vicaire :

> À quoi je rêve ? À rien peut-être.
> Je regarde les vaches paître
> Et la rivière s'écouler.

Ce n'était pas la première fois que je me retrouvais entouré de jeunes gens de mon âge qui entendaient bien faire parler d'eux. Je me souviens d'un déjeuner ou d'un dîner organisé par André François-Poncet, ambassadeur de France ou haut-commissaire, dans sa résidence de Schloss Ernich à Bad Godesberg en Allemagne, en 1954 ou 1955. Sur la dizaine de convives entre vingt et trente ans rassemblés par ses soins – Giscard, Deniau, Jobert, Cheysson, Jacques Duhamel, Guiringaud, Sauvargnargues, moi-même... –, j'ai été seul, je m'en consolais sans trop de peine, à ne pas devenir ministre ou secrétaire d'État.

Nous nous répétions à mi-voix les bons mots du flamboyant ambassadeur. À une dame qui lui demandait de ses nouvelles dans un souper après un rhume ou une grippe, il avait répondu, reprenant, j'imagine, un quatrain du XVIIIe ou de la fin du XIXe siècle :

> Toujours fidèle à ma conduite
> Et sans trop nuire à ma santé,
> Je tire encore deux coups de suite,
> L'un en hiver, l'autre en été.

À Jean-François Deniau, qui travaillait à ses côtés et qui lui avait parlé d'un bateau sur le Rhin en train de transporter du lignite, il avait répondu :

— Ce qui est chargé sur ce bateau m'est assez indifférent, mais je vous félicite de savoir que le mot *lignite* n'est pas du féminin.

Giscard donnait la même impression de tout savoir et de tout exprimer avec bonheur et avec une ombre de hauteur. Un détail m'avait frappé. Au cours de l'une de nos réunions, nous avions comparé nos agendas. Celui de Valéry était bourré à craquer.

— Il doit toujours, me dit-il, être aussi plein que possible. Le moindre blanc me rend malade et me remplit d'angoisse. Et toi ?

Je dus lui avouer non seulement que mes préférences allaient à un agenda entièrement vide, mais que, pour être aussi libre que je le souhaitais, je n'avais ni montre ni agenda. Plus tard, d'ailleurs, persévérant dans cette voie, je ne posséderai jamais ni portable, ni fax, ni ordinateur, ni tablette. Je ne tiens ni à être joint ni à être connecté.

— Alors, disait Forain, vers le début du siècle dernier, à un ami qui venait de se faire installer le téléphone, alors, on te sonne, et tu y vas.

Cette histoire d'agenda, je l'ai reprise dans un petit discours que je devais prononcer au musée d'Orsay à l'occasion de la remise à Valéry de son épée d'académicien. Après l'avoir félicité de son élection qui « l'élevait jusqu'à moi », j'avais opposé sa soif d'activité à mon penchant pour la paresse. Un des agréments de l'Académie est que l'affection et l'admiration y cohabitent volontiers avec une ombre de légèreté.

En 1974, *Le Figaro* a contribué, dans la mesure de ses moyens, à l'élection de Valéry Giscard d'Estaing à la magistrature suprême. Flanqué de ses fidèles lieutenants, Michel Poniatowski et Michel d'Ornano, Giscard s'est engagé avec détermination et courage dans la voie nouvelle des réformes. Il en a réussi plusieurs avec éclat. Il lui fallait, pour y parvenir, négocier avec ceux qui lui étaient plus ou moins hostiles. Il était tout naturel qu'il invitât plutôt ses adversaires que ses partisans qui lui étaient acquis. Une des rares fois où je me suis rendu à l'Élysée au cours du mandat de Giscard, je venais de publier un livre où je couvrais de fleurs Raymond Aron, mais où, selon mon habitude, je me laissais aussi aller à l'ironie et glissais une allusion à sa tendance à la paranoïa.

À peine avais-je franchi le seuil de l'Élysée qu'une bonne âme m'informe que Raymond Aron est là, ivre de fureur contre moi. Je me précipite vers lui et, lui rappelant l'admiration que je ne cessais de lui témoigner, je plaide ma cause avec repentance et humilité.

— Bon, me dit-il. N'en parlons plus. Je vous pardonne.

Nous passons à table, Raymond Aron, le peintre Soulages, Aimé Césaire, plusieurs autres et moi. Entre la poire et le fromage, Raymond Aron se tourne vers moi et me lance :

— J'ai eu tort de vous pardonner. Paranoïaque ! paranoïaque ! Est-ce ma faute si j'ai toujours raison ?

Souvent attaqué injustement – l'affaire des diamants de Bokassa était la première de ces prétendues « affaires », montées de toutes pièces dans le style du collier de la reine et destinées à jeter le discrédit sur un adversaire politique –, Giscard se heurta durant son septennat à d'immenses difficultés. Étaient-elles dues à un trait de caractère souligné par un mot, peut-être apocryphe, du général de Gaulle : « Son problème, c'est le peuple » ? Elles étaient liées en tout cas au second événement mentionné tout à l'heure, prince des triomphes et des crises, en même temps que la mort de Pompidou et survenu quelques semaines à peine après mon arrivée au *Figaro* : le premier choc pétrolier.

Due, je crois, à Jean Fourastié, la formule des *Trente Glorieuses* désigne les trente années qui s'écoulent entre la libération de la France et l'élection de Giscard. Le général de Gaulle, après avoir imposé les Français vaincus dans le camp des vainqueurs et mis fin aux aventures désastreuses du colonialisme, remet le pays sur ses rails. L'espoir renaît. L'économie repart. L'agriculture se porte bien. Georges Pompidou poursuit l'industrialisation de la France. Le chômage se stabilise à des niveaux acceptables. Le pouvoir d'achat augmente. Le parti communiste, après avoir atteint des sommets, entame son long déclin. Les Français déchirés se réconcilient entre eux. Le premier choc pétrolier s'abat comme la foudre sur le pays ressuscité. Ses conséquences se font sentir jusqu'au sein du *Figaro.* Je me vois contraint de procéder à cette horreur économique que résume une formule très nouvelle pour moi : un plan social.

L'obligation m'est imposée de me séparer d'un certain nombre de mes collaborateurs. Je mets un point d'honneur à ne pas faire figurer seulement des adversaires sur la liste fatale. À la suite de concertations et de débats cruels et sans fin, j'y inscris le nom de deux journalistes pour qui j'avais de l'estime et de la sympathie – et qui, bizarrement, allaient devenir après ces épreuves des amis encore plus chers : Bernard Pivot et Jean-Marie Rouart.

Bernard Pivot était déjà une figure du *Figaro littéraire.* Conscient de ses capacités, qui étaient grandes, et soutenu par Jean Prouvost, il souhaitait obtenir tout un secteur qui ne comprenait pas seulement la littérature, mais les spectacles, les loisirs et le sport. Bref, tout un pan considérable du journal, sauf la politique et l'économie. Les coups de téléphone et les messages – venus parfois de très haut – pleuvaient en sa faveur et aussi contre lui. Je dus me résigner à contrecœur à priver le journal de sa collaboration. Je le déplore encore aujourd'hui avec sincérité. Les indemnités légitimes qui lui furent versées lui permirent au moins de construire une piscine dans sa propriété du Beaujolais. Et peut-être ce coup du sort dont j'étais responsable fut-il aussi pour lui un coup de chance : il quitta la presse écrite pour la télévision où il allait jouer le rôle que chacun sait dans la sociologie littéraire et la culture de masse de notre temps. Il se vengea de moi de la façon la plus élégante : il donna mon nom à sa piscine avec une amicale ironie, et il m'invita une bonne vingtaine de fois à ses célèbres émissions, dues en partie aux heureuses conséquences de ma brutalité : *Ouvrez les guillemets*, *Apostrophes* et *Bouillon de culture.*

J'avais remarqué, un matin, à la première page du journal une chronique, pleine d'ardeur et de vivacité, consacrée à une affaire qui avait fait couler beaucoup d'encre et qui était allée jusqu'à provoquer la citation par Georges Pompidou de quelques vers d'Eluard : une enseignante, Gabrielle Russier, était tombée amoureuse d'un de ses élèves. L'auteur de la chronique était un jeune écrivain qui appartenait à une famille de peintres et d'artistes proche de Berthe Morisot, de Manet, de Degas, de Paul Valéry. Il aimait parler sentiments et idées, et il en parlait fort bien. Je me liai avec lui. C'était Jean-Marie Rouart.

J'ai toujours connu Jean-Marie charmant, chaleureux, enthousiaste, épris de littérature, grand lecteur, admirateur de Drieu, incapable de conduire une voiture, couvert de femmes qui conduisaient à sa place et se débattant comme il pouvait entre leurs charmes et leurs exigences. Non content de s'occuper avec talent des peines de cœur de ses contemporaines, dont il était devenu une sorte de spécialiste, il s'était engagé dans une enquête sur les entreprises pétrolières qui avait provoqué l'irritation et la réprobation de Raymond Aron. Au cours des discussions sévères qui entouraient l'établissement de la liste des proscrits, Aron avait demandé la tête du jeune journaliste. Pour dire toute la vérité, fléau de la justice, maître sans rival de l'impartialité, la version du coupable présumé était un peu différente. Il assurait que je lui avais promis une promotion s'il avait raison dans ses attaques contre les pétroliers et la porte s'il avait tort. Les faits avaient fini par montrer le bien-fondé de ses accusations – et je l'avais tout de même viré. Qui de lui, d'Aron et de moi était vraiment dans son droit au terme de ce sombre imbroglio ? Je n'en sais toujours rien. Mais, à tort ou à raison, je me ralliai comme d'habitude à l'opinion de Raymond Aron et j'inscrivis le nom de Jean-Marie Rouart sur la liste des condamnés.

Là encore, comme pour Pivot, je m'en suis beaucoup voulu. Quelques années plus tard, j'ai fait ce que j'ai pu pour ramener Jean-Marie Rouart au sein du *Figaro* où, grâce à son talent, il a occupé avec succès et durant de longues années le poste de directeur du *Figaro littéraire* – dont il m'a ouvert les portes avec la même générosité que Bernard Pivot à *Apostrophes.*

Patron des grandes causes et des grands enthousiasmes, je vous dois un aveu légèrement humiliant : …

MOI : Ah ! encore ! Mais vous ne faites rien d'autre, avec une charmante lucidité et en inculpé modèle, que de vous traîner dans la boue…

MOI : … je n'étais pas fait pour devenir chef d'entreprise. Je n'aime pas recevoir des ordres. Je n'aime pas non plus en donner. L'affaire du plan social me mit au bord de la dépression. Tout revers a sa médaille : je retrouvai très vite dans ma chambre bien close le bonheur oublié de lire autre chose que des comptes d'exploitation, des rapports et des articles : des romans et des nouvelles.

> Je veux lire en trois jours l'*Iliade* d'Homère
> Et, pour ce, Corydon, ferme bien l'huis sur moi.

Signé d'un nom que je ne connaissais pas, un livre enchanté et enchanteur m'était arrivé entre les mains : *La Couronne de plumes.* Jamais depuis Proust – en yiddish, cette fois, et avec des moyens si différents ! – l'universel n'avait été atteint à partir d'un particulier si restreint. Miracle de la littérature ! La duchesse de Guermantes, Mme Verdurin, le baron de Charlus et le faubourg Saint-Germain avaient été remplacés dans *La Couronne de plumes* par la femme du rabbin et par de jeunes Juifs exaltés et naïfs.

J'écrivis aussitôt un article émerveillé sur le torrent d'humanité qui courait tout au long de la rue Krochmala, dans les ghettos de Lublin ou de Varsovie, à travers les boutiques du boucher et du tailleur, la maison du rabbin, la synagogue, la yeshiva.

Ce fut, à mes dépens, un éclat de rire dans Paris. L'auteur, ignoré de moi, Isaac Bashevis Singer, était universellement connu et candidat au Nobel. Il n'y eut que Singer lui-même pour ne pas se moquer de moi. Quand il vint à Paris pour présenter un nouvel ouvrage qui venait d'être traduit en français, son éditeur lui demanda qui il souhaitait pressentir pour le présenter en Sorbonne ; Singer me désigna.

Je devais retrouver Singer sur le petit écran dans une conversation magnifique avec Henry Miller. La télévision, de temps en temps, nous réserve de ces surprises.

Un dialogue éblouissant, par exemple, au piano, entre Barenboim et sir Georg Solti. Ou plusieurs épisodes d'*Apostrophes* ou de *Bouillon de culture.* Notamment l'émission, pour en citer une parmi beaucoup d'autres, où Bukowski, ivre mort, avait donné – malgré lui ? – un spectacle époustouflant. Ou cette autre où Bernard Pivot avait réuni autour de lui Jean Dutourd, déjà célèbre, Hector Bianciotti, encore inconnu, et plusieurs autres écrivains. À la fin de l'émission, Bernard, comme souvent, avait proposé un de ces jeux qu'il affectionnait en guise de conclusion :

— Quelle est pour vous la plus belle phrase de la littérature française ?

Et il s'était adressé à Dutourd.

Dutourd, saisi au débotté, hésite quelques instants à peine et lance à voix forte le début de *Salammbô* :

— « C'était à Mégara, faubourg de Carthage, dans les jardins d'Hamilcar… »

— Ah ! très bien, dit Pivot.

Et, se tournant vers Bianciotti :

— Vous trouvez ça beau, n'est-ce pas ?

Hector se tait quatre ou cinq secondes – un temps infini à la télévision – et déclare avec un accent à couper au couteau :

— C'est hôrriblee !

— Horrible ? sursaute Bernard. Une des ouvertures les plus connues de Flaubert… Mais alors, pour vous, quelle est la plus belle phrase de la langue française ?

Hector Bianciotti, cette fois, se tait pendant une éternité. Peut-être huit ou dix secondes. À la fin, les yeux mi-clos, il murmure :

— Je crrois que la plus belle phrrasse de la langue frrançaise, c'est : « Le fond de l'air est frrais. »

Du jour au lendemain, Hector Bianciotti, hispano-américain d'origine italienne tombé amoureux en Argentine de La Fontaine et de ses fables, était devenu une figure du paysage intellectuel français.

À l'une de ses émissions, Pivot m'avait invité avec Roger Peyrefitte, l'auteur des *Amitiés particulières*, de *Mort d'une mère*, des *Ambassades*, des *Juifs*, le cousin sulfureux d'Alain, mon camarade de la rue d'Ulm, député, ministre, confident du Général, observateur précoce du grand bond en avant de la Chine. Quelque temps auparavant, de son style incisif, Roger Peyrefitte avait écrit du mal de la mère d'une de mes amies. Je lui battais plutôt froid. Il s'en rendit compte assez vite et, pour m'embarrasser, me glissa à haute et intelligible voix :

— Vous souvenez-vous, mon cher ami, de cette journée à Bangkok où nous sommes allés ensemble au bordel ?

Envoyé à Bangkok par l'Unesco, j'étais tombé en effet, dans le hall de mon hôtel, sur Roger Peyrefitte. Il était, comme moi-même, invité à déjeuner par l'ambassadeur de France. Nous nous rendîmes tous les deux à l'ambassade où il connaissait presque tout le monde. Et moi, personne. Il me présenta à plusieurs reprises :

— Vous connaissez Jean d'Ormesson avec qui je voyage ?

La formule m'était indifférente. Mais j'eus une pensée pour ma mère à qui ces paroles, on ne sait jamais, risquaient de revenir. Je fis le tour de tous les convives :

— Je ne voyage pas avec M. Peyrefitte. Je l'ai rencontré dans le hall de l'hôtel.

Après le déjeuner, l'ambassadeur nous proposa d'aller faire un tour dans un de ces fameux établissements de massage – parfois un peu poussé – qui faisaient le charme de la Thaïlande. Nous acceptâmes tous avec plaisir l'aimable invitation.

Chez Bernard Pivot, je pensai en un éclair que les explications à donner risquaient, comme ici, monument d'indulgence, de paraître un peu longues. Et si je niais bêtement les faits, il aurait beau jeu de me répondre que ma mémoire fléchissait. Je me contentai de lui jeter :

— Je m'en souviens très bien. C'était l'époque où je vous méprisais moins qu'aujourd'hui.

Au terme de l'émission, le climat était devenu un peu frais. Bernard Pivot obtint que, pour la photo finale, nous nous serrions la main.

Toutes les émissions de radio et de télévision auxquelles je participais en tant que directeur du *Figaro* n'étaient pas aussi gaies et aussi décontractées qu'*Apostrophes* – que je prenais d'ailleurs très au sérieux. Une émission politique animée par une toute jeune journaliste qui devait faire une grande carrière – Arlette Chabot – s'était installée dans le paysage audiovisuel sous le titre de *Vendredi soir*. Le parti socialiste était représenté par Claude Estier. Le parti communiste par Roland Leroy, directeur de *L'Humanité*, qui est devenu pour moi un ami, ou par René Andrieu, amateur de Stendhal, séduisant, implacable, capable de tout. La droite et le centre droit tantôt par Pierre Charpy, tantôt par Henri Amouroux que j'aimais beaucoup, tantôt par moi. Nous nous engueulions ferme et les auditeurs nous écrivaient souvent pour nous demander si nous nous serrions tout de même la main. Non seulement nous nous serrions la main, mais nous déjeunions ou nous dînions souvent ensemble.

Un jour, j'avais pris un verre avec René Andrieu avant l'émission. Je lui avais raconté avec naïveté l'histoire de mon père nommé à la tête de la Croix-Rouge par Pétain avant de démissionner aussitôt et j'avais évoqué un article sur le Maréchal écrit dans *Le Figaro* en juin 1940, quand la France entière était pétainiste, par mon oncle Wladimir qui n'allait pas tarder à prendre avec ardeur le parti du Général. L'émission commence. René Andrieu prend la parole :

— J'ai hésité à participer à cette émission aux côtés de Jean d'Ormesson que je ne mets pas en cause personnellement, mais qui appartient à une famille notoirement fasciste...

La stupeur me rendit muet. Aucune parole ne parvenait à sortir de ma bouche. À la fin de l'émission, je me jetai sur Andrieu :

— Tu es devenu fou, ou quoi ? Qu'est-ce qui t'a pris ?

Andrieu se mit à rire et me répliqua simplement :

— Si tu ne veux pas faire de politique, tu n'as qu'à retourner écrire tes livres.

Revenant au *Figaro* après l'émission, je trouvai mes amis consternés par mon silence. Ils ne me cachèrent pas qu'ils m'avaient jugé très faible. Je leur répondis qu'il m'avait été impossible de trouver le moindre mot, mais que j'avais compris la leçon : la politique est un jeu violent et un sport de combat.

J'ai eu plusieurs combats à mener au *Figaro*. Un des plus difficiles a été la réforme du journal.

Réformer est toujours compliqué. Réformer un journal est une entreprise diabolique. On risque toujours de décontenancer les anciens lecteurs et on n'est jamais sûr d'en susciter de nouveaux. *Le Figaro* avait pourtant besoin d'un sérieux coup de jeune. Le carnet mondain s'étalait sur le bas de plusieurs pages intérieures. On lisait d'abord, dans le haut du journal, les catastrophes habituelles. Et, en bas, on tombait sur l'annonce enchantée de la naissance de quelques bambins ou sur la baronne qui mariait sa fille. J'ai regroupé sur une seule page toutes les annonces du jour. J'ai cru que le ciel me tombait sur la tête. Ma pauvre mère souffrit beaucoup. Elle me montrait les lettres qu'elle recevait de ses amies qui la plaignaient d'avoir un fils comme moi, ennemi des traditions les plus saintes.

Il y avait des choix plus durs encore à faire. À la première page du *Figaro*, à droite, paraissait chaque matin une chronique parisienne. J'aimais beaucoup ces chroniques. Elles parlaient de tout et de rien, du temps qu'il faisait, d'un livre ou d'un concert, de la venue de l'automne, de la douceur de vivre. De Maupassant à Proust, de Gide ou de Valéry à Maurois ou à Giraudoux, sans même parler de Mauriac, de grands écrivains s'étaient succédé dans le journal et notamment à cette tribune où avait longtemps régné Gérard Bauër.

Cette chronique de première page à laquelle tant de lecteurs étaient attachés et que j'appréciais moi-même donnait au journal un côté traditionnel et vieillot qui finissait par lui nuire. La maquette du *Figaro* fut profondément remaniée. Et le résultat n'a pas été si désastreux.

Un dessinateur légendaire collaborait au journal :

c'était Faizant. Plusieurs de ses dessins, souvent sur le général de Gaulle, étaient devenus célèbres. Les Jeunes Turcs de la réforme voulaient sa peau. Ils me harcelaient pour l'obtenir. De Forain ou Sennep à Plantu et à *Charlie hebdo,* j'ai toujours su l'importance des dessinateurs de presse. Je n'ai pas cédé. Faizant a continué longtemps à faire le bonheur des « fidèles abonnés ». Un soir, au détour d'une conversation avec Raymond Aron, je me laissai aller à un mouvement d'optimisme :

— Ce journal a bien de la chance d'avoir deux éditorialistes que tout le monde lui envie.

Aron me lança un regard suspicieux et me demanda avec simplicité :

— Qui est l'autre ?

— Mais Faizant, lui répondis-je.

La conséquence du premier choc pétrolier qui coïncidait à peu près avec l'élection de Giscard et qui sonnait le glas des fameuses « Trente Glorieuses » ne tarda pas beaucoup : Jean Prouvost décida de vendre *Le Figaro.* Jean-Jacques Servan-Schreiber et plusieurs autres candidats se mirent aussitôt sur les rangs. La bataille fut chaude. Une figure nouvelle faisait son entrée dans le jeu et emportait le morceau : c'était Robert Hersant. Je ne sais pas, témoin et arbitre des générations et des âges, si le nom de Robert Hersant dit encore quelque chose aux moins de quarante ans. Il a marqué au fer rouge la fin de mon passage à la tête du *Figaro.*

Non seulement la réputation de Robert Hersant était exécrable, mais il en rajoutait avec une sorte de férocité. Cynique, très sûr de lui, plutôt séduisant avec quelque chose de canaille, il était une sorte de fanfaron du vice.

Il revendiquait volontiers plus de méfaits encore qu'il n'en avait commis. Le moins qu'on pouvait dire de lui, c'était qu'il s'était mal conduit dans sa jeunesse – notamment à l'égard des Juifs – sous l'occupation allemande. Proche des socialistes de la S.F.I.O. à Rouen, il avait fondé sous l'occupation un groupuscule ouvertement proallemand : Jeune Front. Blanchi par la loi d'amnistie de 1952, il se sentait au-dessus des lois. Ses méthodes faites de charme, de brutalité et de volonté de puissance étaient souvent contestables. Elles lui avaient valu le surnom, encore plutôt indulgent, de « papivore ». Ses démêlés avec des journaux régionaux, et notamment *Paris-Normandie*, ses liens avec l'*Auto-Journal* où il régnait en maître, ses manières brusques et son autoritarisme l'avaient fait craindre de l'ensemble de la profession qui lui était franchement hostile. Dans les dîners parisiens, l'évocation de son nom faisait à peu près le même effet que celle du nom de Le Pen quelques années plus tard.

L'hostilité générale qui lui était témoignée et les violentes attaques des médias amusaient plutôt Hersant. Il se sentait protégé. À bon droit. Ce symbole sulfureux d'une droite presque extrême était lié avec François Mitterrand. Je l'ai compris assez vite. J'avais fait, un jour, dans un de mes éditoriaux, une allusion à la décoration – accompagnée d'un serment de fidélité – que Mitterrand avait reçue de Pétain. Le matin même, à ma surprise, mon téléphone sonne. C'était Hersant.

— Oh ! non, pas vous, Monsieur d'Ormesson ! Vous n'allez pas descendre à ces petitesses aujourd'hui oubliées...

Vingt ans plus tard, en janvier 1996, à la mort de Mitterrand qui m'avait beaucoup ému, la télévision m'invita à une soirée d'hommage à laquelle participaient tout un lot de ministres, de présidents et de Premiers ministres. La parole me fut donnée très tard et je provoquai un peu de surprise en parlant des liens qui unissaient Mitterrand et Hersant. C'était la vérité. Entre 1965 et 1968, ils avaient appartenu l'un et l'autre à la même formation politique : la F.G.D.S. Et des échanges de services les avaient rapprochés. Hersant, député de l'Oise, n'avait pas voté, dans l'affaire de l'Observatoire, une demande de levée d'immunité à l'encontre de Mitterrand. Et Mitterrand s'était bien gardé d'accabler Hersant à propos des modalités douteuses de son élection dans l'Oise à laquelle avaient été mêlées des célébrités telles que Martine Carole et qui avait fait couler des flots d'argent. Lorsque la radio et la télévision me harcelaient à propos des liens d'Hersant avec *Le Figaro*, je répondais volontiers que s'il était coupable de faits délictueux et de malversations, il n'y avait qu'à l'arrêter. Le pouvoir s'en gardait bien. Peut-être oserais-je avancer, maître des cours et des intrigues, qu'un intermédiaire très séduisant faisait le lien entre *Le Figaro* – qui ne l'a d'ailleurs jamais attaqué, même sur ses chaussures, laissant ce soin au *Monde* – et l'Élysée : c'était Roland Dumas.

L'irruption de Robert Hersant au rond-point des Champs-Élysées changeait profondément l'allure générale du journal. Avant lui, on y jouait au bridge avec des manières raffinées. Après lui, au poker avec une ombre de vulgarité.

Raymond Aron avait accepté le nouveau propriétaire

pour éviter le pire. Sa caution me suffisait – mais elle m'était indispensable. Son départ, un peu plus tard, allait entraîner le mien.

Des intermédiaires officieux s'efforçaient de mettre de l'huile dans les rouages et d'améliorer mes relations avec Robert Hersant. Je me souviens d'un autre tribunal, plus amical que le vôtre, tout-puissant Sur-Moi, composé de Pierre Juillet et de Marie-France Garraud – dont les noms sont sans doute inconnus aux jeunes gens d'aujourd'hui – et qui m'avait – déjà ! – invité avec fermeté à comparaître devant lui. Lorsque je compris qu'il s'agissait de me donner des instructions, je me suis retiré avec une dignité qui me fait sourire aujourd'hui.

À l'arrivée de Robert Hersant, qui s'empressa de me confirmer dans mes fonctions et d'en accroître l'étendue, la presse, la télévision, la radio, tous les médias se jetèrent sur moi avec voracité. Une des questions récurrentes était :

— Avec quel argent Robert Hersant a-t-il acheté *Le Figaro* ?

Ma réponse était simple :

— Avec l'argent du *Figaro.*

Je ne croyais pas si bien dire. À peine Hersant était-il arrivé que nous quittions les splendeurs du Rond-Point pour un immeuble de la rue Montmartre, derrière la place des Victoires, où ni les bureaux, ni les huissiers, ni le train de vie ne payaient plus de mine. Ce qu'il y avait de plus frappant, c'était que tout ce qui avait été refusé à Prouvost avec indignation était offert à Hersant, qui savait ce qu'il voulait, avec une sorte de soumission. Tout à fait à mes débuts, nouveau directeur encore plein de naïveté, j'étais tombé sur Jean Prouvost au pied de l'immeuble du *Figaro*, sur le trottoir du Rond-Point.

— Je voudrais vous voir, m'avait dit Prouvost.

— Venez dans mon bureau, lui avais-je répondu. Nous serons au calme.

— Je ne peux pas, m'avait avoué à ma stupeur le propriétaire du *Figaro*, de *Match*, de *Marie-Claire*. Je n'ai pas le droit d'entrer au *Figaro*.

Hersant y était entré, au *Figaro*, en conquérant et en patron. Il faut bien reconnaître qu'il ne manquait pas de panache. À la télévision sévissait un provocateur plutôt sympathique mais d'un angélisme insupportable et retors du nom de Polac. Nous nous étions rencontrés plusieurs fois, par hasard, à l'aéroport de Roissy en partance pour Venise.

— Ah ! me disait Polac, c'est très frappant : à chaque fois que je vous vois, profiteur privilégié, vous partez pour Venise…

Je lui avais répondu :

— À chaque fois que je vous vois, vous aussi, champion du progressisme militant, vous partez pour Venise. Mais moi, je n'en tire aucune conclusion et je ne vous le fais même par remarquer.

Michel Polac avait invité Robert Hersant à son émission avec la ferme intention, à peine dissimulée, de le descendre en flammes. Beau joueur, il lui avait proposé de venir avec quatre personnes de son choix. Hersant avait décliné cette offre et, avec intelligence, il s'était jeté seul, ou flanqué d'un seul collaborateur, dans la fosse aux lions. Il apparut, du coup, à la fois comme une victime et, en fin de compte, comme le vainqueur.

Les succès ne manquèrent pas. Les dérapages, non plus. Sous la direction du duo Hersant-Pauwels – on m'assure que les relations du couple n'étaient pas au beau fixe, mais au moins il fonctionnait –, *Le Figaro Magazine* atteignit des sommets de tirage. Pas toujours avec des moyens extraordinairement raffinés. Un des atouts du magazine a été une trouvaille de Robert Hersant : quatre filles en maillots de bain ou en déshabillés vaporeux sur un bateau qui faisait le tour du monde.

Longtemps, j'ai donné chaque semaine dans ce journal de droite presque extrême un éditorial où je parlais souvent de films ou de livres que j'avais aimés – *Le Festin de Babette*, par exemple, ou *Out of Africa* de Sidney Pollack, inspirés l'un et l'autre de Karen Blixen, ou *Sur la route de Madison* de Clint Eastwood, ou encore *L'homme qui prenait sa femme pour un chapeau* d'Oliver Sacks – et où je tentais de défendre des positions politiques et sociales un peu plus équilibrées. Je me souviens d'un article intitulé « Il ne faut pas prendre les enfants du Bon Dieu pour des canards sauvages » qui allait dans ce sens. Les étiquettes comptent si fort en France que, plus de vingt ans après mon dernier éditorial, des lecteurs, souvent en province – « dans les régions », comme on disait –, me parlaient encore de mon article de la semaine, qui n'existait plus depuis belle lurette.

Le succès du magazine tenait exclusivement au talent de Pauwels et d'Hersant. Surtout pendant les quatorze ans des deux mandats de Mitterrand, l'ancrage du *Figaro* dans l'opposition avait beaucoup aidé le journal. Bien plus que le soutien au pouvoir en place, l'opposition offre à la presse le climat le plus favorable.

À côté de ces succès, les échecs, les problèmes, les difficultés ne manquaient pas non plus. J'appris un matin qu'Hersant envisageait d'introduire au *Figaro* un de ses collaborateurs de l'*Auto-Journal* dont je ne savais rien et qui portait le nom de Balestre. Renseignements pris, Jean-Marie Balestre était un personnage adoré de ses amis mais qui avait eu pendant la guerre une conduite répréhensible. La rédaction s'énervait. Pour la première fois depuis mon arrivée, un parfum de grève se remettait à flotter. J'allai trouver Hersant. Un dialogue surprenant s'engageait.

LUI : Jean-Marie Balestre est un homme sympathique. Tous ceux qui le connaissent vous le diront.

MOI : Je n'en doute pas.

LUI : Où est le problème ? J'ai tout de même le droit de m'entourer des collaborateurs de mon choix ?

MOI : Le problème est dans le passé de votre ami.

LUI : Il a fait une très belle guerre.

MOI : Oui, bien sûr. Si belle qu'il a reçu la Croix de fer.

Balestre, qui avait précédé Oswald Mosley, le fasciste anglais, mari d'une des sœurs Mitford, à la tête d'un organisme automobile autour de la formule 1, s'était en effet battu pendant la guerre sous l'uniforme allemand. Le récit de ma conversation avec Hersant devant la rédaction en ébullition avait arraché quelques sourires amers parmi l'indignation. Les choses finirent par s'apaiser. Balestre n'arriva pas au *Figaro*. Il obtint un poste à la Socpresse, rue de Presbourg, le holding financier qui chapeautait les journaux de Robert Hersant. Mais l'alerte avait été chaude.

Je voyais très peu Hersant. Il nous arrivait de communiquer par téléphone. En vérité, il me fichait une paix royale. Sauf qu'il empoisonnait ma vie par sa réputation, il s'ingéniait à me la rendre aussi agréable que possible. Un beau jour de 1977, si mes souvenirs sont exacts, me vint une idée funeste…

MOI : Encore une !

MOI : J'invitai à déjeuner ensemble chez moi, à Neuilly, Raymond Aron et Robert Hersant.

Le déjeuner se passa sans histoires. Mais au café, tout à coup, à propos de rien, au détour d'une phrase, Robert Hersant laissa tomber quelques mots fatidiques qui, comme plusieurs autres choses, grandes ou petites, tout au long de ma vie, me sont toujours restés obscurs.

Hersant, par un accord tacite, ne se manifestait pas dans le journal qui lui appartenait. Une ou deux fois, peut-être, il était brièvement intervenu. Le 1er janvier, il présentait ses vœux aux lecteurs. C'était tout. Mais, ce jour-là, chez moi, de la voix la plus calme, il déclara :

— Je crois que je vais me mettre à écrire dans le journal.

Je compris aussitôt qu'une bombe venait d'exploser. Je regardai Aron. Il ne disait rien. Mais il me sembla que son visage avait un peu pâli. Nous nous séparâmes assez vite. Quelques jours plus tard, sous des prétextes divers, mais je reste persuadé que les mots du café avaient joué leur rôle, Aron, imitant Mauriac à propos du Maroc pas mal d'années plus tôt, quittait *Le Figaro* pour *L'Express* où il allait écrire des articles jusqu'à sa mort en 1983.

L'intervention d'Hersant, sa gaffe – volontaire ? – me parurent d'autant plus inexplicables que le papivore ne mit jamais sa menace à exécution : il n'écrivit toujours pas dans les pages du *Figaro*. Pourquoi alors avoir prononcé des paroles à l'allure de provocation ? Par distraction ? Par inattention ? Par désir de déplaire ? Je ne peux pas croire qu'il souhaitait pousser au départ un Raymond Aron qui constituait avec évidence un atout pour le journal où il s'exprimait.

Le résultat pour moi le plus clair du retrait de Raymond Aron était un sentiment presque insupportable d'isolement. Avec Aron, j'étais soutenu et bordé. Sans Aron, j'étais perdu. Son éloignement ne constituait pas le seul de mes soucis. Dès mes premiers jours au journal, j'avais dû constater qu'il était impossible au directeur du *Figaro* de continuer à écrire des romans. Il pouvait peut-être, à la rigueur, recueillir ses articles, donner des livres politiques, collaborer à des ouvrages savants. Mais les romans étaient exclus.

Un thème nouveau m'occupait : les rapports entre littérature et journalisme. Il était tout à fait clair que les liens étaient étroits entre les deux professions, qualifiées l'une et l'autre d'« hystériques » par Paul Valéry. On pouvait soutenir qu'Hérodote était une sorte d'envoyé spécial des Grecs en Italie du Sud et dans l'Égypte encore mystérieuse. Ou que Xénophon jouait le rôle de correspondant de guerre des Grecs auprès de l'armée de Cyrus contre son frère Artaxerxès. Ce qui permettait au chroniqueur de recueillir ses carnets de campagne au cours de la retraite des Dix Mille et de les publier dans un ouvrage célèbre intitulé l'*Anabase.* Ni vraiment philosophe ni vraiment poète, auteur de tragédies plutôt médiocres et de brefs récits très réussis, assez bon historien, Voltaire est dans ses lettres un correspondant sans égal et un grand journaliste, plein de drôlerie et d'invention verbale. Hugo, dans *Choses vues*, est un journaliste de génie. Les obsèques de Chateaubriand, ou la mort de Balzac, abandonné par sa femme, Mme Hanska, en train de vivre d'autres amours, l'assassinat de la duchesse de Choiseul, née Sebastiani, illustre famille corse du Nebbio, par son mari pris d'une passion fatale pour la gouvernante des enfants, les scandales Teste et Cubières, ancêtres des « affaires » que nous avons vues croître et prospérer de nos jours, lui fournissent des chroniques éblouissantes. Joseph Kessel, l'oncle de Maurice Druon, est journaliste et romancier. François Mauriac est devenu célèbre grâce à ses grands romans : *Le Désert de l'amour*, *Thérèse Desqueyroux*, *Genetrix*, *Le Nœud de vipères* mais aussi, et peut-être surtout, grâce à son « Bloc-notes » du *Figaro*. Un écrivain ne sait jamais ce qu'il fait ni ce qu'il écrit : il n'est pas exclu que le « Bloc-notes » de Mauriac soit encore lu dans deux cents ans, au moins par les historiens, avec curiosité et intérêt, quand ses romans sur les Landes ou sur l'amour coupable et où la soupe aux choux sent un peu la strychnine seront peu à peu oubliés.

À côté de ces liens et de cette parenté, l'opposition entre journalisme et littérature commençait pourtant à m'apparaître plus frappante encore. Deux formules la résument. L'une est de Gide : « J'appelle journalisme ce qui sera moins intéressant demain qu'aujourd'hui. » L'autre est de Péguy : « Rien n'est plus vieux que le journal de ce matin, et Homère est toujours jeune. »

Commençons, cher et illustre maître, par le statut professionnel et social. Il met une différence évidente entre l'écrivain et le journaliste. Le journaliste appartient d'abord à une équipe. L'écrivain ne cesse jamais d'être seul. Quand Raymond Aron quitte *Le Figaro* pour *L'Express*, quand, un peu plus de vingt ans plus tôt, François Mauriac avait pris le même chemin à cause de la crise marocaine, il est permis de se demander si *Le Figaro* sera capable de survivre à ce choc. On raconte qu'à Mauriac, venu lui faire ses adieux dans mon bureau du Rond-Point et en train de se retirer, Pierre Brisson aurait lancé avec angoisse :

— François ! François ! qu'est-ce que *Le Figaro* va devenir sans vous ?

Mauriac, se retournant sur le pas de la porte, aurait répondu :

— *L'Aurore.*

En vérité, ni le départ de Mauriac ni celui d'Aron n'ont sonné le glas du *Figaro.* Et – contre-épreuve – quand l'un, puis l'autre ont fini, pour une raison ou pour une autre – le désaccord ou la mort – par quitter *L'Express*, *L'Express* non plus n'a pas sombré. Le titre est plus fort que le journaliste. Et l'écrivain, toujours, est désespérément seul.

On me dira, maître de la parole et de l'écrit, que l'écrivain est souvent moins seul qu'on ne le croit et qu'il ne le prétend. Lui aussi se fait souvent aider – et même au point d'ignorer ce que ses nègres ont écrit. Mais nous parlons ici des écrivains authentiques. Le journaliste, c'est une équipe. Et l'écrivain est solitude.

La matière à laquelle ils s'intéressent l'un et l'autre met aussi une différence entre l'écrivain et le journaliste. J'ai déjà raconté ailleurs l'histoire du train qui entre en gare de Palerme ou de Naples avec treize minutes de retard.

— Treize minutes, déclare un voyageur, en consultant sa montre, ce n'est pas trop mal.

— Ah ! Monsieur, s'écrie le chef de gare, c'est le train d'hier qui a vingt-quatre heures et treize minutes de retard.

Voilà de quoi nourrir un article à succès. Ce qui intéresse le journaliste, ce sont les trains qui déraillent ou qui arrivent en retard. Il préfère ce qui ne fonctionne pas. Ce qui l'oppose le plus souvent à toutes les formes du pouvoir. La vie quotidienne dans sa banalité est le domaine de l'écrivain. Ce qu'il aime dans les trains, c'est qu'ils arrivent à l'heure pour donner enfin la mort à Anna Karénine ou pour permettre aux amants de partir ensemble vers ailleurs. Les mauvais écrivains ne détestent pas inventer des intrigues aux limites du vraisemblable. L'écrivain digne de ce nom, trône de justice et d'équité, est le miroir de son temps.

On pourrait, avec prudence, aller un peu plus loin. La vie est le domaine du journaliste. D'une façon ou d'une autre, la mort ne cesse jamais de se pencher sur l'épaule d'Eschyle, de Dante, de Shakespeare, de Racine, de Chateaubriand ou de Proust et de jeter un peu de son ombre sur le grand écrivain.

Mais ce qui sépare surtout le journaliste de l'écrivain, c'est le mystère du temps. Le temps passe et il dure. Le journaliste est tout entier du côté du temps qui passe. L'écrivain est tout entier du côté du temps qui dure. Il est interdit au journaliste de réclamer si peu de temps que ce soit pour donner à l'article qui doit paraître le soir même plus de force et de tenue. Il est recommandé à l'écrivain de prendre tout son temps – de longues soirées d'hiver, des semaines entières de printemps, parfois des mois et des mois – pour effacer de ses textes la moindre faiblesse et la moindre imperfection. Le journalisme tient en un mot : urgent. L'écrivain vise l'essentiel.

Quand j'étais arrivé à la tête du *Figaro*, j'avais terminé le manuscrit du livre qui, né de la vente de Saint-Fargeau et succédant à *La Gloire de l'Empire*, devait paraître en 1974 : *Au plaisir de Dieu*. À partir de ma prise de fonction, je n'avais plus rien écrit. Ma vie avait beaucoup changé. Françoise, ma femme, travaillait de son côté. Elle se levait de bonne heure et rentrait le soir vers six heures. Je me levais tard, vers neuf heures, pour être au journal vers dix heures ou dix heures et demie. Je rentrais plus tard encore : jamais avant minuit, ou plutôt une heure du matin. Françoise dormait déjà. Nous communiquions par des billets que nous laissions sur notre table. Entre deux comités, entre deux rencontres avec les journalistes ou avec des chefs d'entreprise, je rédigeais des articles pour le journal. Tous les jours que Dieu fait, j'avais un déjeuner ou un dîner ave des ministres, des ambassadeurs, des confrères étrangers – et surtout des annonceurs. Les annonceurs et leur publicité faisaient vivre le journal. On aurait presque pu le distribuer gratuitement. Le drame de la presse, une quarantaine d'années plus tard, a été la chute de la publicité. À mon époque, il m'arrivait parfois de participer à deux déjeuners le même jour avec des annonceurs : l'un entre une heure moins le quart et deux heures, l'autre entre deux heures et trois heures et quart. En quatre mois de ce régime, j'avais pris huit kilos. Où aurais-je pu trouver le temps d'écrire la moindre page hors de l'actualité immédiate ? Je souffrais beaucoup, maître des destins.

MOI : C'était bien fait pour vous, ambitieux au rabais.

MOI : Quand Raymond Aron s'est éloigné du journal, j'indiquai à Hersant que j'allais suivre son exemple. Il se mit à rire et m'assura qu'il tenait beaucoup à moi. Je lui répondis avec simplicité que je n'en doutais pas, mais que je partirais tout de même.

— Allons donc ! me dit-il. Personne n'aurait l'idée absurde de démissionner du fauteuil de directeur général du *Figaro* où la vie que je vous fais est des plus agréables.

— Je vais vous dire la vérité. Je ne suis pas sûr d'être fait pour tenir longtemps à ce poste que j'ai été fier et heureux d'occuper. J'ai envie d'écrire des livres. Et je ne crois pas pouvoir les écrire en restant à la tête du *Figaro.* J'ajouterai, pour être honnête, que votre réputation, opposée à celle d'Aron, me fournit le meilleur des arguments pour emporter ma décision.

— Vous ne partirez pas.

— Je partirai.

Quelques jours plus tard, sur un détail dérisoire – la nomination d'un journaliste à la tête du service de politique étrangère –, j'envoyai à Robert Hersant ma lettre de démission.

La matinée fut un peu dure. Je me disais que la chance que j'avais eue d'être proposé et élu au poste de directeur du *Figaro,* je venais de la dissiper sur un coup de tête. Et puis, presque aussitôt, je compris que j'étais libre, que je n'avais plus qu'à travailler et que mon destin ne dépendait plus que de moi. Un grand bonheur m'envahit. J'allai déjeuner avec une amie.

Dès le début de l'après-midi, je recevais un télégramme – il n'y avait peut-être plus de « petits bleus », mais il y avait encore des télégrammes – signé de Roger Caillois : « Bravo. Vous avez rejeté votre tunique de Nessus. Je vous embrasse. »

Maître des grandeurs et des devoirs, je conserve le meilleur souvenir de mon passage au *Figaro* où j'ai été remplacé par Franz-Olivier Giesbert, écrivain et journaliste, disciple de Jean Daniel, venu de l'*Observateur* – où Hersant n'était pas en odeur de sainteté – et destiné au *Point*, partisan brillant du « journalisme de connivence », terreur du pouvoir à peu près quel qu'il soit et à qui je consacrerais volontiers un long portrait. Mais toute tentative de description est inutile, tant il est déjà connu. On ajouterait volontiers : et tant il est contradictoire, insaisissable et complexe.

S'il y avait un coupable dans ces coups de théâtre successifs, le seul coupable de l'affaire, c'était moi. Du haut en bas des services et de la rédaction, j'avais été accueilli avec bienveillance et amitié. C'était un honneur pour moi d'avoir occupé ces fonctions pour lesquelles je n'étais sans doute pas fait. À côté de Pierre Brisson, mon prédécesseur au *Figaro*, ou d'Hubert Beuve-Mery, patron du *Monde* – à qui de Gaulle disait : « Quand je lis *Le Monde*, je rigole » –, je n'ai pas été un grand directeur de journal. Au moins *Le Figaro* n'avait-il pas sombré sous ma brève gouvernance. Je n'avais même pas eu à affronter la moindre menace sérieuse de grève. Et des souvenirs d'amitié et de gaieté me reviennent en foule à l'esprit.

Un jour, j'avais reçu un illustre collègue, le directeur japonais de l'*Asahi Shinbun*. Après force courbettes d'un côté et de l'autre, il m'interroge sur le tirage du journal. J'arrondis un peu les chiffres :

— Mon Dieu ! cinq cent cinquante mille, ou quelque chose comme ça...

— Oh ! je vous félicite. C'est très beau ! c'est très beau !...

— Mais vous, mon cher directeur et ami, je crois que vous faites beaucoup mieux ?...

— Oh ! à peine. Un peu plus de dix millions...

Les histoires de journalistes sont aussi inépuisables que les histoires de théâtre que j'ai tant aimées et où apparaissent le plus souvent Sarah Bernhardt ou les deux Guitry. Jean-Jacques Gautier, le dernier critique théâtral à remplir ou à vider une salle à Paris, m'avait raconté que, faisant les cent pas dans le hall du Rond-Point avec François Mauriac, ils étaient tombés sur une grande figure du journal qui s'était cassé le pied et qui boitait vers eux.

— Ah ! le pauvre ! avait murmuré Mauriac à Gautier avec une compassion toute chrétienne et de sa voix inimitable et cassée. Ah ! le pauvre ! ça va le gêner pour écrire.

Un de mes souvenirs les plus cocasses est lié à un autre grand chrétien, ami proche et paradoxal du marxiste Althusser, le philosophe Jean Guitton. Il revenait de Rome où il était allé plaider auprès du pape, qui était alors Paul VI, la cause de l'indulgence pour les intégristes de Mgr Lefebvre qu'il appelait à la soumission.

— J'aurais voulu, me disait-il, assis auprès de moi, que Mgr Lefebvre prît la main de Paul VI et la baisât avec ferveur...

Et, joignant le geste à la parole, s'agenouillant à mes pieds, il s'emparait de ma main à moi et la portait à ses lèvres.

À ce moment précis, la porte de mon bureau s'ouvre en coup de vent comme souvent et je vois Max Clos, directeur de la rédaction, un papier à la main, qui passe la tête sur le seuil.

— Jean, me lance-t-il avec vivacité, j'ai là une dépêche qui...

Apercevant soudain Jean Guitton en train de me baiser la main, il se retire en hâte en murmurant :

— Oh ! pardon, Monsieur !

Emporté par sa flamme, Jean Guitton, bien sûr, ne s'était douté de rien.

— ... j'aurais tant voulu, continuait-il, que Mgr Lefebvre se jetât sur la poitrine du Saint-Père et...

— Ah ! très bien ! m'écriai-je en me levant à la hâte, mais laissez-moi d'abord fermer la porte à clé.

MOI : Vous quittez la direction du *Figaro*. Que faites-vous ? Vous vous promenez ? Vous ne faites rien ?

MOI : Je retourne à l'Unesco. Je reprends mes fonctions au C.I.P.S.H. où mes amis universitaires m'accueillent de nouveau à bras ouverts : ils avaient laissé mon poste vacant, espérant mon retour. Au moment où je quittais la direction du *Figaro*, un conseiller d'État, ancien directeur du cabinet de Jacques Duhamel au ministère des Affaires culturelles, ancien président-directeur général de R.T.L., Jacques Rigaud, était candidat au poste de directeur général adjoint de l'Unesco. Il m'écrivit une lettre navrée, teintée de reproches et un peu amère où il déplorait ma décision de revenir à l'Unesco pour lui faucher à la dernière minute le poste qu'il convoitait et qui allait me revenir avec une désolante évidence. Je lui répondis, pour le réconforter, que je n'avais jamais été et que je ne serais jamais candidat à des fonctions à l'Unesco, que si j'avais quitté la direction du *Figaro*, ce n'était pas pour reprendre aussitôt d'autres chaînes presque aussi contraignantes et que je regagnais mon poste modeste auprès de mes savants et à la revue *Diogène* où j'étais appelé à succéder, sans jamais le remplacer, à Roger Caillois qui, à ma grande tristesse, allait bientôt mourir. Jacques Rigaud, qui n'en revenait pas, obtint son poste de directeur général adjoint.

Je continuais à collaborer au *Figaro* que je ne dirigeais plus mais auquel – tout le monde a le droit de s'asseoir au café du Commerce – j'envoyais des articles avec plus ou moins de régularité, ce qui permettait au *Canard enchaîné* de me féliciter sur le mode ironique d'être sorti par la porte pour rentrer par la fenêtre. La vérité, prince du temps qui passe et des destins en train de se faire, est que je n'avais plus qu'une seule idée en tête : c'était d'écrire des livres.

J'avais mis beaucoup de temps à savoir ce que je voulais. Le goût du plaisir, l'attrait des voyages, peut-être une certaine forme d'ambition qui battait la campagne, certainement la volonté de prouver à mon père qui n'était plus parmi nous que j'étais capable, moi aussi, de frayer mon chemin parmi les institutions, une bonne dose de paresse, de légèreté et d'indifférence avaient retardé l'aveu et la résolution. Tout à fait au début de notre conversation, juge suprême du bien et du mal…

MOI : Nous ne nous livrons pas à une conversation : nous procédons à un interrogatoire et nous instruisons un procès.

MOI : Tout à fait au début de mon interrogatoire et de mon procès, prince de la vérité, vous m'avez demandé quelle était ma profession. Je m'étais montré hésitant dans ma réponse. Voilà que je n'avais plus d'autre ambition que de devenir écrivain. J'avais cinquante ans. Cinquante ans ! Pendant cinquante ans, je m'étais promené en Italie et en Grèce, j'avais dîné en ville, j'avais couru les filles, j'avais rêvé de grandes choses et j'en avais fait de toutes petites, je m'étais jeté à droite et à gauche, je m'étais perdu dans les détails et j'avais erré dans le brouillard. Je ne regrette rien de ces essais ni de ces erreurs qui étaient aussi des bonheurs et qui m'ont beaucoup occupé. Mais j'aspirais à autre chose.

Depuis trois ou quatre jours, déjà, je réponds à vos questions. Il me semble tout à coup que je ne vous ai rien dit. Vous ai-je parlé de Lecce, d'Udaipur, de Louxor, de Castellorizo, d'Oaxaca, des jardins de Ravello ? Vous ai-je parlé de Robert de Billy et du 51 de la rue de l'Université ? Vous ai-je dit seulement combien j'ai aimé mon bref passage dans l'armée et que j'avais eu l'honneur de porter le béret rouge des parachutistes étrangers ? Vous ai-je glissé deux mots de mes relations tumultueuses avec François Mitterrand ?

MOI : Un peu de calme, jeune homme. Nous avons tout le temps. Nous allons reprendre tout cela. Vous nous avez déjà parlé de votre goût pour les voyages. Mais qui est Robert de Billy ?

MOI : Il y a beaucoup de Billy. Il y avait André Billy,

qui était membre des Goncourt. Il y avait même plusieurs Robert de Billy. Le mien avait épousé la sœur du père de Nine. D'où le nom que nous lui donnions tous : oncle Robert. Il habitait à Paris le bel hôtel Pozzo di Borgo. Les Pozzo di Borgo sont une vieille famille corse. Le plus connu d'entre eux, Charles-André, était à la fin du XVIIIe siècle un ami de Paoli. Ennemi juré de Napoléon et conseiller du tsar Alexandre Ier, il fut ambassadeur de Russie en France sous la Restauration. La sœur de ma grand-mère Valentine que vous avez déjà rencontrée à Saint-Fargeau, maître des générations, avait épousé un Pozzo di Borgo. Et tous les Parisiens connaissent l'hôtel Pozzo di Borgo, 51 rue de l'Université, acheté, comme beaucoup de belles demeures parisiennes, comme l'hôtel Lambert, par exemple, par une grande fortune venue d'ailleurs. Les travaux immobiliers entrepris par l'acquéreur ont encombré pendant des années, autour de 2015, la rue de l'Université. Robert de Billy louait dans cet hôtel un appartement consacré tout entier à la réception. Il était composé d'une grande salle à manger et d'un immense salon flanqués d'une chambre minuscule. Il donnait chaque semaine dans ce décor de rêve qui ouvrait sur un jardin des déjeuners d'une vingtaine de personnes auxquels j'ai souvent été convié.

Pendant près de quatre siècles, à Paris, ailleurs en France, au cœur de la plupart des pays de l'Europe, les salons ont joué un grand rôle dans une vie sociale évanouie. Jusque vers le milieu du siècle dernier, plusieurs d'entre eux – ceux de Lise Deharme ou de Mme Bousquet, ceux surtout de la duchesse de La Rochefoucauld ou de Mme de Fels, sa belle-sœur, celui de Florence

Gould qui recevait écrivains et actrices à l'hôtel Meurice, rue de Rivoli, plusieurs autres encore qui avaient pris le relais des grands salons de la princesse Mathilde ou de Marie-Laure de Noailles, l'amie de Cocteau et des surréalistes – servaient d'antichambre et de salle d'attente à l'Académie française. Remplacés d'abord par les cafés littéraires – la vogue des Deux-Magots, du Café de Flore, de la Closerie des Lilas – puis définitivement par la télévision et par le Net, leur disparition a laissé désemparée cette honorable institution qui ne dispose plus de ces viviers où pêcher ses pensionnaires. Les déjeuners chez l'oncle Robert étaient moins spécialisés dans le recrutement littéraire. On y trouvait un peu de tout, venu d'un peu partout.

J'y ai rencontré beaucoup de belles étrangères, des écrivains, des ministres, des actrices, des danseuses et des journalistes. À la mort de Robert de Billy et avant les grands travaux entrepris par le nouvel acquéreur, le couturier Karl Lagerfeld s'est installé à son tour au 51 de la rue de l'Université qui a été longtemps, parmi beaucoup d'autres, dans la politique, dans la littérature, dans la mode, un de ces hauts lieux de la vie parisienne qui ont fait couler tant d'encre dans la presse et dans les romans.

MOI : Vous sortiez beaucoup, comme on dit. Vous aviez beaucoup d'amis ?

MOI : Quelques ennemis aussi.

MOI : Quelques ennemis ? Le bruit courait que vous n'en aviez pas…

MOI : J'en avais, grâce à Dieu. Un peu partout. À droite et à gauche. L'ami de tout le monde n'a rien de très fameux. Mais j'avais, il est vrai, plus d'amis que d'ennemis. Et dans des milieux très différents. Je pourrais vous fournir des listes qui n'en finiraient pas…

MOI : Fournissez ! Fournissez !

MOI : Comme il pourrait y avoir la liste des villes que j'ai aimées, des églises, des temples, des mosquées qui m'ont plu, des tableaux que j'ai admirés, de Masaccio et de Carpaccio à Degas et à Balthus, des jardins où je me suis promené, des ports et des lacs où j'ai passé beaucoup de mon temps à rêver, il pourrait y avoir la liste des amis.

Il y aurait la liste des Pierre. Il y aurait la liste des Marie. Il y aurait la liste des Jacques, des Catherine, des Anne, des Pascaline. Chaque nom entraînerait des souvenirs, des projets, des voyages, des passions, et renverrait à son tour à d'autres noms, à d'autres sentiments et à d'autres thèmes, jusqu'à constituer des réseaux d'embranchements sans fin qui se confondraient avec la vie et avec le monde.

MOI (consultant ses notes): Vous aviez des amis jusque chez les parachutistes ?…

MOI : Une des filles de mon oncle Wladimir avait épousé Pierre de Chevigné, compagnon de la Libération, ministre de la Défense sous la IVe République. Ses rapports avec de Gaulle étaient intéressants : partisan du Général, il s'était éloigné de lui et rapproché du M.R.P. et de Jean Lecanuet qui allait contribuer à mettre de Gaulle en ballottage au premier tour de l'élection présidentielle de 1965. Quand de Gaulle, après ses douze années de traversée du désert, est revenu au pouvoir en mai 1958, Pierre de Chevigné était, avec le socialiste Jules Moch, son collègue dans le dernier ministère Pflimlin, un de ceux qui se proposaient d'arrêter le général de Gaulle et de le traduire en justice.

Un peu moins d'une dizaine d'années avant le retour du Général – il était déjà ministre de la Défense –, je m'étais vanté un peu bêtement devant lui d'avoir été un des rares Français, non seulement à n'avoir jamais été à l'école, mais à n'avoir jamais fait de service militaire, ma classe – 1945 – étant exemptée. Le lendemain matin, rentré à son bureau de la rue Saint-Dominique, il prenait un décret soumettant à trois mois de service les seuls élèves de mon âge sortis des grandes écoles – Polytechnique, Centrale, Normale, etc. Et il m'expédiait au Mans, dans une unité du train des équipages.

Je lui adressai aussitôt une lettre où je lui disais qu'il aurait au moins pu m'affecter aux chasseurs alpins ou à cette Légion étrangère que j'ai toujours admirée. Il m'envoya à Vannes, chez les parachutistes étrangers.

Le chef des bérets rouges s'appelait, si mes souvenirs sont exacts, le colonel Langlais. Lui et ses parachutistes accueillirent presque en triomphe un type bizarre, à peu près seul de son espèce et rattrapé in extremis par ce qu'il était convenu d'appeler une troupe d'élite. Presque en triomphe – et avec une ombre d'ironie parce que le bruit avait couru que j'étais le cousin du ministre, et avec curiosité et un peu de méfiance parce que j'étais normalien. Plusieurs années avant la guerre d'Algérie, avant les porteurs de valises et avant Jean Genet, son *Balcon*, ses *Paravents*, les ponts n'étaient pas encore rompus entre parachutistes et intellectuels, mais les relations étaient déjà difficiles. J'ai fait de mon mieux. Eux aussi. J'ai beaucoup aimé l'armée et j'ai compris assez vite pourquoi toutes ces têtes brûlées avec leurs bérets rouges, leurs bottes et leurs poignards se tenaient prêtes à se faire tuer pour une solde misérable et pour leur colonel. Quelques années plus tard, c'est le colonel lui-même qui affrontait à la tête de ses hommes la mort à Diên Biên Phu.

Les parachutistes sont censés sauter dans le vide en se jetant d'un avion. Je suivis une semaine ou deux un entraînement accéléré où tenaient leur place une tour, des mouvements de gymnastique plutôt vifs et franchement nouveaux pour moi et des cours magistraux. Au mess et dans la cour se racontaient des histoires de parachutes qui ne s'ouvraient pas et de parachutistes qui s'enfonçaient de deux mètres dans la terre cultivée. Les accidents, à vrai dire, étaient extrêmement rares. Le problème était plutôt que, depuis des années, dans l'unité où je servais, il n'y en avait pas eu un seul. À considérer les statistiques et la loi des grands nombres, c'était à la fois rassurant et inquiétant.

Dans les avions modernes, le saut s'opère par une trappe qui s'ouvre sous vos pieds. Nous, nous disposions de vieux avions, des Junker, si je ne me trompe, où nous passions par la porte pour nous jeter dans le vide. Les sauts se faisaient par *sticks*. Un stick était constitué d'une douzaine ou d'une quinzaine de gaillards qui se poussaient les uns les autres. Bizutage ou révérence, brimade ou sympathie, normalien et protégé, on s'abstiendrait de me pousser. J'aurais à décider moi-même si je voulais ou non passer la fameuse porte qui donnait sur le vide.

L'affaire était banale. Pour moi, elle était rude. J'avais peur. Se jeter du haut d'un avion n'est pas une démarche naturelle. Surtout quand personne n'est ni devant ni derrière vous pour vous entraîner et vous faire basculer dans le vide. C'est vous qui m'avez poussé, prince des armes et des arts. Vous et tous ceux qui allaient, plus tard, penser à moi avec méfiance ou indulgence et me juger. Aux yeux de mes camarades et de tous ceux qui viendraient après eux se pencher sur mon cas, si je ne sautais pas, j'étais déshonoré. J'ai sauté.

Vous tombez. Plus rien à faire. C'est trop tard. Vous n'avez plus le temps d'avoir peur. Il n'y a plus qu'à attendre. Les choses vont très vite et lentement. Soudain, le parachute s'ouvre. Un bonheur fou s'empare de vous. Vous flottez quelque part entre le ciel et la terre. Le parachute, dans mon cas, était automatique. Il s'est ouvert tout seul. Heureusement. Je me demandais si j'aurais été capable de tirer sur la ficelle. Et surtout de tirer le plus tard possible, pour profiter de la chute libre. J'imaginais, en flottant au-dessus des arbres et des champs, les sentiments de griserie et de fragile éternité que devaient éprouver les artistes de ce sport tout au long de leur ballet, retardé à l'extrême, sur le plancher mouvant de l'air.

Je quittai à regret mes camarades aux bérets rouges, leur simplicité, leur courage, leur amitié et leur colonel. À mon départ, quelques-uns d'entre eux vinrent me voir. Ils me mirent en garde. On ne savait jamais. N'importe quoi pouvait arriver. Si jamais des individus malveillants, des magistrats trop zélés, un pouvoir hostile, des gêneurs de toute espèce venaient à me chercher des noises, ils étaient là pour m'aider. Je les remerciai avec chaleur. J'ai toujours leurs noms sur un bout de papier. La plupart sont morts. Et les survivants doivent avoir un peu plus de cent ans.

Non pas l'armée, mais des situations de guerre où j'allais jouer un rôle minuscule m'attendaient au Liban et en Croatie. Depuis la fin de la Seconde Guerre mondiale, le Moyen-Orient n'a cessé de constituer un des abcès de fixation de la violence sur cette planète. Pris entre Israël, les Palestiniens et la Syrie, le Liban, qui avait longtemps eu le privilège d'être considéré comme la Suisse du Proche-Orient, était une sorte d'oxymore religieux, politique et social, une exception, un miracle. Les garçons et les filles continuaient à aller à la plage, les bombes explosaient sur la place des Martyrs et sur la place des Canons et la légende de Kamal Joumblatt, le chef druze, le père de Walid, dans son palais de Beiteddine, au cœur du Chouf, faisait rêver les jeunes gens. En 1989, sous la présidence d'Amine Gemayel, quand les bombes syriennes tombèrent sur Beyrouth, Frédérique Deniau, une amie de toujours, mit sur pied une expédition qui tenait du canular, du marketing politique et de l'illusion lyrique. Nous partîmes pour Chypre, d'où nous débarquâmes à Beyrouth sous les fleurs et quelques bombes.

Nous formions un petit groupe composé de Guy Béart qui avait écrit une chanson que les jeunes Libanais chantaient avec bonheur : *Liban libre, libre Liban*, de Jean Mauriac, le fils de François, de Daniel Rondeau qui allait devenir plus tard ambassadeur à Malte et à l'Unesco et écrire des romans, de Frédérique et de moi. J'ai, à nouveau, eu très peur, prince des batailles – moins des bombes que des taxis : pour éviter les bombes qui tombaient assez dru, les taxis roulaient à plus de cent à l'heure dans un Beyrouth déjà en ruine mais encore loin d'être désert. Le général Aoun était Premier ministre. Il me remit un passeport qui faisait de moi un citoyen libanais.

Quelques années plus tard, c'était en compagnie du mari de Frédérique que j'essuyais des balles tirées cette fois par des Serbes.

MOI : Ce « mari de Frédérique », était-ce Jean-François Deniau ?

MOI : Lui-même, génie des Carpates et de la Bastille. Charmant, brillant, ambitieux, désespéré en secret de n'être que lui-même, ce qui n'était déjà pas si mal, Jean-François Deniau était une sorte de Fantasio qui aurait rêvé de jouer le rôle de Lawrence d'Arabie. Il avait été élevé par sa mère dans l'idée que la présidence de la République était la moindre des situations auxquelles il était en droit d'aspirer. Pour obéir sans doute à de telles espérances, il reconstruisait le monde autour de lui avec une violence et un charme tout à fait indifférents aux contingences de la réalité.

Il avait préparé à Saigon, alors français, où il était allé retrouver son frère pour combattre à ses côtés, un des premiers concours de cette fameuse E.N.A. à l'origine de tant de légendes. Longtemps, le concours de la rue d'Ulm avait détenu le monopole des mots brillants ou subtils, le plus souvent inventés. À la question : « Qui a fait quoi ? Et en quelle année ? » Thierry Maulnier, qui s'appelait encore Talagrand, aurait répondu : « Alaric a éteint le feu sacré à Rome en 410. »

À la question, lancée au hasard : « Que se passa-t-il

ensuite ? » j'étais censé moi-même avoir donné une sage réponse : « L'affaire échoua. »

Plus tard, signe des temps, ô rage, ô désespoir, à force d'uniformisation et d'ambition bureaucratique, l'École nationale d'administration avait détrôné l'École normale. On racontait qu'une candidate – parce qu'on ne prête qu'aux riches, l'histoire a été mise longtemps sur le compte de Ségolène Royal ou de Françoise Chandernagor, future auteur de *L'Allée du roi* et future membre des Goncourt – interrogée à l'oral par un examinateur badin sur la différence, du point de vue légal et fiscal, entre un amant et un mari, aurait répondu :

— Oh ! Monsieur, c'est le jour et la nuit...

Un autre, à qui était posée une question insidieuse sur la profondeur de la Seine à Paris, aurait, un peu à la façon des rabbins ou des jésuites censés répondre toujours à toute question embarrassante par une autre question, demandé à son tour :

— Sous quel pont, Monsieur ?

Au moins selon la légende, Jean-François Deniau, qui savait beaucoup de choses, était tombé par malchance sur une des rares questions de politique économique dont il ignorait presque tout : la T.V.A. Avec assurance, sans la moindre hésitation, il était parti aussitôt dans une improvisation sur la Tennessee Valley Administration. Surpris mais bluffé, l'examinateur lui avait collé sans moufter – ou peut-être en mouftant ? – la note la plus élevée.

Inspecteur des Finances, proche de Giscard d'Estaing dont il devait orchestrer la campagne, Jean-François était d'abord un marin. Sur ce qu'il aimait par-dessus tout et qu'il connaissait mieux que personne il avait écrit un joli livre : *La mer est ronde.* J'ai souvent navigué avec lui sur son voilier l'*Amphitrite.* À bord, il faisait tout avec maîtrise. Je ne faisais rien. Un beau jour d'été, nous sommes partis de Saint-Tropez pour arriver à Saint-Florent, en Corse, d'où nous sommes repartis presque aussitôt pour Livourne. Au large de Capraia, un îlot rocheux au nord d'Elbe et de Montecristo, une tempête nous a surpris. D'abord légère, elle s'est assez vite renforcée. En proie à une de ces crises d'un paludisme contracté en Afrique, Jean-François, à la barre, faisait face aux éléments avec autorité. Moi, un peu vert, obéissant à ses ordres, j'écopais tant que je pouvais. La situation, dans la nuit qui tombait, devenait plutôt critique lorsque la côte de Livourne surgit tout à coup de l'ombre devant nous dans le rôle d'un mirage qui tenait du miracle. Le bateau était sur le point de couler quand nous entrâmes au port. Je n'avais pas assez écopé.

Jean-François Deniau n'était jamais satisfait. Ambassadeur en Espagne, proche du roi Juan Carlos qui affermissait son pays dans la démocratie, il m'avait invité à venir le voir à Madrid. Nous bavardions de choses ou d'autres, et probablement de littérature, dans le salon somptueux de l'ambassade lorsqu'un valet de pied ou un majordome en habit à la française vint lui murmurer à l'oreille que le ministre espagnol des Affaires étrangères l'appelait au téléphone.

Il se tourna vers moi :

— Ah ! mon pauvre vieux, me dit-il, l'air navré, tu vois où j'en suis tombé.

Il était rêveur, courageux, séduisant. Toujours à la

recherche d'autre chose. Le monde était pour lui une sorte de songe enchanté. Au même titre que Sean Connery ou Michael Caine, il aurait pu être un héros du film de John Huston : *L'homme qui voulut être roi.* Monter un jour sur le trône d'Albanie ne lui paraissait pas exclu. Il se voyait assez bien en train de mettre fin à la guerre froide et de ramener la paix au Moyen-Orient ou en Afghanistan. Ami de présidents et de rois, de Massoud qu'il n'avait vu qu'une fois ou deux, fasciné par les services secrets, il se rangeait sans vergogne et avec beaucoup de naturel parmi les grands de ce monde. D'une santé vacillante, il était de ces êtres à l'imagination puissante à qui rien ne semble impossible et qui plient le monde à leurs vues. Participant à l'élaboration du traité de Rome et à la construction de l'Europe, traversant l'Atlantique à bord d'un voilier de fortune, toujours dans le secret des dieux et des princes de ce monde, il avait aboli la frontière entre la réalité et le rêve.

Ministre, ambassadeur, académicien, marin, Jean-François était aussi un baroudeur. Il n'allait pas laisser passer l'occasion de se battre pour Raguse, pour sa cathédrale baroque, pour sa célèbre *Placa,* pour ses couvents, pour son palais des recteurs – élus pour trois mois sous la belle devise *Obliti privatorum, publica curate* –, pour son palais Sponza, pour ses bibliothèques, ses fontaines, ses remparts, sa colonne de Roland, contre les successeurs communistes de Tito et contre Milosevic. Nous nous sommes embarqués à Bari sur un hydroglisseur pour tenter de gagner Dubrovnik encerclé par les Serbes.

J'ai beaucoup aimé la Croatie. L'éblouissement premier m'était venu de la Grèce et de ses îles que des amies successives, Cécile d'abord, Nine ensuite, puis Maia, une Grecque inoubliable, m'avaient fait découvrir en bateau. La Croatie était entrée bien plus tard dans ma vie, mais Split, l'ancien Spalato, construit dans les ruines du palais de Dioclétien, Hvar, Korcula, Mljet, petite île au nom imprononçable où un lac intérieur entoure une île dans l'île, une espèce d'île au carré, et surtout Dubrovnik, avec ses palais, ses églises et le souvenir de Marmont qui allait forger un verbe – *raguser* – à partir de Raguse, l'autre nom de Dubrovnik, m'avaient enchanté. Lorsque les canons de la Serbie communiste de Milosevic menacèrent Dubrovnik, je me déclarai prêt, avec une ombre de ridicule, à sauter en parachute sur la ville assiégée. Jean-François me convainquit d'aborder plutôt en bateau. Quand une grêle de balles siffla autour de nous, quand le patrouilleur 174 de la marine fédérale communiste nous menaça ouvertement, il nous parut plus sage de renoncer et de rebrousser chemin.

Quelques semaines plus tard, toujours de Bari, je retournai à Dubrovnik aux côtés de Bernard Kouchner et d'André Glucksmann. Nous débarquâmes dans des conditions difficiles. Mais enfin nous débarquâmes et Kouchner fut reçu avec enthousiasme dans une ville éprouvée. Il prononça un beau discours sur l'humanisme, les droits de l'homme et le devoir d'ingérence. Je me présentai, après lui, comme un égoïste amateur de belles choses qui ne pouvait être heureux que si les autres n'étaient pas trop malheureux.

L'armée elle-même, je devais la retrouver un peu moins de cinquante ans après mon passage chez les bérets rouges de Vannes. À la fin du printemps 1994,

Le Figaro m'a envoyé dans un des plus beaux pays d'Afrique, le Rwanda, ravagé par le génocide perpétré par les Hutus à l'encontre des Tutsis. En à peine quelques semaines, près d'un million de morts. Comme au Cambodge avec les crimes des Khmers rouges, une proportion effarante de la population.

J'ai compris à nouveau au Rwanda pourquoi l'armée a pu, tout au long de l'histoire, et peut encore attirer tant de jeunes gens à la recherche de quelque chose d'un peu plus grand que soi-même à quoi se consacrer. Dans des circonstances effroyables, j'ai été heureux, presque à mon étonnement, de me retrouver parmi des soldats.

L'action de la France au Rwanda a fait l'objet de critiques violentes. Le seul témoignage que je pourrais apporter est que l'armée a fait son devoir. En France, l'armée obéit aux représentants de la nation élus par le peuple. Elle a exécuté les ordres. Si responsabilité il y a, elle est politique. Comme était politique le drame sans nom des harkis, en 1962, qui a bouleversé les partisans et les admirateurs du général de Gaulle, laissant sur la France une tache qui ne s'effacera pas de sitôt.

MOI : Accusé ! Le tribunal me charge de vous rappeler à l'ordre. Vous aimez beaucoup la formule : « la tête me tournait... » et vous l'employez souvent. C'est vous, cette fois, qui nous faites tourner la tête. Vous prétendez vouloir vous consacrer à vos livres. Et vous nous parlez depuis deux heures des salons littéraires, de vos amis innombrables, de vos sauts en parachute, des troubles en Afrique et au Moyen-Orient et du sort des harkis. Il semble que vous ayez du mal à renoncer à la fois à la mondanité et à toutes les facettes du journalisme et du commentaire politique.

MOI : Vous le savez déjà, maître du proche et des lointains : ce que je suis d'abord, c'est un tissu de contradictions. Illustrant le mot de Wilde : « *Journalism is unreadable and literature is unread* », j'ai été déchiré entre journalisme et littérature. J'entends encore Morand – choqué par un de mes livres, en vérité assez médiocre, mais qui paraîtrait aujourd'hui d'une redoutable innocence et qu'on recommanderait volontiers aux institutions de jeunes filles –, pointant son doigt sur moi et me disant d'un ton sévère :

— Surtout pas de pornographie ! Et surtout, pas de journalisme !

L'injonction était bien intéressante de la part de l'auteur d'*Ouvert la nuit* et de *Rien que la Terre* dont la plupart des ouvrages sont des sortes de reportages sur le monde autour de nous – mais qui mettait, il est vrai, son journalisme dans ses livres.

Ce qui comptait pour moi, immuable Sur-Moi, ce qui compte encore au détriment de tout le reste, passager, futile et à quoi je n'attache presque aucune importance, c'étaient et ce sont les livres. J'en ai écrit quelques-uns.

MOI : Greffier ! *(Consultant ses notes.)* Il semble au tribunal que vous consacriez bien peu de votre temps à ces livres que vous aimez tant.

MOI : C'est vrai. Je me suis trop dissipé. J'ai pris trop de chemins de traverse. J'ai trop cherché à voir si, plus loin et ailleurs, l'herbe était plus verte et le spectacle, plus excitant. Avec ses bonheurs et ses horreurs, le monde et la vie m'ont trop plu. Je m'en repens. Mais, de tous côtés, les tentations étaient grandes – jusqu'à se changer parfois en obligations.

MOI : Vraiment ? En obligations ?

MOI : Oui, Monsieur. En obligations. Ou en quasi-obligations auxquelles il était difficile et souvent impossible de se dérober.

Les plus anciens d'entre nous se souviennent peut-être encore d'un épisode parmi d'autres de la Seconde Guerre mondiale : peut-être avec l'idée d'opérer la jonction avec l'armée de Rommel aux portes de l'Égypte, les troupes allemandes du maréchal von Kleist avaient fait flotter le drapeau hitlérien au sommet de l'Elbrouz. Horreur sur horreur : Staline avait remplacé la croix gammée par un buste de lui-même. Pour effacer ces souvenirs, nous avons été quelques-uns, toutes opinions confondues, à déposer la Déclaration des droits de l'homme sur ce même sommet de l'Elbrouz, point culminant du Caucase à près de six mille mètres. Il y avait là, autour de Gilles de La Rocque, initiateur du projet, et de Jean-Noël Jeanneney et sa femme, Annie-Lou, une poignée de moniteurs de Val Thorens et de Courchevel, quelques journalistes politiques ou sportifs, et votre serviteur. Nous nous sommes accrochés à des mains courantes en fil d'acier qui déchiraient les gants et vous blessaient la paume et les doigts. Nous avons longé ces précipices qui faisaient rêver le bon Dumas et dont il nous livre la description dans son *Voyage au Caucase*. Nous avons emprunté des télésièges rudimentaires constitués de chaises de cuisine glissantes et sans rambarde qui oscillaient au-dessus du vide et nous flanquaient une frousse que je ne suis pas près d'oublier. Je m'en serais voulu, en vérité, de renoncer à cette ascension rustique en l'honneur de la démocratie. Mais ce que je voudrais surtout, juge des âmes et des cœurs, c'est citer à la barre un témoin de grand poids.

MOI : Faites ! faites donc !

MOI : Je ne peux pas. Il est mort. Et je ne voudrais pas faire parler les morts. Je me contenterai, avec votre autorisation, de rapporter des faits. J'ai entretenu des liens qui relèvent du paradoxe avec un des acteurs majeurs de notre histoire récente.

MOI : Prenez garde, jeune insolent ! Vous nous avez déjà fait le coup avec Pompidou et Giscard. Peut-être allez-vous sortir maintenant de votre manche le général de Gaulle ou le pape Jean-Paul II ?

MOI : Ce n'est pas le général de Gaulle que je voudrais faire entrer en scène. C'est son adversaire le plus virulent. Celui qui accusait le Général de « coup d'État permanent ». Celui que le Général, en retour, traitait sans fard d'« arsouille ».

MOI : Le tribunal vous serait reconnaissant, Pythie de café-concert, de renoncer à parler par énigmes.

MOI : L'affaire, patron de toutes les grandes causes, a commencé assez mal. En mai 1981, je publiais à la une du *Figaro* un article qui convoquait François Mitterrand, fraîchement élu à la présidence de la République, au tribunal de l'histoire. François Mitterrand était un adversaire. Je savais, pour reprendre une formule de Pierre Viansson-Ponté, éditorialiste au *Monde* et ami de Raymond Aron, auteur en 1968 de la phrase célèbre : « La France s'ennuie », qu'il avait « des relations difficiles avec la vérité ». Je n'avais pas oublié la ténébreuse affaire de l'Observatoire que beaucoup de Français avaient effacée de leur mémoire. Le sort de Giscard, lâché en pleine bataille par un Chirac calculateur, me paraissait cruel. Je n'avais aucune raison de ne pas en faire un peu trop. Le *Canard* ne m'a pas raté : il s'est demandé qui était cet inconnu qui se permettait de fixer un rendez-vous au président de la République. Le Président, lui, ne m'a pas raté non plus. Connaissant le narcissisme et la vanité de ceux qui écrivent, il a déploré, je ne sais plus trop dans quelles circonstances mineures, qu'un si bon écrivain – c'était moi – fût si stupide politiquement. Vous commencez à me connaître, immense inquisiteur : je lui ai écrit quelques mots pour le remercier de son indulgence. La machine était lancée.

Au cours de ses deux mandats, François Mitterrand m'a invité plus d'une fois à l'Élysée. Je me souviens d'un discours qui m'avait beaucoup frappé à l'occasion d'une remise de la Légion d'honneur à Jorge Luis Borges. Je me souviens de la présentation d'un nouvel académicien au président de la République, successeur de Louis XIV et protecteur de la Compagnie. Le quai de Conti m'avait désigné pour accompagner Michel Debré, récemment élu, dans sa visite protocolaire à François Mitterrand. Les deux hommes se connaissaient évidemment fort bien et, fruit de l'affaire du Bazooka et de l'affaire de l'Observatoire, se détestaient avec ardeur. Le Président serra la main à Debré et lui dit :

— Quelle curieuse idée, Monsieur le Premier ministre, de vous être présenté à l'Académie française.

Et il lui tourna le dos pour entamer avec moi une conversation qu'il fit durer trois bons quarts d'heure.

Malgré tous mes efforts, il me fut impossible de ramener dans le circuit mon nouveau confrère qui ne prononça pas un seul mot.

Dans la voiture du retour, je rappelai à Michel Debré les premiers vers d'un sonnet d'amour et de haine d'Henry Becque, l'auteur un peu oublié des *Corbeaux* et de *La Parisienne* :

> Je n'ai rien qui me la rappelle,
> Pas de portrait, pas de cheveux.
> Je n'ai pas une lettre d'elle.
> Nous nous détestions tous les deux.

Je me souviens aussi d'une journée à Venise.

Il ne faisait pas très beau. Le temps était couvert. Je prenais un verre à la terrasse du Riviera, une de mes *trattorie* favorites, tout au bout des Zattere, non loin de San Sebastiano où l'histoire d'Esther, flanquée d'un petit chien, est racontée par Véronèse. J'étais avec Giovanni Volpi, le plus proche peut-être de mes amis italiens. Giovanni était le fils du ministre des Finances de Mussolini et d'une Italienne magnifique et puissante, fille d'un rabbin d'Oran, venue d'Afrique du Nord pour donner des bals somptueux, régner sur Venise et faire déposer ses cendres aux côtés du Titien dans la nef des Frari : Lili Volpi. Giovanni n'était pas seul. Il servait de guide à Lauren Bacall que j'admirais depuis toujours –

If you need me, just whistle... You know how to whistle, don't you? You put your lips together and you blow...

– et que je dévorais des yeux.

MOI : Peut-être la tête vous tournait-elle, vermisseau des lagunes ?…

MOI : Elle me tournait, patron. Elle me tournait même si fort qu'en regardant au loin, du côté de la Salute et de la Douane de mer, j'aperçus une silhouette qui s'avançait à pas lents et qui me disait quelque chose. C'était François Mitterrand. Il venait, de toute évidence, du campo San Vio. Je savais que c'était sur ce campo que s'élevait le palais où vivait le peintre Music et où le Président habitait à Venise. Son chapeau sur la tête, une écharpe autour du cou, il était vêtu de ce manteau que tous lui connaissaient. Je m'excusai auprès de Lauren Bacall et je me levai pour aller à la rencontre de l'illustre promeneur.

Je le saluai.

— Que faites-vous là ? me dit-il.

— Je prends un verre, lui répondis-je du ton le plus dégagé, avec Lauren Bacall.

— Avec Lauren Bacall ? Vous avez bien de la chance.

C'est moi qui ai présenté Lauren Bacall à François Mitterrand. Ou François Mitterrand à Lauren Bacall.

Le plus important pour moi était encore à venir. Un soir de mai 1995, le même téléphone qui, vingt-trois ans plus tôt, m'avait apporté la voix de Paul Morand me parlant d'une lettre que je n'avais pas envoyée se met à sonner à nouveau. Je décroche. J'entends :

— Ici François Mitterrand.

Je me dis en un éclair que c'est une farce de Jean Dutourd, familier de ce genre d'exercice.

— Allez ! Jean, c'est toi ?

Et j'entends à nouveau :

— Ici François Mitterrand.

Cette fois, à coup sûr, je reconnais la voix.

Je bredouille :

— Ah ! bonsoir, Monsieur le Président…

— Je voudrais vous voir.

— Je suis à votre disposition où et quand vous voudrez.

— Après-demain matin vous conviendrait-il ?

— Après-demain ? Heu… À moi, Monsieur le Président, après-demain me convient parfaitement. Mais vous, vous ne pouvez pas : c'est après-demain, je crois, que vous remettez vos pouvoirs à Jacques Chirac.

— Je les remets à onze heures. Si vous veniez à neuf heures, nous aurions deux bonnes heures devant nous.

Le surlendemain, à neuf heures, je me pointe à l'Élysée. Dans la foule des badauds, quelques-uns me reconnaissent :

— Ah ! vous venez pour Chirac ?…

Très digne, un peu grisé, je réponds :

— Non. Je viens pour Mitterrand.

Un huissier à chaîne m'introduit. C'est le même que sous Pompidou, une vingtaine d'années plus tôt. Il me dit :

— Heureux de vous revoir, Monsieur d'Ormesson.

Je lui serre la main. Je monte quelques marches. Je retrouve le décor de l'appartement privé où je ne suis plus venu depuis longtemps. Il a beaucoup changé depuis Pompidou qui aimait l'art moderne. Il y a des caisses et des cartons un peu partout : le déménagement est prêt. Le docteur Tarot m'accueille. Il a succédé au docteur

Claude Gubler, victime infortunée des faux certificats de santé que la pression officielle l'avait contraint à signer. Lorsque l'état du malade avait empiré et qu'il se révéla impossible de continuer à cacher l'évidence, le docteur Tarot le remplaça. D'un dévouement sans bornes, le docteur Jean-Pierre Tarot ne tarda pas à devenir le soutien le plus proche de François Mitterrand. Nous échangeons quelques mots et, très vite, le Président apparaît.

Amaigri, très pâle, le teint cireux, les traits tirés, il ne semble pas en grande forme. Je le soupçonne d'avoir longtemps dissimulé la maladie dont il se doutait depuis le début, mais j'admire son courage. Je lui demande des nouvelles de sa santé. Il me répond qu'il a beaucoup souffert, mais qu'il va mieux. La conversation s'engage.

Elle prend d'abord un tour politique. Avec une impartialité implacable, le Président me flingue la gauche comme la droite. Les noms défilent et tombent comme à Gravelotte, à gauche et à droite. Jacques Chirac est plutôt épargné. Le Président a pour son successeur de la sympathie et de l'estime. Mais tous les autres, les socialistes comme les autres… Et peut-être plutôt les socialistes que les autres.

C'est l'époque de l'affaire Bousquet. Secrétaire général de la police sous Vichy, René Bousquet avait signé avec Oberg, chef de la Gestapo en France, un accord sur la livraison des Juifs à l'Allemagne. Condamné par la Haute Cour, sa condamnation avait été relevée pour faits de résistance. Il avait été plus tard poursuivi à nouveau pour crimes contre l'humanité et venait d'être assassiné par Christian Didier à qui son coup de pistolet avait valu le quart d'heure de notoriété promis à tous par

Andy Warhol. René Bousquet était un ami de François Mitterrand qui était fidèle en amitié. Venues surtout de la gauche, les attaques n'avaient pas manqué contre le Président. Évoquant le cas Bousquet et le tumulte qu'il avait suscité, je l'entendis avec stupeur prononcer ces quelques mots :

— Vous reconnaissez là, Monsieur d'Ormesson, l'influence puissante et nocive du lobby juif en France.

— Monsieur le Président, lui dis-je, en vous écoutant, je crois entendre ma grand-mère qui était une sainte femme, mais qui ne portait dans son cœur ni les Juifs, ni les francs-maçons, ni les socialistes, ni les divorcés.

En sortant de l'Élysée, je ne me précipitai pas dans les studios de radio ou de télévision pour répéter ce que m'avait confié François Mitterrand. À tort ou à raison, il me semblait qu'il ne m'avait pas invité au titre de journaliste, mais plutôt comme un ami lointain choisi, pour des raisons qui me restaient mystérieuses, comme dernier confident au terme de quatorze ans de mandat.

Beaucoup se sont interrogés comme moi sur les motifs de cette invitation. Beau-frère du Président, Roger Hanin donna à la presse qui lui demandait pourquoi, à son avis, j'avais été le dernier interlocuteur de François Mitterrand président de la République, son interprétation de l'affaire :

— Je connais bien François. Il aime beaucoup s'amuser. Je pense que, pour sa sortie, il a choisi le plus con.

C'était une hypothèse qui ne peut pas être écartée. Tournant et retournant la question dans ma tête, j'en suis venu à imaginer plutôt, par suffisance sans doute, que François Mitterrand voulait donner l'image, à la fin de ses deux mandats, d'un homme d'État au-dessus des querelles partisanes et Président de tous les Français.

Je me suis bien gardé de rendre publiques les confidences de mon interlocuteur, mais quelques années plus tard, dans un livre, je rapportai la formule sur le « lobby juif en France ».

Ce fut un beau tollé. Plusieurs de mes amis de gauche m'assurèrent n'être pas surpris par les paroles de Mitterrand : il leur avait déclaré à peu près la même chose.

— Peut-être, suggérai-je, pourriez-vous le dire publiquement ?

Mais personne ne voulait prendre ce risque. Je crois qu'aujourd'hui une sorte d'accord s'est fait. François Mitterrand ne peut en aucun cas être taxé d'antisémitisme. Mais venu de la droite, détenteur de la Francisque, décoration décernée par Pétain à qui il avait prêté serment, entré tard en résistance, il avait gardé un certain nombre de réflexes qui se faisaient jour par à-coups. L'affaire Bousquet l'avait irrité. Il avait, devant moi, donné libre cours à des sentiments que, depuis longtemps et avec succès, il s'était contraint de réprimer.

Ce qu'il y avait de plus intéressant dans ma longue conversation avec lui, c'est ce qu'il m'a dit des communistes. Adversaire déclaré du général de Gaulle qu'il n'a cessé de combattre, il s'est révélé en même temps comme son continuateur. Non seulement il s'est glissé sans mal dans cette Constitution de la Ve République qu'il avait dénoncée avec violence avant de l'incarner, mais il a été, à la suite du Général, celui qui, après avoir mis sur pied le Programme commun de la gauche, a le plus contribué au déclin du communisme en France.

Il m'a fait honte de ma stupidité.

— Ce que vous n'avez pas compris, c'est que, comme votre de Gaulle, j'ai mis les communistes au pouvoir pour les embarrasser et pour mieux les combattre. Deux personnes, et deux personnes seulement, ont fait reculer le communisme en France : le général de Gaulle et moi. Peut-être aussi, ailleurs, Jean-Paul II.

Il m'a longuement expliqué que la politique ne consistait pas à opposer le noir et le blanc, mais à travailler dans le gris pour dépasser les obstacles et les conflits. Je l'écoutais avec attention et avec une sorte d'admiration effrayée. Je me disais qu'il était plus intelligent que les autres. Il me disait qu'il avait toujours aimé les idées et les livres et que la littérature, à ses yeux, était bien au-dessus de la politique. Sur ce point au moins, je me sentais d'accord avec lui.

— Vous aimez Chardonne ? me demanda-t-il.

— Heu..., répondis-je, j'aime surtout Aragon...

— Ah !..., me dit-il d'un ton rêveur, vous aimez Aragon...

Il aimait Chardonne, romancier du couple provincial, sentimental et bourgeois, à cause de cette Charente qui leur était chère à tous deux. Il me parla en détail de la Charente, de sa mère, de son enfance catholique, du 104 de la rue de Vaugirard où étaient passés tant de jeunes esprits chrétiens qui culminaient en Mauriac. De cette enfance si pieuse nous en vînmes au grand âge, à la vieillesse et à la mort. Je crois qu'il ne voulait pas me parler de Balladur ni de Jospin, mais du mystère de la mort et des forces de l'esprit.

J'étais le dernier à converser avec lui sous les lambris

dorés du palais de l'Élysée, mais je n'avais pas été le seul. Il s'était souvent entretenu de ces problèmes des fins dernières avec bon nombre de visiteurs, de Marie de Hennezel au cher Jean Guitton.

De temps en temps, le docteur Tarot passait la tête par la porte :

— Monsieur le Président, vous n'avez plus qu'une demi-heure…

— Monsieur le Président, M. Chirac arrive dans cinq minutes…

— Prévenez-moi quand il sera là, répondait le Président. Je suis déjà habillé de bleu. Je passerai directement – et il souriait en me regardant et je me mettais à rire de bon cœur – de M. d'Ormesson à M. Chirac.

MOI : Que vous ayez aimé voyager, avoir des amis un peu partout, comprendre le monde autour de vous, vous baigner dans la mer, descendre des pentes à skis, sauter en parachute et, à la rigueur, rencontrer de temps à autre – avec un peu trop de satisfaction – les puissants de ce monde, personne ne vous le reprochera, gandin doré sur tranche. Que vous ayez même eu un faible, le plus souvent coupable, pour toutes les formes de plaisir, y compris les plus basses, passe encore. Mais vous vous êtes égaré dans des dédales minuscules et dans des obligations qui n'avaient pas le moindre sens. Vous citez souvent un mot de Talleyrand : « La vie serait supportable sans les plaisirs » – et vous avez perdu une bonne partie de votre temps à déjeuner et à dîner en ville.

MOI : Je plaide coupable, maître de la rigueur. Si c'était à refaire, je travaillerais davantage, avec plus de régularité, avec plus de discipline. J'essayerais de combler des lacunes désolantes : je n'ai lu ni Erasme, ni la *Somme* de saint Thomas d'Aquin, ni Avicenne, ni Averroès. Mais même les futilités, je ne les regrette pas vraiment.

Étaient-ce même des futilités ? Je n'en suis pas sûr. Il y a de grands spectacles collectifs qui sont presque des œuvres d'art, éphémères et virtuelles, à l'image du camp du Drap d'or, des tournois, des soupers de Louis XIV rapportés par Saint-Simon ou des feux d'artifice. Je n'ai pas connu les fêtes célèbres et chères aux chroniqueurs des Noailles ou d'Étienne de Beaumont. Je ne suis pas allé aux bals du marquis de Cuevas et de quelques autres étrangers qui venaient jeter par les fenêtres des hôtels parisiens des fortunes acquises ailleurs personne ne savait comment ni au fameux bal organisé par Charlie de Beistegui dans le palais Labia à Venise – et qui avait débordé, autour du palais, jusqu'à la piazzetta où la foule des passants avait pris le relais des snobs, là-haut, triés sur le volet.

Beaucoup de ces fêtes étaient très belles et faisaient les choux gras de *Paris-Match* et de *Vogue*. Chacune d'entre elles regardait en arrière et traînait derrière elle comme un parfum de nostalgie et de jamais plus. À chaque fois, des voix s'élevaient pour assurer que personne, dans l'avenir, ne verrait plus rien de semblable.

Je préférais, pour ma part, les déjeuners du dimanche chez les Lazareff dans leur maison du Cœur volant à Louveciennes ; les déjeuners de la rue de l'Université ; les déjeuners – avec la droite – à la Rivière, près de Fontainebleau, chez Alfred et Charlotte Fabre-Luce qui donnaient de si belles fêtes en Espagne ou en Grèce, puis, toujours à la Rivière – mais, cette fois, avec la gauche –

chez Françoise, leur fille, et Tony Dreyfus ; les dîners entre amis avec Kléber et Caroline Haedens, avec Michel et Chantal Déon, avec François et Totote Nourissier, avec Félicien Marceau, avec Franz-Olivier Giesbert, avec Jean Tulard, avec Jacques et Suzanne Julliard, pour qui je n'ai jamais cessé d'avoir affection et admiration, dans leur maison de Bourg-la-Reine.

Il y a surtout un déjeuner, temple de la mémoire et de la fidélité, qui a joué un rôle décisif dans ma vie déjà longue. C'était le 3 avril 1974, le lendemain de la mort de Georges Pompidou, chez Claude et Simone Gallimard, au 17 de la rue de l'Université, au coin de la rue Sébastien-Bottin, aujourd'hui rue Gaston-Gallimard, dans l'immeuble qui abritait et abrite toujours les Éditions de la N.R.F. Je ne peux pas vous soumettre avec précision, maître des banquets et des cérémonies, le menu qui nous fut proposé, mais je me souviens encore des huit ou dix personnes – plutôt dix, je crois – installées autour de la table dont je pourrais vous fournir le plan.

Il y avait là, autour du maître de maison – fils de Gaston, le fondateur, l'éditeur et l'ami de Proust, de Gide, de Claudel, de tant d'autres… – et de Simone, sa femme, qui dirigeait le Mercure de France, beaucoup de passé et pas mal d'avenir : Paul Morand, dans le rôle du patriarche bienveillant, admiré et contesté ; Romain Gary, entouré de ses démons ténébreux et brillants, déjà séparé de Jean Seberg ; Félicien Marceau ; Pierre-Jean Rémy, qui occupait des fonctions importantes à l'O.R.T.F. avant de devenir directeur de la Villa Médicis à Rome, puis président de la Bibliothèque de France ; François Nourissier, qui venait de publier *Allemande* ;

Jacqueline Piatier, qui, avant Josyane Savigneau, s'occupait des livres au *Monde* ; une jeune femme que je ne connaissais pas, brune aux yeux très bleus, un peu intimidée, en chemisier blanc, un collier de perles autour du cou, qui venait de sortir de l'adolescence et de rejoindre Simone rue de Condé ; et moi.

Auteur déjà admiré d'*Éducation européenne*, des *Racines du ciel*, de *La Promesse de l'aube*, Romain Gary paraissait peut-être – à tort – en légère perte de vitesse. Personne autour de la table ne pouvait deviner qu'il était l'auteur d'un roman qui allait paraître l'année d'après au Mercure de France sous le nom d'Ajar et lui valoir, hapax stupéfiant dans notre histoire littéraire, le prix Goncourt pour la seconde fois. Avec *La Vie devant soi*, Gary commençait dans l'ombre et le secret une deuxième existence.

François Nourissier n'était pas encore membre de cette Académie Goncourt dont il allait devenir le secrétaire général, puis le président. Ni Félicien Marceau, qui avait déjà écrit *Capri, petite île* et connu le succès au théâtre avec *L'Œuf* et *La Bonne Soupe*, ni Pierre-Jean Rémy, qui venait de publier, après *Le Sac du palais d'été*, et toujours chez Gallimard, *Adrian Putney, poète*, n'étaient encore membres de l'Académie française. Marceau n'allait y entrer que l'année d'après au fauteuil de Marcel Achard. Et Rémy, beaucoup plus tard, en remplacement de Georges Dumézil.

Élu moi-même six mois plus tôt, j'étais depuis quelques semaines à la tête du *Figaro* et je venais de recevoir ou j'étais sur le point de recevoir les épreuves de mon deuxième roman à paraître chez Gallimard et dont vous savez déjà presque tout, prince de la parole et de l'écrit : *Au plaisir de Dieu.*

Simone avait pris Morand à sa droite et Gary à sa gauche. J'étais assis entre Paul Morand et la jeune femme au collier que je ne connaissais pas. Elle me parut aussitôt la beauté, la vivacité, la grâce, le charme mêmes. Elle était la fille d'Olivier et de Suzanne Guichard, des proches du Général, des artisans de son retour en 1958 et des amis de mon frère. Elle s'appelait Malcy Ozannat.

Le monde n'est fait que de rencontres. Par Malcy, j'ai fait la connaissance d'un Juif égyptien du nom de Sam Mansour avec qui elle était liée. De tous les hommes que j'ai pu connaître, c'était le plus séduisant – et ce ne sont pas ceux qui l'ont rencontré ne fût-ce qu'une fois qui me démentiront. Il avait épousé une poétesse égyptienne proche de Mandiargues, de Matta, d'Alechinsky et surtout d'André Breton et des surréalistes, et qui est morte assez jeune : Joyce Mansour. Avant de mourir lui-même. Sam est devenu mon ami.

Nous avons souvent dîné, Sam et moi, avec Maurice Rheims, qui s'y connaissait, lui aussi, en amitié et en charme et dont la conversation était tout sauf ennuyeuse, avec François et Totote Nourissier, avec Jean-François Deniau dont les histoires et le talent avaient quelque chose d'enchanteur, avec tous ceux que la seule présence et la grâce de Sam faisaient tomber de l'armoire.

Nous nous sommes surtout promenés ensemble, Sam et moi, à Venise et en Turquie, en Corse et dans le Midi, en fumant des cigares. Et, de jour et de nuit – je me souviens d'une nuit de septembre, dans la baie de Fethiye, que l'éclipse de la lune avait rendue féerique –, nous avons navigué de conserve du côté de Patmos, de Kalymnos et de Symi. Et ce sont des souvenirs qui ne me seront pas arrachés. Sur sa tombe, un matin de printemps, j'ai prononcé quelques mots où je les évoquais. Et, entrée dans ma vie le 3 avril 1974 autour de la table dressée au 17 de la rue de l'Université par Claude et Simone Gallimard, Malcy ne l'a plus quittée. Elle l'a changée et élevée.

Je pourrais consacrer plusieurs heures et plusieurs volumes à vous parler, juge suprême, de Malcy Ozannat. Je l'ai aimée, admirée, vénérée. Et je l'aime, je l'admire, je la vénère toujours. Je ne vous en dirai pas plus.

J'ajouterai seulement que plus aucun de mes livres n'aurait pu voir le jour sans sa présence et son concours. Sans elle, ce procès que vous vous êtes fait un devoir – et peut-être un plaisir ?... – d'instruire contre moi, maître de justice et de compassion, aurait été un désert et une torture.

À la fin de juin ou au début de juillet 2014, un peu plus de quarante ans après le 3 avril 1974, Antoine Gallimard, le fils de Claude et de Simone, le petit-fils de Gaston, qui venait de m'annoncer l'entrée dans la Pléiade de plusieurs de mes livres, m'invitait à déjeuner de nouveau, comme un souvenir du passé, comme une fête pour l'avenir, au 17 de la rue de l'Université avec Jean-Marie Rouart, devenu l'un de mes amis les plus proches et les plus chers, et avec Malcy Ozannat. C'était bien.

Je pensais à Proust, à Gide, à Valéry, à Montherlant, à Aragon qui m'avait tant occupé :

C'est une chose étrange à la fin que le monde
Un jour je m'en irai sans en avoir tout dit
Ces moments de bonheur ces matins d'incendie
La nuit immense et noire aux déchirures blondes

Il y aura toujours un couple frémissant
Pour qui ce matin-là sera l'aube première
Il y aura toujours l'eau le vent la lumière
Rien ne passe après tout si ce n'est le passant

Je dirai malgré tout que cette vie fut telle
Qu'à qui voudra m'entendre à qui je parle ici
N'ayant plus sur la lèvre un seul mot que merci
Je dirai malgré tout que cette vie fut belle

IL Y A AU-DESSUS DE NOUS
COMME UNE PUISSANCE INCONNUE

MOI : Ah ! cette fois-ci, satisfait, j'imagine ?

MOI : Pas tellement.

MOI : Pas tellement ?

MOI : Vous savez ce qui se passe, maître de vérité ?

MOI : Non. Dites-le-nous.

MOI : Je m'interroge…

MOI : Ah ! vous vous interrogez… Comprenez-vous enfin, icône à la redresse, pourquoi vous passez devant ce tribunal ?

MOI : Je peux le comprendre.

MOI : Ah ! vous *pouvez* le comprendre…

MOI : Un de mes forts et un de mes faibles est de comprendre presque tout.

MOI : Je m'en doutais, outrecuidant matamore : vous ne cessez de vous vanter. Sous des dehors de modestie qui ne trompent plus grand monde, vous vous mettez assez haut.

MOI : Je me mets très bas. Loin de me vanter, je me désole plutôt. Personne depuis Socrate a plus douté de soi que moi. Quand je prétends comprendre presque tout, je ne parle ni de la théorie des cordes qui me semble très obscure, ni du théorème de Fermat que je serais bien incapable de résoudre, ni de l'origine de la vie dont j'ignore tout comme tout le monde, ni des tables tournantes auxquelles je ne crois pas, ni de la barbarie toujours en train de renaître de ses cendres. Je ne sais presque rien.

MOI : Vous parlez de quoi, alors, torrent de suffisance, quand vous prétendez tout comprendre ?

MOI : Quand j'assure tout comprendre, je parle du destin des hommes, de leurs passions, de leur éternel désir, de leurs folies et des règles qu'ils s'imposent pour tenter de vivre ensemble. Tout est possible. Tout peut arriver. Qui suis-je pour porter un jugement ? Je condamne très peu. Vous, vous condamnez. Moi, j'essaie de comprendre.

MOI : Je vois ça. Je l'avais déjà deviné. Vous flottez au fil de l'eau. Vous ne choisissez pas. Vous prenez ce qui se présente. Tout vous amuse. Rien ne vous retient. Vous ne regardez jamais un peu plus haut que vous-même.

MOI : Pardonnez-moi, Monsieur. Il me semble parfois, de temps en temps, que j'essaie un peu de m'élever.

MOI : De vous élever ?

MOI : Oh ! très peu. Mais j'essaie.

MOI : Vous devez avoir du mal.

MOI : Beaucoup de mal.

MOI : Depuis quatre ou cinq jours, depuis près d'une semaine, depuis le début de ce procès, vous avez beaucoup parlé…

MOI : Oui. Trop peut-être.

MOI : Beaucoup, en tout cas… À mon tour de vous dire quelque chose. Toute vie quotidienne, avec ses routines et ses obligations, est guettée par la médiocrité. Les hommes ne sont grands que par leurs rêves et leurs convictions. Ce qui les hisse au-dessus d'eux-mêmes, c'est la foi, la science, la beauté, le souci de la justice ou de la vérité, l'amour de la patrie ou des misérables.

MOI : Vous avez raison. J'ai toujours eu beaucoup d'admiration pour les gaullistes, les peintres, les juifs, les sculpteurs, les musiciens, les musulmans, les astronomes, les catholiques et les médecins.

MOI : Mais vous, vermisseau des marais, le moins qu'on puisse dire est que vous avez du mal à vous élever au-dessus de votre bassesse. Vous bricolez à ras de terre, vous naviguez à vue. Le tribunal, dans sa mansuétude, a rejeté l'accusation d'arrivisme portée contre vous. Vous n'êtes même pas un arriviste. Vous êtes d'une légèreté confondante et d'une indifférence coupable – vous l'avouez vous-même – à l'égard de toute grandeur et de toute profondeur. Vous ne croyez pas à grand-chose...

MOI : C'est vrai. Et même à rien, peut-être. Ou à presque rien.

MOI : Je ne serais pas surpris que vos modèles fussent Oscar Wilde, Lytton Strachey, Paul-Jean Toulet, tous ceux qui, ne croyant à rien, jouent avec les mots et les vices. Ce que vous voudriez être, je le crains, à l'étage le plus bas, et ce que vous n'êtes même pas, c'est une espèce de Talleyrand de café du Commerce qui parlerait un peu de tout et qui retomberait toujours sur ses pattes. Un prince de Ligne de la canaille et sans le moindre esprit. Un Alcibiade de pacotille.

MOI : Je reconnais bien là, grand juge des Enfers, compagnon de Minos, d'Éaque et de Rhadamanthe, l'infinie indulgence du tribunal à mon égard. Ne parlons même pas de Talleyrand, ni du prince de Ligne, ni d'Alcibiade qui sont trop grands pour moi. Je vous remercie, non pas de m'avoir comparé, même de loin, à Oscar Wilde, à Lytton Strachey ou à Paul-Jean Toulet, mais d'avoir au moins pensé à m'inscrire dans leur sillage.

J'aime beaucoup Oscar Wilde qui se moquait des snobs, des puissants, des importants, et qui mettait la beauté au-dessus des platitudes et des lieux communs : « Nous sommes tous dans le caniveau, mais quelques-uns d'entre nous regardent les étoiles. »

J'aurais voulu avoir pour maître Lytton Strachey qui, fils d'une suffragette et d'un colonel de l'armée des Indes qui devait finir général, était l'amant de Keynes, l'illustre économiste, et ce que les Anglais appellent *a champagne socialist* – c'est-à-dire un de ces insupportables bobos de la gauche caviar. Objecteur de conscience, il était passé, un peu comme moi avec vous, maître de justice, devant un tribunal militaire. Le colonel l'interroge :

— Un soudard ennemi s'apprête à violer votre femme…

— Je n'ai pas de femme.

— … votre fiancée…

— Je n'ai pas de fiancée.

— … l'être que vous aimez, enfin, si vous êtes capable d'aimer quelqu'un, que faites-vous ?

— *I try to interfere.*

L'inceste l'intéressait :

— *All my family was threatened by incest. As far as I am concerned, my sister was protected by her sex, and my brother by his looks.*

Strachey avait été au bord de la mort à la suite d'une grave maladie. Son amie Dora Carrington, incomparable comme lui et qui appartenait comme lui au fameux groupe de Bloomsbury – elle était amoureuse de Lytton, mais ce qui plaisait à Lytton, c'était plutôt son mari –, lui demande quels sont ses sentiments à l'égard de la mort.

— Que ressentez-vous en face de cette mort inéluctable ?

— *I don't think much of it.*

Avec Homère, Omar Khayyam, Hafiz, Ronsard, Corneille et Racine, Musset, Baudelaire, Henri Heine, Apollinaire et Aragon, Paul-Jean Toulet, l'auteur léger, alcoolique, drogué et suprême de *Mon amie Nane* et des *Contrerimes*, est un de mes poètes préférés :

> À Londres, je connus Bella,
> Princesse moins lointaine
> Que son mari le capitaine
> Qui n'était jamais là…

Ou, moins léger :

> Ô vie, tu n'es que signes, masques et symboles,
> mais peut-être qu'un jour nous saurons de quoi.

Ou :

> Et grave ces mots sur le sable :
> Le rêve de l'homme est semblable
> Aux illusions de la mer.

Ou encore :

> Si vivre est un devoir, quand je l'aurai bâclé,
> Que mon linceul au moins me serve de mystère.
> Il faut savoir mourir, Faustine, et puis se taire :
> Mourir comme Gilbert en avalant sa clé.

Gilbert, prince de la mémoire, dont Vigny devait se souvenir dans *Stello*, était un poète du XVIIIe, ennemi de Voltaire, des libertins, des philosophes et du progrès, qui, pris de délire, s'était enfoncé une clé dans la gorge.

MOI : Je ne vous laisserai pas prendre ce ton de spectateur insolent et frivole de votre propre bassesse. Vous êtes incorrigible. Vous plaisantez de tout en pédant ricaneur. Vous êtes une image de la médiocrité et vous amusez le tribunal, ou vous pensez l'amuser, en lui jetant à la tête, après les noms des Broglie, des Berl, des Morand, des Aragon, des Rothschild ou des Nourissier, des fragments de poèmes insipides.

MOI : Je vous ai parlé de Louis de Broglie, prince des hauts lieux et des grands destins, parce que c'était un génie. Je n'ai pas connu tant de génies. Je n'allais pas laisser passer celui-là. Je n'ai pas connu Proust. Il était mort avant ma naissance. Je n'ai connu ni Einstein ni Picasso. J'ai rencontré Paul Claudel, j'ai rencontré Charlie Chaplin et j'ai rencontré Louis de Broglie qui était presque l'égal d'Einstein et qui avait du génie. Je vous ai parlé de Berl parce que je l'aimais et parce qu'il a joué un rôle dans l'histoire de notre pays et de sa littérature. Je vous ai parlé des Rothschild parce qu'il est impossible d'évoquer notre temps sans tomber sur leur légende.

Au moins telle que nous la connaissons, l'histoire commence vers la fin du XVIIIe siècle avec Mayer Amschel qui envoie ses cinq fils à la conquête du monde – d'où les cinq flèches dans les armes de la famille. Elle se poursuit avec Waterloo : par un coup de chance ou par ruse, peut-être par le biais de l'interception d'un message, en tout cas grâce à un de ces délits d'initiés qui, en ces temps-là, n'étaient pas encore des délits, un des Rothschild est informé avant tout le monde de la victoire de Wellington – et il en profite à la Bourse. L'aventure continue en France où ils s'établissent et où, après avoir inspiré Balzac pour son personnage du baron de Nucingen avec son accent d'outre-Rhin, ils jouent un rôle de premier plan dans les négociations avec Bismarck en 1871. Ils essaiment en Angleterre et le nom de Rothschild devient un nom commun au même titre que Crésus ou que Rockefeller. Quand le général de Gaulle, en 1962, veut remplacer Michel Debré, laminé – *carbonisé*, comme on dit aujourd'hui – par l'issue de la guerre d'Algérie, il enlève Georges Pompidou, normalien, agrégé de lettres, aux Rothschild qui l'avaient déjà repéré et qui le poulottaient. Les protestations fusent de partout, mais Pompidou va passer sans trop de peine de la banque Rothschild à l'hôtel Matignon et de l'hôtel Matignon au palais de l'Élysée. Triomphe de la droite libérale et capitaliste ? Pas si vite, juge équitable ! Candidat des socialistes, soutenu par les communistes et par la gauche extrême, François Hollande, au détour d'un célèbre discours au Bourget, dénonce dans la finance l'ennemi à abattre, mais dans le deuxième ministère Valls, Emmanuel Macron, ministre de l'Économie, vient de la banque Rothschild. Et *Libéra-*

tion, le journal de Sartre et de la gauche, n'a longtemps survécu que grâce à un Rothschild. Droite et gauche réunies, l'histoire des Rothschild depuis près de deux siècles est inséparable de l'histoire de la France. Comme elle est inséparable de l'histoire d'un écrivain qui leur était lié de très près par des liens familiaux et que j'ai beaucoup aimé : François Nourissier.

J'ai déjà évoqué à plusieurs reprises le nom de François Nourissier et je pourrais sans trop de peine, maître du souvenir, vous esquisser son portrait.

MOI : Vous en mourez d'envie. Je vous écoute. Mais essayez, accusé prétentieux, de ne pas pousser trop loin ce mélange d'impertinence et de frivolité qui vous caractérise. Vous avez trois minutes.

MOI : François Nourissier était lorrain. Son père était mort à ses côtés, quand il était enfant, dans une salle de cinéma. Dès sa jeunesse, François était brillant et sombre. Et il était ambitieux. Je crois qu'il était malheureux parce qu'il était obligé de vivre avec une créature pour qui il n'avait ni estime ni affection : c'était lui-même. Il mettait tout son talent à se détester avec ardeur. Il se trouvait laid, ce qu'il n'était pas plus qu'un autre. Il aurait voulu être beau et il n'était qu'intelligent. Je l'admirais beaucoup. Nous étions très amis. Je ne suis pas sûr qu'il m'aimât autant que je l'aimais. Il se vengeait sur le monde de cette haine violente qu'il éprouvait pour lui-même.

De l'encre la plus noire, il a écrit deux beaux livres où il se fustigeait avec un mépris plein d'orgueil : *Un petit bourgeois* et *À défaut de génie*. La vie qu'il avait souvent maltraitée en lui-même et dans les autres – y compris ses plus proches, et même sa femme, Totote – n'a pas tardé à se venger. Dans les dernières lignes d'*À défaut de génie*, il s'adresse à lui-même de cette plume implacable et nerveuse qui a fait son succès :

« Marre, on vous dit ! Vous avez fait votre temps. On vous a applaudi – vous vous rappelez ? –, on vous a un peu malmené, juste assez pour que vous vous sentiez vivant. Mais maintenant c'est assez joué, cassez-vous. Du balai, du vent, ouste ! Si vous faites vite, on vous regrettera peut-être. »

Il n'a pas fait vite. Pendant des mois et des mois, au fond d'une clinique de la rue Chardon-Lagache, son agonie a été interminable. Miss P. – c'est-à-dire la maladie de Parkinson – ne relâchait plus son étreinte. Un soir où j'allais le voir, je suis tombé dans le couloir sur une de nos amies communes en train de surgir d'une chambre, l'air égaré.

— Mais où est donc François ? me demanda-t-elle. Je ne le trouve nulle part.

— Il est dans la chambre d'où vous sortez, lui dis-je.

Elle ne l'avait pas reconnu.

La dernière fois où je l'ai vu, il m'a murmuré, et je le comprenais assez mal derrière son lacis de tuyaux emmêlés à sa barbe, une phrase qui détonnait dans ce décor et dans cette fin de vie sinistre :

— Nous avons bien rigolé.

Il ajoutait aussitôt, d'une voix à peu près inaudible :

— Méfie-toi des loups. Je ne sais pas ce qu'ils ont. Ils rôdent autour de moi.

Rilke, dans une prière, supplie le Seigneur de donner à chacun la mort qui lui revient et qui convient à sa vie. La mort de François a été cruelle. Nous avons célébré ses obsèques dans un crématoire anonyme au fond du Père-Lachaise. Il n'y avait pas grand monde pour se souvenir des cendres de ce pape des lettres dont les bulles faisaient trembler les cafés littéraires. Totote n'était plus là. Teresa Cremisi, qui était son amie, Françoise Chandernagor, qui siégeait chez Drouant avec lui, et sa fille Paulina ont prononcé les paroles qu'il fallait. Ses titres de secrétaire général, puis de président de la Société littéraire des Goncourt l'ont accompagné jusqu'au bout. Les grandeurs d'établissement sont des couronnes et des chaînes d'or dont le poids vous entraîne dans l'oubli. Ambigu et vivant, amical et puissant, malade et pathétique, j'ai beaucoup aimé François Nourissier qui était le contraire de ce que j'aurais voulu être.

MOI : Le contraire de ce que vous auriez voulu être ? Mais vous, qu'est-ce que vous vouliez être ? Si le tribunal pouvait enfin le savoir !

MOI : Vous le savez bien, maître de la grandeur et de l'abnégation. Je croyais l'avoir déjà expliqué en long et en large, et peut-être jusqu'à plus soif : je ne voulais rien du tout. Je voulais être heureux.

MOI : Heureux ! Mais, malheureux, vous qui avez fait des études et lu Homère, et Platon, et Pascal, et Corneille, et Heidegger – ou qui prétendez les avoir lus –, n'avez-vous pas compris que ce qui nous tire vers le bas et nous précipite dans le malheur, c'est ce culte du bonheur et la folie de sa recherche ? Vous ne croyez à rien. Vous êtes comme un bouchon qui flotte au cours de l'eau. Vous serez jugé et condamné pour indifférence au monde et pour médiocrité.

MOI : Pour médiocrité, Votre Honneur, je veux bien. J'en fais plutôt profession. Mais pour indifférence au monde, je proteste avec la dernière énergie. Si j'ai aimé quelque chose, si quelque chose m'a plu, si quelque chose m'a fasciné jusqu'à la passion et à la folie, ce n'est pas ma personne dont je me moque comme d'une guigne et dont nous n'avons que trop parlé, c'est le monde autour de moi.

Vous n'avez pas tort, très perspicace Sur-Moi, de mettre en doute ma connaissance des textes classiques. Contrairement à une réputation erronée et flatteuse que j'ai déjà démentie et qui me prête beaucoup de lectures et beaucoup de mémoire, j'ai très peu lu. Presque rien à côté de ceux que j'ai aimés et admirés : Claude Lévi-Strauss, Marc Fumaroli, Paul Veyne, Edgar Morin, Vladimir Jankélévitch ou Jean-Pierre Vernant. Et toujours les mêmes textes.

Il se trouve que j'ai lu l'Ecclésiaste et que j'ai lu le cher et grand Cioran. Ils disent à peu près la même chose. Très différemment, bien sûr. Et pourtant le même refrain. Toujours la même chanson. Toujours le même chagrin. L'Ecclésiaste :

« J'ai préféré l'état des morts à celui des vivants, et j'ai estimé plus heureux celui qui n'est pas né encore et n'a pas vu les maux qui sont sous le soleil. »

Et Cioran :

« Les enfants que je n'ai pas eus ne savent pas tout ce qu'ils me doivent. »

J'admire l'Ecclésiaste et je mets Cioran très haut. Et je pense exactement le contraire de ce qu'ils entendent nous enseigner. Chaque jour, je bénis le ciel, ou je ne sais quel autre premier moteur, de m'avoir permis de passer comme un long week-end parmi ces illusions que nous appelons réalité.

J'ai tout aimé de ce monde calomnié par mes maîtres, Cioran et l'Ecclésiaste. Je sais bien, comme Renan et comme eux, que la vie est peut-être triste, qu'elle est en tout cas semée d'échecs et de chagrins et qu'elle est vouée à la mort. Mais je crois aussi qu'elle est belle et qu'il faut apprendre à l'aimer. J'ai essayé de l'aimer et d'être, dans cette vallée de larmes, aussi heureux que possible.

Vous vous êtes moqué de moi, impitoyable Sur-Moi, parce que, de Philippe Baer, le père d'Édouard, à Jeanne Hersch ou à Jacqueline de Romilly, d'Emmanuel Berl à Ronald Syme ou à Lucien Jerphagnon – et je ne dis rien de Marcel avec qui je suis descendu plus d'une fois à skis vers la Maurienne et l'Italie ni de tant de jeunes filles dont j'ai chéri les mains, le visage et les jambes interminables qui descendaient jusqu'au sol –, j'ai aimé beaucoup d'hommes et de femmes à qui je dois beaucoup. J'ai aimé aussi à la folie une foule de choses très simples, presque toujours méprisées et passées sous silence et qui ne figurent pas souvent dans nos romans à la mode.

MOI : Du calme, jeune homme ! Du calme ! Ne montez pas sur vos grands chevaux. Ne vous excitez pas.

MOI : Ne m'interrompez pas tout le temps, exaspérant Sur-Moi. Oui, j'ai été léger, superficiel, mondain. J'ai fui l'ennui et la pompe et la solennité. J'ai aimé rire et m'amuser. Je me suis efforcé de ne pas me prendre au sérieux. Mais j'ai toujours su que le monde et la vie – ou ce théâtre d'ombres que nous appelons le monde et la vie – étaient à prendre au sérieux. J'ai toujours su en secret qu'il y avait, derrière les chagrins et la gaieté, autre chose que le plaisir et les divertissements. Et même autre chose que les mots qui m'ont donné tant de bonheur. Et peut-être même autre chose que ces passions du cœur où se mêlent le grave et le frivole et que nous appelons l'amour.

Plus encore, peut-être, qu'Aragon ou Morand et tous les autres maîtres dont je vous ai tant parlé, plus encore, peut-être, que ces femmes toujours si belles dont je me suis tant occupé, j'ai beaucoup aimé l'eau.

MOI : L'eau ?

MOI : Oui. L'eau.

MOI : L'eau… Vous m'étonnerez toujours.

MOI : Nous descendons tous des bactéries, des algues bleues ou vertes, des primates et de l'Afrique. Nous sommes tous des Africains surgis lentement de l'eau. Peut-être parce que nous sortons tous de l'eau qui a été partout sur cette planète où nous vivons, j'ai aimé à la folie cette eau qui semble n'être rien du tout à nos yeux égarés et qui, pour nous au moins, est pourtant presque tout.

Il y a maintenant deux ans, très miséricordieux Sur-Moi, ou peut-être trois, j'ai été assez malade. Quand une de ces infirmières ou de ces filles de salle, venues souvent de loin et dont je bénis les noms, me tendait un verre d'eau, je lui trouvais, à mon horreur, un goût insupportable. J'ai su que j'étais guéri grâce aux progrès de la science et aux soins de mes médecins quand boire un verre d'eau fraîche m'est devenu à nouveau un bonheur.

L'eau ! Je ne sais pas à qui je dois l'eau. À un mécanisme plein de mystère ? À une succession de hasards ?

À un dieu ? Ou à Dieu ? Boire un verre d'eau, après l'effort, l'été, sous le soleil, a toujours ouvert pour moi comme une porte du paradis. J'ai aimé l'eau qui me coulait dans la gorge. J'ai aimé l'eau où je me jetais sous les flammes de l'été. Je voudrais faire le portrait de l'eau comme celui d'une personne. Il y a beaucoup d'eaux différentes et l'eau du lac de Trasimène n'est pas l'eau des torrents du Tyrol. L'eau de la Seine n'est pas l'eau de Patmos comme le portrait de François n'est pas le portrait de Jean-Marie. Ni le portrait de sir Ronald, celui de Jacqueline ou de Jeanne. Jongleuse perpétuelle, fantôme métaphysique, l'eau est toujours l'eau, évanescente et subtile, sans couleur et sans forme, prenant toutes les couleurs et prenant toutes les formes. Mais il y a des eaux que je préfère.

L'eau que je préfère est celle de notre mer intérieure : la Méditerranée. L'eau de la Corse plutôt que l'eau de Toulon ou de Marseille. L'eau de la Méditerranée orientale plutôt que l'eau des Baléares ou des Kornati, en Croatie. L'eau surtout des Sporades – Sporades du Nord, Sporades du Sud –, l'eau de Skiathos, de Rhodes, de Symi et de Castellorizo.

Cette eau-là, maître du changement et des métamorphoses, est une eau presque vivante, chargée de sel sans doute, mais aussi d'histoire et de mythes. Elle n'a ni jambes ni ailes, elle ne court pas, elle ne rampe pas – et pourtant elle se déplace. Elle n'a pas la parole, mais elle parle à nos sens. La marée monte et descend, les vagues déferlent, les fleuves roulent, les torrents grondent. Il y a une odeur de l'eau, il y a une musique de l'eau, aussi vraie, aussi belle que la fameuse musique des sphères.

L'eau n'est pas vivante. Mais elle est source de la vie. Elle est la vie elle-même. Il n'y a de vie que parce qu'il y a de l'eau. Comme les Aztèques et bien d'autres populations, j'ai toujours adoré le Soleil. J'ai toujours adoré l'eau qui nous paraît si simple et qui est une matière paradoxale jusqu'à l'invraisemblable, un mélange de rêve et de réalité d'une complication infinie et une espèce de miracle.

Qu'ai-je donc fait de cette existence qui m'a été prêtée à titre précaire pour quelques dizaines à peine de printemps et d'étés, prince de l'éphémère et de l'éternité ? Tout au long de six mois de l'année, j'ai espéré me replonger dans cette eau dont nous sommes tous sortis. J'ai attendu avec impatience ses reflets et ses remous. Et pendant six mois, d'avril à octobre, un peu partout dans ce monde que j'ai aimé plus que moi-même, mais surtout à Amalfi, à Positano, à Sant'Agata sui Due Golfi – quel nom ! –, à Paxos et à Antipaxos, à Patmos, à Kalymnos, à Skyros ou à Alonissos, je me suis jeté en elle avec un bonheur qui n'avait pas de fin.

MOI : Bon. Voulez-vous que nous arrêtions là le chapitre – déjà long… – des bains de mer ?

MOI : Plus près encore de la vie, de l'autre côté de la vie, dans une vie végétale entre le minéral et l'animal, j'ai beaucoup aimé les arbres. Jeanne Hersch parlait très bien de l'eau, profonde et transparente comme devrait l'être la pensée. Et elle parlait très bien des arbres dont les racines poussent dans la terre et dont les branches montent vers le ciel. Les fleurs passent très vite. De mémoire de rose, personne, parmi elles, n'a jamais vu mourir un jardinier. Leur charme et leur beauté sont liés à l'éphémère. Les arbres, eux, vivent longtemps. Ils voient mourir beaucoup de forestiers et de bûcherons. Ils n'ont besoin de personne pour s'élancer dans les airs. Il leur arrive pourtant d'être le fruit d'une pensée et d'un projet. Ils échappent alors à ceux qui les ont fait naître et pousser. Et quand ils ne leur servent pas de gibet ou de cercueil, ils leur survivent de très loin. J'ai beaucoup aimé les arbres. Surtout les chênes dans le Nord, les cyprès et les oliviers dans le Sud, en Toscane, en Ombrie, dans les Pouilles ou dans le Dodécanèse. Je pourrais vous parler, maître de la compassion, de cyprès et d'oliviers qui m'ont été aussi proches que des êtres humains. À tel ou tel olivier du côté d'Arezzo, de Castellina in Chianti, d'Ostuni ou d'Otrante, dans les baies de Fethiye ou de Kekova, il m'est arrivé de donner un nom propre, de réciter trois ou quatre vers et d'offrir quelques dons. La mort de beaucoup d'oliviers dans les Pouilles m'a été une peine aussi vive qu'un chagrin d'amour.

MOI : Vous vous en remettrez, je crois. Allez-vous encore, pour amuser la Cour, faire jaillir de votre chapeau de nouvelles fanfreluches ?

MOI : L'eau. Les arbres. Montons encore un peu plus haut vers Frédéric II Hohenstaufen et ses faucons, vers Carpaccio, ses lions autour de saint Jérôme, son petit chien aux pieds de saint Augustin, vers Apollinaire, ses carpes et ses dromadaires :

> Dans vos viviers, dans vos étangs,
> Carpes, que vous vivez longtemps…

ou :

Avec ses quatre dromadaires,
Don Pedro d'Alfaroubeira
Courut le monde et l'admira.
Il fit ce que je voudrais faire
Si j'avais quatre dromadaires.

J'ai beaucoup aimé les chats, insolents, amoureux du soleil et chantés par Baudelaire et par Chateaubriand, les ânes, les éléphants, les fourmis et les abeilles dont le langage est si savant. Je n'écrase pas volontiers une fourmi sur un chemin de forêt. Je me refuse à tuer une abeille en train de danser autour de moi. Avec leur air si triste, les ânes, chers à Apulée, à Buridan et à Francis Jammes, ont toujours été pour moi des modèles de sagesse et de résignation à notre destin inexorable. Et je connais des éléphants qui se souviennent encore de leurs existences antérieures sous forme de prince sur son trône ou de sage dans une forêt, et avec qui je discuterais plus volontiers qu'avec nos pédants de service.

Mais ce que j'ai vraiment aimé de ce monde auquel vous me prétendez indifférent, trône de justice et de vérité, ce que j'ai préféré au journalisme et à la politique, et même au sommeil, aux livres, à l'eau, aux arbres, aux chats et aux éléphants, ce dont je me souviendrai surtout de cette planète quand je l'aurai quittée, ce sont deux choses bizarres, dont il est à peu près impossible de parler et qui n'ont presque pas d'existence tant elles nous sont proches et présentes à chaque instant et en tout lieu : la lumière et le temps.

MOI (dans un soupir): Nous voilà, je le crains, repartis pour un tour.

MOI : J'ai aimé la lumière. Je ne parle même pas des couleurs qui sont sa récompense, son ornement et son luxe. Je parle de cette lumière dont les savants n'ignorent plus rien, dont j'ignore presque tout et qui nous offre tout ce qui existe : les arbres, les jardins, les rivières et les fleuves, les plaines avec leurs moissons, les montagnes sous la neige, les girafes et les autruches, les étoiles dans le ciel et le corps et le visage des autres.

La nuit, je ne sais pas trop pourquoi puisqu'il y a tant d'étoiles dans le ciel, mais ceux qui savent le savent, tout est sombre et noir. Le matin, avec le soleil, on se demande pourquoi, mais la loi est la loi, la lumière se lève sur la planète où nous habitons. « Je m'éveille le matin, écrit Montesquieu, avec une joie secrète. Je vois la lumière avec une espèce de ravissement. Tout le reste du jour, je suis content. » Du plus loin que je me souvienne, prince de la mémoire, j'ai aimé le matin, j'ai aimé sa lumière. Vous ne l'ignorez pas, vous me le reprocheriez plutôt, dormir me plaisait beaucoup. En Bavière, dans les Carpates, à l'ombre du Pain de Sucre, à Saint-Fargeau au bruit du râteau sur le gravier de la cour, à Symi au son des clochettes des chèvres qui couraient devant ma porte, à Venise, campo San Vio ou sur les Zattere, à Saint-Florent au pied du cap Corse, me réveiller dans la lumière m'était un délice, une confiance et une joie.

La lumière m'étonnait.

MOI: C'est vous qui m'étonnez. La Cour croyait que vous n'aimiez que les livres.

MOI : Je n'avais pas besoin de livres, estimable Sur-

Moi, pour me poser des questions sur le plus banal des miracles. C'était drôle, cette présence des choses grâce à cette lumière dont personne ne s'occupe dans la vie de chaque jour. Quand vous m'interrogiez, juge du bien et du mal, sur mon enfance où je ne faisais presque rien, et même sur ma jeunesse et même sur mon âge mûr où je ne faisais pas beaucoup plus, j'aurais dû vous répondre que, presque à mon insu, presque sans m'en douter, mais avec une obstination qui avait quelque chose de benêt, je bénissais cette lumière qui m'était tout, sauf évidente.

Plus tard, j'ai essayé de me renseigner sur cette dispensatrice brillante de l'ombre qu'était pour moi la lumière. J'ai appris sans trop de surprise que quelques grands esprits de cette Grèce d'hier à qui nous devons tant de plaisirs et de savoir s'étaient servis de la lumière pour se faire une idée du monde qui les entourait. Sur la côte aujourd'hui turque de l'Ionie alors grecque ou à Alexandrie en Égypte, longtemps capitale de la culture, Anaximandre, Aristarque de Samos, Ératosthène et quelques autres plantent des bâtons dans le sol et observent l'ombre que ces repères projettent autour d'eux et qui se déplace lentement selon la marche apparente du soleil dans le ciel. Cette ombre, ce mouvement, cette lumière fournissent la base d'une science qui ne va plus cesser de se développer jusqu'à nous pendant plus de deux mille ans.

Longtemps la lumière est restée mystérieuse. Les plus savants des temps anciens ne savaient même pas dans quel sens elle gagnait ses batailles. Allait-elle de l'œil à l'objet ou de l'objet à l'œil ? Aristote et Euclide, Épicure et Galien diffèrent à ce propos d'arguments et d'opinion. Il faudra un bon bout de temps pour que la question soit tranchée. Et à peine est-elle réglée qu'un débat nouveau s'instaure : la lumière est-elle faite d'ondes ou est-elle faite de particules ? Huyghens tient pour les ondes et Newton pour les particules. Il faudra attendre Louis de Broglie pour apprendre, du vivant des plus âgés d'entre nous, que la lumière – disons les choses en deux mots et très en gros –, ce sont des particules qui ondulent.

MOI : Ne vous égarez pas, pédant de village et de café-concert. Les particules qui ondulent n'ont pas grand-chose à faire avec le procès qui nous occupe.

MOI : Vous n'imaginiez tout de même pas, Himalaya de la pensée, que j'allais me contenter de vous débiter des souvenirs d'enfance et de jeunesse ? Je ne me mets pas très haut, mais je ne suis pas tombé assez bas pour vous livrer ce qu'il est convenu d'appeler des Mémoires. J'ai toujours prétendu m'intéresser à l'avenir beaucoup plus qu'au passé. Regarder vers l'avant plutôt que vers l'arrière. Et vouloir faire du nouveau. Qu'est-ce qui est nouveau aujourd'hui ? Et qu'est-ce qui a de l'avenir ? La science, évidemment. Elle a marqué notre temps et elle m'a marqué moi-même. Tout au long de mon procès, vous avez essayé, greffier transcendantal, de m'arracher des confidences sur les influences que j'ai subies et les leçons que j'ai suivies. Ce qui m'a le plus épaté depuis trois quarts de siècle, ce sont les progrès de la science.

MOI (consultant ses notes) : Je me suis laissé dire que vous n'y connaissiez rien...

MOI : Je n'y connais rien. Mais Tycho Brahe, Hubble, Stephen Hawking, Hubert Reeves ou Trinh Xuan Thuan m'ont enchanté et hissé un peu au-dessus de moi-même, tout autant, un peu plus tôt, que Ronsard ou Toulet, Andromaque dans Homère, Polyeucte ou Carpaccio. Je ne pouvais pas ne rien dire de Toulet. Comment pourrais-je ne rien dire de la lumière et du temps, de tant de merveilles et de charmes, devant la Cour qui m'interroge ?

MOI : Soit. Mais ne traînez pas.

MOI : Je vais le plus vite possible. Je cours la poste. J'ose espérer que les grandes lignes de ma défense se préciseront peu à peu, que vous en serez satisfait et que la Cour me rendra justice.

La lumière, bizarrement, maître des fables et des merveilles, est liée au temps par des liens très étroits. Elle va très vite. Elle va même plus vite que tout : trois cent mille kilomètres à la seconde. Elle fait en une seconde sept fois le tour de notre Terre. Il lui faut à peine plus d'une seconde pour nous parvenir de la Lune qui est à quatre cent mille kilomètres de nous. Et huit minutes pour nous venir du Soleil à cent cinquante millions de kilomètres. Il y a un certain nombre de questions auxquelles il est impossible de répondre. Par exemple : « Qu'y a-t-il au nord du pôle Nord si vous continuez à marcher ? » Il n'y a rien évidemment. Ou peut-être le pôle Sud ? Et encore : « Quelle est la situation actuelle du Soleil ? » Impossible de donner la réponse. Ce que nous connaissons, c'est la situation du Soleil il y a huit minutes. Pour avoir une idée de sa situation actuelle, il nous faut patienter huit minutes de plus.

Il y a quelques années, une nouvelle époustouflante

nous tombait sur le dos : échappées des laboratoires du C.E.R.N., à Genève, où se poursuivaient les recherches qui devaient aboutir à la découverte du fameux boson de Higgs, appelé improprement et par exagération le « boson de Dieu », des particules recueillies par un observatoire en Italie du Nord se seraient déplacées plus vite que la lumière. L'affaire était inquiétante. Si la nouvelle était confirmée, tout ce qu'il est convenu d'appeler le « système standard » du cosmos, à commencer par le big bang et l'expansion accélérée de l'univers, s'écroulait d'un seul coup. La réponse ne tarda pas. L'information était fausse.

Ce qui est vrai en revanche et autrement important, et d'une simplicité effrayante, c'est que la lumière transporte du passé. Longtemps les plus savants ont cru à une propagation immédiate de la lumière. La lumière va très vite, mais sa vitesse n'est pas infinie. Au regard, non seulement de l'infini, mais de l'immensité de l'univers autour de nous – sans doute cent milliards de galaxies, chacune contenant en moyenne une centaine de milliards d'étoiles telles que notre Soleil –, on peut dire qu'elle traîne, qu'elle musarde, qu'elle lambine. Nous voyons des étoiles qui ont disparu depuis longtemps. Si des extraterrestres nous observent, ce n'est pas nous qu'ils voient, mais, selon la distance, Jules César, le siège de Troie, Ramsès II, la guerre du feu ou nos bons vieux dinosaures, disparus de cette planète depuis quelque chose comme soixante-cinq millions d'années. De quoi justifier avec éclat une formule qui ne nous vient ni d'un astronome, ni d'un mathématicien, ni d'un philosophe, mais d'un écrivain sudiste, réactionnaire et prophétique, auteur de quelques chefs-d'œuvre, *Lumière d'août*, *Sanctuaire*, *Le Bruit et la Fureur*, *Absalon ! Absalon !*, William Faulkner : « Non seulement le passé n'est pas mort, mais il n'est même pas passé. »

MOI : Je vous ai laissé parler – et vous avez beaucoup parlé. Mais la Cour, de nouveau, a un peu de mal à croire que la lumière ait joué un tel rôle dans une vie aussi légère et aussi dissipée que la vôtre.

MOI : La Cour se trompe à nouveau. J'ai aimé la lumière comme on aime un être aimé. Je me souviens d'un matin de printemps à Ravello, au-dessus d'Amalfi, il y a déjà de longues années. J'habitais une chambre – la 12, je crois – dans un hôtel délicieux et plutôt modeste qui portait le nom enchanteur de Caruso Belvedere. Voilà une paye déjà que le bon vieux Caruso Belvedere a disparu pour laisser la place à un palace somptueux qui s'appelle toujours Caruso mais qui a jeté par-dessus bord le Belvedere et son charme. Sous le ciel sans un nuage avec la mer au loin, j'ouvrais mes volets sur les rhododendrons, les magnolias, les citronniers de la vallée du Dragon. Une jeune femme dont j'ai fait l'héroïne d'un de mes premiers livres dormait encore derrière moi. La lumière me tomba dessus.

Je sais bien que cette lumière n'était pas toute seule. Elle était accompagnée et soutenue par toute une série de légendes qui font la gloire de Ravello. À deux pas du Caruso Belvedere, tout au début du dernier siècle, André Gide avait écrit *L'Immoraliste* dans un vieux palais décati au-dessus de la cathédrale. William Styron, un peu plus tard, avait décrit Ravello sous le nom de Sambuco dans *Put that House to Fire*, traduit en français sous le titre : *La Proie des flammes.* Gore Vidal avait rêvé à la splendeur et aux horreurs de la Rome impériale et de sa propre existence dans une maison de Ravello qui donnait sur la mer Thyrrhénienne. Pour le jardin magique de Klingsor dans son *Parsifal,* où figurait déjà le souvenir de la cathédrale de Sienne, Richard Wagner s'était inspiré de la grâce et de la beauté des terrasses de la Villa Rufolo. Et D. H. Lawrence. Et Beckett. Et, comble de la félicité, Greta Garbo et Leopold Stokowski : ils ont connu ensemble trois nuits de passion et de folie dans une chambre inoubliable – où je devais dormir moi-même il y a quelques années – de la Villa Cimbrone avant de retomber dans les tumultes meurtriers des studios de Hollywood, des médias et de la gloire. Tous ces rêves, c'est vrai, étaient là, dans mon dos, entre mer et collines. Mais la lumière emportait tout.

Cette lumière, ce miracle, cette ombre faite de flammes, ce soleil triomphant, je les ai retrouvés, tout au long de mes années, sur les temples de Louxor et les palais de Jaisalmer, sur les baies de Fethiye et de Guanabara, sur Skyros, sur Symi, sur la petite église blanche de San Giorgio au large de Castellorizo, sur les oliviers de Kekova, d'Ostuni ou d'Otrante.

Après l'eau, la lumière a fait de nous ce que nous sommes. Les hommes ne vivent et ne pensent que parce qu'il y a un Soleil au-dessus d'eux. Maître de la vérité, j'ai aimé les livres, des femmes, mes maîtres, quelques idées et les mots. J'ai surtout aimé le Soleil. J'ai aimé la lumière.

MOI : La Cour vous écoute, adorateur du Soleil et de sa lumière. Mais elle s'interroge. Elle se demande si vous n'exagérez pas et si vous ne l'emmenez pas en bateau pour un déjeuner de soleil.

MOI : Je peux me passer de presque tout. J'aime beaucoup lire, m'amuser, me pencher sur le passé, imaginer l'avenir, me promener dans le monde. Mais je peux très bien, comme chacun, et comme vous, plaisant et lassant Sur-Moi, me passer de livres, de plaisir, de souvenirs, d'imagination et de voyages. J'ai besoin du Soleil. J'ai besoin de lumière. Sans lumière, je ne suis rien.

Nous n'existons que par le Soleil. Le Soleil n'a pas toujours existé. Il est apparu bien avant que nous n'apparussions. Et pour que nous pussions apparaître. Et il disparaîtra. Nous disparaîtrons avant lui. Parce que tout, dans le tout, n'a jamais cessé d'apparaître avant de disparaître et de retomber dans le rien. Les hommes, les dinosaures, la vie, l'eau, le Soleil, l'univers. Tout a commencé par commencer. Tout finira par finir. Vous aussi. Très vite. Et moi. Tout aussi vite.

Parce que au-dessus de vous et de moi, grand Sur-Moi du présent, au-dessus de la beauté et du malheur du monde, au-dessus de Cioran et de l'Ecclésiaste, au-dessus de la vie, au-dessus de l'eau, au-dessus du Soleil et de la lumière, il y a encore autre chose : il y a le temps.

MOI : Ah ! nous n'y échapperons pas. Après le toc du père et du grand-père, après le toc de Saint-Fargeau, après le toc des livres et la tirade sur la lumière, voici la scie du temps.

MOI : Si je me suis jamais, très omniscient Sur-Moi, occupé de quelque chose, si jamais la Cour aurait dû s'entretenir de quelque chose avec moi, si jamais enfin j'ai souhaité en silence vous parler de quelque chose, c'est d'abord du temps. Le reste n'est rien. Le temps est tout. Le temps… Le temps… Le temps, et rien d'autre. Il n'y a rien d'autre que le temps.

Le temps est un mystère. Mathématiciens et physiciens nous enseignent qu'au moins dans l'infiniment petit le temps n'existe pas et qu'il est très possible de s'en passer. Je veux bien les croire. Mais nous vieillissons et nous mourons. Pour l'univers et pour nous, tout se passe comme si le temps était le maître absolu. D'une banalité extrême et au cœur de notre vie de chaque jour, présent et tout-puissant d'un bout à l'autre de notre univers où il règne sans partage, il constitue la matière première de toutes nos sciences, de la préhistoire et de l'histoire à la physique et à l'astronomie, de l'archéologie à la biologie et à l'économie politique – et nous ne savons pas ce que c'est.

De la matière, de l'eau, de la lumière, de l'air, des gaz, des ondes, des particules élémentaires, des structures dissipatives et de tout le reste, nous savons presque tout. Nous connaissons leur origine, leur composition, leurs mécanismes. Nous savons d'où sort l'espace. Il naît du big bang dans des circonstances que la science nous apprend et qui semblent relever plutôt de la fable que de la science : une dimension inférieure de très loin aux particules les plus infimes, une température et une densité supérieures à tout ce que nous pouvons imaginer. De ce point de départ hallucinant qui renvoie à la nursery toutes les inventions les plus folles de la science-fiction sort tout ce que nous sommes et tout ce qui existe, et d'abord un espace en expansion accélérée. Du temps, nous ne savons rien et son origine nous demeure inconnue.

« Si tu ne me demandes pas ce qu'est le temps, disait déjà saint Augustin dans une page fameuse du livre XI de ses *Confessions*, je sais ce que c'est. Mais dès que tu me le demandes, je ne sais plus ce que c'est. » Et, près de deux mille ans plus tard, de nos jours, comme en écho, Stephen Hawking, l'astronome paralysé et génial, le reconnaît : « Nous ne savons pas ce qu'est le temps. »

Le plus étonnant est que ce temps dont nous ne savons rien et qui peut-être n'existe même pas, nous ne cessons d'en parler comme s'il se confondait avec nous – « Quelle heure as-tu ? », « Quel jour sommes-nous ? », « Où étions-nous l'année dernière ? », « Que ferons-nous demain ? » –, de nous en souvenir, de le prévoir, de le manier, de le découper, de l'organiser à notre gré. La domination du temps est le propre et la marque du pouvoir. En Mésopotamie, en Égypte, en Chine, chez les Aztèques, les Mayas ou les Incas, dans la Grèce antique ou à Rome, et chez nous, le pape, les empereurs, les rois, les pharaons, les mages et les prêtres, le peuple souverain et ses assemblées sont les maîtres du calendrier.

Tout le monde sait qu'en l'an de Rome 708 – 46 avant J.-C. –, avec l'aide de Sosigène, un astronome d'Alexandrie, Jules César instaure une année de quatre cent quarante-cinq jours, appelée « année de la confusion », et réforme un calendrier romain devenu fou où les fêtes de la moisson ou des vendanges étaient célébrées en hiver. Un millénaire et demi plus tard, en 1582, Grégoire XIII supprime à son tour sans trembler dix jours de ce calendrier julien qui commence déjà à dériver à son tour et qu'il remplace par notre calendrier grégorien. L'un après l'autre, les pays catholiques adoptent sans trop tarder la réforme. En octobre pour l'Italie, en décembre pour la France. Les pays protestants ou orthodoxes traînent du pied. Du coup, Shakespeare et Cervantes meurent à la même date – le 23 avril 1616 –, mais non pas le même jour : l'un le mardi 23 avril 1616, l'autre le samedi 23 avril 1616. Du coup, un voyageur allemand peut mettre onze jours pour passer d'une ville à l'autre, ou arriver au contraire à destination onze jours avant son départ. Du coup, la révolution d'Octobre en Russie se déroule pour nous en novembre.

Banal, omniprésent, tout-puissant, inconnu de tous, le temps est un mécanisme d'une invraisemblable complication. Au regard du temps, l'éternité, sur laquelle nous nous interrogeons avec stupeur et angoisse, est d'une simplicité biblique. Imaginez, mon bon maître, un esprit venu d'ailleurs, un ange descendu du ciel, un Candide transcendantal sorti de l'éternité et qui n'aurait jamais entendu parler du temps. Comment lui expliquer l'abracadabrant scénario d'un avenir qui n'est nulle part et qui vous tombe dessus pour vaciller dans le présent avant de se changer aussitôt en passé ?

Le plus clair de l'affaire, qui laisse loin derrière elle les imaginations les plus folles et tous les films d'épouvante, est que, coincé à l'étroit entre un avenir en train d'arriver et un passé qui s'en va, le présent n'existe pas. Un soupir, un clin d'œil. Un éclair. Moins que rien. Le drame et le triomphe du drame comique que nous vivons…

MOI : Vous voulez, j'imagine, dire *cosmique* ?

MOI : Le drame et le triomphe du drame comique que

nous vivons est que, sous des torrents d'acclamations, à la stupeur de tous, à notre émerveillement, l'univers depuis toujours, la vie depuis qu'elle est là, les hommes avec leur gloire misérable et leur pensée si puissante n'ont jamais cessé d'habiter ce néant. Tout ce qui existe n'existe jamais que dans cette absence perpétuelle que nous appelons le présent.

MOI : Ah ! évidemment…

MOI : Oui, évidemment… Il y a de quoi devenir fou. Le temps a joué dans ma vie un rôle plus important que tout ce que j'ai pu vous raconter au cours des quelques jours que nous avons passés ensemble. Je n'ai jamais cessé d'être hanté par le temps et de me sentir accablé de son effondrement et de sa ruée torrentielle. Tous mes livres tournent autour de cette fuite au cœur de l'illusion que nous appelons réalité.

Je me souviens qu'enfant la simple marche du temps me trottait dans la tête. Je crois me rappeler que c'est chez un médecin où ma mère m'avait emmené que j'ai vu pour la première fois avec une sorte de terreur et de fascination un de ces monstres à quartz…

MOI (souriant) : … une de ces montres à quartz…

MOI : … un de ces monstres à quartz où les aiguilles du temps sont remplacées par l'affichage de chiffres qui se succèdent sans trêve. Un malaise m'avait envahi. Aujourd'hui encore, le spectacle d'une de ces machines à traduire la durée me met un peu hors de moi.

Le temps ne peut être saisi par nous qu'au travers de l'espace. Notre calendrier est lié exclusivement au Soleil et à la marche des astres autour de lui. Notre façon de le mesurer s'exprime par le mouvement des aiguilles sur un cadran ou par la succession de chiffres sur un écran. L'espace et le mouvement sont réquisitionnés en permanence pour tenter, toujours en vain, de fixer la fuite du temps. Notre sentiment intérieur de la durée n'a presque rien à voir avec cette mobilisation spatiale et mécanique du temps. Les sabliers, les clepsydres, les montres, les pendules, les cartels, les horloges nous livrent un temps aseptisé, homogène, embaumé. La durée intérieure est un oiseau sauvage. Le temps de l'ennui passe beaucoup plus lentement que le temps de la joie. Le temps de l'amour est une flèche ; le temps du chagrin, un escargot.

Je me suis souvent demandé, maître de l'éternité, ce que pouvait bien signifier le temps avant les hommes et avant le Soleil. Le temps, lié pour nous à la marche des astres dans le ciel, entretient des liens étroits avec la pensée des hommes. Une idée un peu trouble vient alors à l'esprit. Nous le savons désormais : les hommes et leur pensée sont le produit du temps ; serait-il possible, inversement, d'imaginer que le temps n'a de sens que par les hommes ? Le temps coulait sans doute avant eux. Il coulait même avant ce second big bang qu'est l'éclosion improbable et encore inexpliquée de la vie sur notre planète de second ordre. Mais, comme le monde lui-même, il ne signifiait rien, il n'avait aucun sens. Il ne constituait que la pierre d'attente d'une construction encore à venir : le temps allait produire des hommes qui seraient enfin capables de lui donner un sens.

Le temps avant les hommes n'était pas grand-chose. Mais enfin le Soleil brillait déjà dans le ciel et le jour et la nuit se succédaient sur la Terre. La vie éclate sur notre planète il y a un peu plus de trois milliards d'années. Et le Soleil se met en place il y a cinq milliards d'années. Pendant les neuf milliards d'années qui précèdent, il n'y a ni pensée, ni hommes, ni Terre, ni Soleil. Qu'était le temps tout au long de ces milliards d'années ? Une pure durée ? Mais une durée suppose une pensée pour l'éprouver et la saisir. Une alternance de conjonctions et de situations ? Mais il n'y avait ni jour, ni nuit, ni même de Terre ou de Soleil. Penser le temps avant les hommes et avant le Soleil est presque aussi difficile que de penser Dieu lui-même. On finit par se demander ce que pouvaient bien signifier les milliards d'années qui s'écoulent avant le mouvement des astres dans le ciel et avant notre pensée.

MOI : Il ne faudrait pas oublier, audacieux jeune homme au trapèze volant, que ce qui nous occupe ces jours-ci, c'est d'abord votre procès. Vous avez longtemps, vers les débuts de cette session, joué la légèreté et l'évaporation. Il semble maintenant à la Cour que vous déplacez le débat de votre personne vers la condition humaine en général, et, au-delà, vers l'éclosion de la vie et vers l'univers depuis sa création. La ficelle est un peu grosse. Nous n'instruisons pas le procès de l'humanité et du monde, mais d'un individu assez peu recommandable et qui se trouve être vous.

MOI : Nous sommes tous liés au monde, et je le suis plus que personne. Vous m'avez attaqué, inénarrable dolmen, sur mon indifférence au monde. Je voudrais me présenter à vos yeux éclairés, juge de mon destin, comme un enfant de cet univers qui a mené jusqu'à moi et qui nous mènera demain, vous, et moi, et tous les autres, vers des choses effrayantes et suprêmes dont nous n'avons aucune idée. Vous ne pouvez pas me juger sans comprendre d'où je viens. Et peut-être ne pouvez-vous pas me juger sans essayer au moins de deviner – peut-on faire plus que d'essayer de deviner ? – où nous allons. Car ce que vous jugez en vérité dans ma personne et au-delà de cette personne sans le moindre intérêt, ce sont tous les hommes, depuis toujours et pour toujours malheureux et coupables.

MOI : Coupables ? Coupables de quoi ?

MOI : Coupables de quoi ? Je ne sais pas. Coupables en tout cas. Ni plus ni moins que moi. Peut-être d'exister ? Oui, c'est ça : coupables d'exister. Parce que c'est avec eux et avec leur pensée que le mal se glisse dans le monde. Avant les hommes, pas de mal. Pas l'ombre du moindre mal. Mais dès que les hommes surgissent, malheureux et coupables en dépit de leurs triomphes, le mal est comme chez lui en même temps que la pensée et il règne presque en maître. Pourquoi ne régnerait-il pas sur moi puisqu'il règne sur nous tous ?

MOI (troublé) : La séance est levée. La Cour se retire pour délibérer.

....

MOI *(de retour dans son fauteuil après s'être absenté brièvement pour consulter ses collègues)* : La Cour vous autorise, dans sa grande indulgence, à poursuivre votre défense.

MOI : Je vous remercie, juge équitable. Puisque, au-delà de ma personne, c'est désormais de l'homme en général que la Cour instruit le procès, arrêtons-nous quelques minutes, dolmen chargé d'histoire, sur ce phénomène peu vraisemblable dont je ne suis, avec une modestie digne d'estime, qu'un exemplaire parmi beaucoup d'autres.

Ce qu'il faut dire d'abord, c'est que nous sommes si peu de chose qu'il est permis de soutenir que nous ne sommes rien. Les hommes ont cru longtemps – quoi de plus naturel ? tout ne cesse jamais de tourner autour de chacun d'entre nous – qu'ils étaient le centre du monde. Bon nombre de peuplades primitives s'imaginaient avec simplicité que leur communauté constituait les hommes par excellence. Les Chinois appelaient leur pays l'empire du Milieu. Les Grecs, qui ont ouvert tant de chemins, qui ont presque tout inventé et qui sont à l'origine de tout ce que nous aimons, pensaient que l'homme est la mesure de toute chose. Et les juifs et les chrétiens, qui étaient le sel de la terre, lisaient dans leurs livres sacrés que Dieu, tout au début, avait créé l'homme à son image – Adam d'abord, Ève ensuite. Depuis Moïse qui était en bons termes avec Dieu, depuis Socrate et Platon qui enseignaient que notre monde n'est que le reflet d'une réalité cachée et plus haute, depuis le Christ qui était Dieu lui-même, depuis Mahomet qui faisait descendre sur terre, grâce à l'ange Gabriel sous le nom de Gibrail ou Djibril, les volontés d'Allah, les hommes ont beaucoup progressé et beaucoup décliné.

MOI : Beaucoup décliné ?...

MOI : Ils fréquentaient les dieux dont ils descendaient en droite ligne. Et voilà qu'ils se retrouvent en primates, avec des bactéries et des algues pour grands-mères. Ils en savent, bien sûr, beaucoup plus sur l'univers, sur son histoire, sur leur propre personne, ils sont autrement plus puissants qu'hier dans tous les domaines où ils ont roulé de triomphe en triomphe, et l'orgueil les submerge – mais, ayant perdu leurs illusions, réduits à leurs propres forces, se méfiant d'eux-mêmes et de leurs pouvoirs toujours croissants, ils ont dégringolé du piédestal où ils s'étaient juchés et ils ont rapetissé.

MOI : Les hommes n'ont fait que croître et grandir. Ils ont élargi leur horizon. Ils ont inventé la morale, la solidarité, l'égalité. C'est vous qui avez rapetissé, nain dérisoire et verbeux, c'est vous qui avez dégringolé dans votre estime et dans celle de vos semblables. N'oubliez pas le rôle que vous jouez dans cette enceinte où vous restez accusé et ne rejetez pas sur les autres votre propre indignité.

MOI : Chacun de nous s'est de plus en plus rétréci jusqu'à se réduire à presque rien. Et d'abord pour la raison la plus simple : nous sommes devenus trop nombreux.

Quand Caïn tue Abel, il fait disparaître un quart de l'espèce humaine. À l'origine, nous étions rares et précieux. Les hommes ont été quelques milliers. Quelques centaines peut-être. Peut-être quelques dizaines. Et puis, lentement, ils se sont multipliés. Pendant des siècles et des siècles, ils ont été quelques millions. Le premier milliard, bonheur et catastrophe, a été atteint du vivant de nos parents. Et, tout à coup, grâce au progrès de la science, de la médecine, de la morale publique, la machine s'est emballée. Demain, chacun de nous, devenu banal, superfétatoire, irritant, gênant pour les autres, constituera une fraction de plus en plus négligeable d'une humanité en proie à l'expansion comme l'univers lui-même et à une inflation meurtrière.

Et non seulement chacun de nous – moi, bien entendu, et vous aussi, prince du royal secret – n'est plus qu'une goutte d'eau dans les torrents de l'humanité, mais l'ensemble des hommes lui-même est soudain comme un grain de sable dans un univers toujours plus étendu. Notre Système solaire, naguère impressionnant, se révèle minuscule au regard de notre galaxie que nous appelons la Voie lactée. Et notre galaxie, à son tour, s'est assez vite changée en un fétu de paille dans un champ gigantesque. Et, à tort ou à raison, pour faire bonne mesure, quelques-uns se risquent à penser qu'il y a une multitude et peut-être, personne n'en sait rien, peut-être une infinité d'autres univers que le nôtre. Je vous le dis avec tout le respect dû à vos hautes fonctions mais avec fermeté : vous n'êtes rien, majestueux Sur-Moi – et moi, si loin de vous et de votre grandeur, je suis bien moins que rien.

Mais, battez tambours, sonnez trompettes, voilà, miracle, que le rien, le moins que rien – c'est moi – se voit, comme par enchantement, investi d'un pouvoir qui n'est pas loin de le hisser, et de me hisser, au niveau du divin. Ce pouvoir, quel est-il ? Vous l'avez déjà deviné, maître de sagesse…

MOI : Bah ! Vous allez encore sortir de votre besace une de ces menteries ou de ces flatteuses inventions chargées de vous faire valoir aux yeux du tribunal…

MOI : Il pense.

MOI : Ah !… bon. Pour une fois, nous allons nous élever vers cet esprit et cette âme dont vous sembliez jusqu'à présent à peu près tout ignorer…

MOI : Comme vous diriez : ne nous emballons pas. Il pense, oui. Mais il pense avec son corps.

En guise d'esprit et d'âme, les hommes et les femmes ont au-dessus de leur visage, au sommet de leur tête, protégé par leur crâne, quelque chose de rond, de mou et de franchement bizarre qui est, en dépit de tout et de notre dérisoire petitesse, au centre de l'univers : un cerveau.

Avec des neurones, des synapses, des trucs compliqués en grand nombre qui lui permettent, au rien, au moins que rien, de se souvenir du passé, d'imaginer l'avenir, de calculer, d'héberger des vapeurs fluctuantes et dissipatives difficiles à expliquer et même à concevoir – des sentiments, des rêves, des passions, des croyances –, et d'agir sur le monde.

Le plus merveilleux et le plus stupéfiant est que tous ces cerveaux, tous différents et tous semblables, font surgir un même monde qui n'aurait sans eux presque aucune existence et qui, grâce à eux, devient compréhensible. « Ce qu'il y a de plus incompréhensible, disait Einstein, c'est que le monde soit compréhensible. » Au point que de bons esprits sont allés jusqu'à imaginer que le monde n'avait aucune réalité et qu'il était créé de toutes pièces par le cerveau des hommes. Hypothèse aussitôt démentie par le cerveau lui-même : du cerveau naît la pensée, d'où sort la science, qui établit que l'univers existait – ou faisait semblant d'exister – avant les hommes et leur pensée.

Issue de cette matière peu engageante et à peine ragoûtante que nous appelons le cerveau, la pensée des hommes vole sans se lasser de succès en succès. On fait de tout avec la pensée. Du plus haut au plus bas. Des dieux, de l'argent, des conquêtes, des plaisirs, des légendes, des bassesses, beaucoup de bien et beaucoup de mal. On fait surtout l'histoire.

Un des triomphes les plus éclatants du cerveau de l'homme et de sa pensée est la reconstitution sous le nom d'histoire d'un passé qui sans nous aurait disparu corps et biens sans laisser la moindre trace.

Sauf rare exception, chacun de nous est familier de son père et de sa mère. Nous les connaissons, nous nous souvenons d'eux. Nous avons, en général, une idée de nos quatre grands-parents. L'affaire se complique avec nos huit arrière-grands-parents. J'ai souvent du mal à retrouver les noms de mes arrière-grands-parents. Je suis persuadé que ses arrière-grands-parents sont pour ma petite-fille une terre tout à fait étrangère. Les seize parents de mes arrière-grands-parents, en tout cas, je suis, comme tout le monde, incapable de rien en dire.

À mesure que nous remontons de plus en plus haut dans le passé, un joli paradoxe se présente à nous : nos ascendants, au loin, deviennent à la fois de plus en plus nombreux jusqu'à l'inimaginable et de moins en moins nombreux puisque, dans des temps très reculés, le nombre des hommes diminue. À la limite, aux origines, le nombre des ancêtres devrait être à la fois immense et minuscule. La clé de l'énigme est évidemment à chercher dans une multiplication des mariages consanguins. D'une façon ou d'une autre, nous descendons tous des Bourbons et des Médicis, de Gengis Khan, qui avait beaucoup de femmes un peu partout car son empire était grand, et de Tamerlan, d'Auguste ou de Jules César. Et avec plus d'évidence encore des peintres de Lascaux, des combattants de la guerre du feu, de Lucy et de ces primates qui se promenaient dans les arbres couvrant alors le Sahara. Tout ce passé existe. Mais flou et vide de sens, il relève pour nous de l'imagination.

La science, elle, a ressuscité des morts, dans l'anonymat bien sûr, mais avec précision et exactitude, non seulement toute la suite des hommes depuis leurs débuts obscurs et toute l'aventure de la vie depuis ses origines – qui posent encore beaucoup de questions –, mais, en un effort inouï, tous les millénaires sans nombre de l'univers avant les hommes et avant la vie.

Les historiens, les préhistoriens, les anthropologues, les biologistes passent le relais aux géologues, aux astronomes, aux physiciens, aux mathématiciens et, s'appuyant successivement sur des textes, sur des correspondances, sur des témoignages, sur des inscriptions, sur des fossiles, puis sur l'observation du ciel et sur la théorie, les uns et les autres font revivre sous nos yeux un formidable passé évanoui. Nous savons presque tout de Lénine, de la reine Victoria et de Disraeli, de Bismarck, de Napoléon Bonaparte, de Louis XIV, de Charles Quint, de la découverte de l'Amérique, de la chute de Constantinople, de Hulagu et de Kubilai, de Charlemagne et de Haroun al-Rachid, de la flopée des empereurs romains, de Ts'in Che Houang-ti, d'Alexandre le Grand et de la guerre de Troie. Mais aussi de l'origine de l'écriture et des débuts de l'agriculture et de l'art, des grandes migrations des Africains vers l'Asie et l'Europe, du passage des primates à l'homme qui se tient debout et qui se met à penser. Et, au-delà, des premières formes de la vie, de la mise en place de notre Système solaire, de la fuite des galaxies qui s'éloignent les unes des autres et de ce début de toutes choses qui semble relever plutôt de la légende que de cette science qui nous l'enseigne : le big bang.

Ce que notre cerveau nous apprend, c'est que nous sortons d'une longue histoire qui a des allures d'épopée, d'opéra, de roman. Avec un début et une fin. Avec des personnages qui ne sont autres que nous-mêmes. Une sorte de jeu paradoxal et un peu effrayant se met alors en place : nous sortons de cette histoire, mais c'est nous qui lui donnons son sens ; nous ne serions rien sans elle, mais elle n'est rien sans nous ; nous sommes les personnages de ce roman primordial, mais c'est nous qui l'avons écrit – ou au moins découvert. Nous sortons de cette histoire, mais elle sort de nous.

Me voilà au cœur de la plus formidable ou plutôt de la seule aventure qui ait jamais existé. Toutes les autres, tout ce que nous vivons, inventons, racontons, dessinons ou rêvons, tout ce que nous appelons art, littérature, industrie, expérience, exploit, n'est qu'une pâle imitation, un fragment, une reconstitution maladroite et partielle de sa splendeur sans pareil.

MOI : Accusé ! Dès que la Cour, dans son infinie mansuétude, vous laisse le moindre champ, vous en abusez sans vergogne. Ce long charabia n'a rien à voir avec votre défense et n'apporte pas grand-chose à la cause de l'humanité. Pour la dernière fois, je vous rappelle à l'ordre.

MOI : Pour la dernière fois ! Ah ! Je le souhaite beaucoup. Je commence à en avoir par-dessus le dos, pernicieux vieillard, de vos perpétuelles interventions. Laissez-moi, je vous prie, mener à ma guise ma défense devant le tribunal.

Pendant des jours et des jours, tout au long des sessions successives du procès qui m'a été intenté – on se demande un peu par qui ? –, je vous ai parlé de mon enfance, de mes études, de mes rêves, de mes essais et erreurs, d'une foule de détails inutiles. Pas une fois la Cour et vous-même ne m'avez interrogé sur l'essentiel : sur ce que je crois.

Une allusion, par-ci, par-là. Vous le savez déjà : je crois à très peu de chose. Je l'ai dit et répété : à presque rien. Mais à presque rien de ce monde emporté par le temps. À presque rien sous le Soleil et dans ce que les Grecs appelaient le monde sublunaire. Je ne crois pas beaucoup aux règles, aux institutions, à tous les ponts aux ânes de la routine et de la solennité. Je suis heureux et fier d'être français. Plus fier d'être européen. Plus fier encore et surtout plus heureux d'être un homme et de participer à cette vie aux côtés des chats, des ânes, des éléphants, des cyprès, des oliviers qui me sont si proches et si chers. Je baisse un peu la voix : je ne crois pas beaucoup à ces fameuses valeurs dont vous vous gargarisez, Sur-Moi de la pompe et du protocole. Je suis persuadé, par exemple, que la liberté de la presse et de la pensée doit être défendue ou que la démocratie est, aujourd'hui, pour nous, le moins mauvais des régimes. Mais j'y suis attaché comme les sabreurs et les grognards de la Grande Armée étaient attachés à l'Empereur, comme nos ancêtres étaient attachés à la monarchie légitime, comme Virgile ou Horace étaient attachés à l'Empire romain, comme les Athéniens ou les Égyptiens étaient attachés à Athènes, à leurs dieux, à leurs institutions ou à leurs pharaons. Tout ce qui est dans le temps passera avec le temps, et rien de ce qui appartient à ce monde passager et fragile ne mérite plus qu'un respect un peu lointain et un accord ironique. On peut très bien mourir, rien de plus honorable, pour sa patrie, pour ses idées, pour ceux qu'on aime. Mais seul ce qui est éternel mérite un attachement sans réserve ni restriction.

Qu'est-ce qui est éternel ? Nous le savons très bien. L'éternité, c'est ce qui nous attend. Nous sommes destinés à l'éternité parce que nous sommes nés et parce que nous mourrons. La vie n'est que le vestibule et la préface de la mort. Naître n'est rien d'autre que commencer à mourir. Les choses sérieuses commencent avec la mort. Nous vivons peu de temps et nous serons morts pour toujours. Que nous croyions ou non à quelque chose après la mort, nous entrerons tous dans l'éternité au moment même où nous sortirons du temps – c'est-à-dire à l'instant de notre mort. La seule question est de savoir si cette éternité est vide et sans le moindre sens ou si elle est pleine d'une espérance obscure capable de lui donner une sorte de signification.

Un des arguments les plus forts de ceux qui sont persuadés que la mort débouche sur le néant est que ce qui se passe après notre mort ne fait que reproduire ce qui se passait avant notre naissance. Où étions-nous avant de naître à ce monde et dans le temps ? Nulle part. Où serons-nous après notre sortie de ce monde et du temps ? Nulle part. Tout le long de notre vie, nous courons du rien au rien. Peut-être est-il pourtant permis de suggérer qu'entre ces deux événements, entre le rien du début et le rien de la fin, s'est déroulée une aventure stupéfiante qu'il est impossible de traiter à la hâte et par-dessus la jambe : la vie.

Vous vous souvenez peut-être, maître de la mémoire, de Vladimir Jankélévitch, auteur d'un livre au titre enchanteur : *Le Presque Rien et le Je-ne-sais-quoi.* Une de ses formules m'avait frappé : « La vie est éphémère. Mais le fait d'avoir vécu cette vie éphémère est un fait éternel. » C'est sur ce fait éternel que je prie la Cour de se pencher un instant.

MOI *(bougonnant, de mauvaise humeur)* : Bon. Eh bien ! que voulez-vous ? Penchons-nous. Penchons-nous.

MOI : Nous vivons dans le temps. Tout passe. Tout se défait. Tout se précipite vers l'usure, le vieillissement et la mort. Pourtant, écrit Spinoza, « nous sentons, nous éprouvons que nous sommes éternels ». Nous sentons-nous vraiment éternels, immortels, capables de vaincre le temps ? Je n'en suis pas très sûr. Mais que se dresse, en face de cette abstraction qu'est notre perpétuel présent toujours en train de s'éc(r)ouler, quelque chose de vague comme un désir ou un rêve d'éternité, je le crois volontiers.

La vérité, c'est que nous sommes trop grands pour nous. Nous sommes déchirés entre notre petitesse et notre grandeur, entre notre misère et notre puissance. Il n'est rien d'impossible au pouvoir d'un esprit enfermé dans un corps destiné à pourrir et qui n'apparaît que pour se hâter de disparaître. Chacun d'entre nous est un roi très puissant, enchaîné, glorieux, misérable, voué à la poussière et dévoré d'espérance.

Dévoré d'espérance et plongé dans l'incertitude. La mort, qui est la règle, nous apparaît à la fois comme un but et comme un scandale. Rappelez-vous, Sur-Moi de la mémoire, l'oncle Félix entre Bossuet et Hugo dans les bois d'Ormesson :

On n'entend dans les funérailles que des paroles d'étonnement de ce que ce mortel est mort.

Et :

Quand nous en irons-nous où vous êtes, colombes,
Où sont les enfants morts et les printemps enfuis
Et tous les chers amours dont nous sommes les tombes
Et toutes les clartés dont nous sommes les nuits ?

Quand nous en irons-nous ? Quand nous en irons-nous ?

Nous ne savons pas pourquoi nous sommes nés. Et nous ne savons pas si mourir est une malédiction ou une bénédiction.

Je suis là. Je vis. La fameuse question de Descartes, une

des plus célèbres de la philosophie : « Est-ce que j'existe ? Est-ce que je vis ? Est-ce que je suis ? » est une farce. Il est très possible que la vie, l'histoire, l'univers ne soient qu'une sorte de rêve. Mais aucun être humain ne met en doute qu'il participe à ce rêve, qu'il en est un acteur, qu'il est entré dans le temps. Il nous suffit de souffrir, de rire, d'avoir du plaisir ou du chagrin pour savoir avec certitude que nous appartenons à ce monde. Personne ne se demande s'il est. Bien sûr que je suis. Mais chacun d'entre nous ne cesse jamais de se demander, avec plus ou moins d'insistance, avec plus ou moins d'inquiétude, ce qu'il risque de devenir après avoir rendu ce que nous appelons avec délicatesse notre « dernier soupir ».

Jeté dans la vie sans avoir rien demandé, je m'interroge sans fin sur ce que je suis venu faire à bord de cette galère, toujours en train de sombrer et de renaître sous d'autres formes. Venue de l'expérience des autres et d'une sorte d'évidence intérieure, il n'y a qu'une chose de sûre : à la fin, la mort l'emporte. Je vais mourir. Et vous aussi.

Nous ne pouvons rien savoir de ce qui nous attend après la mort – quand nous serons sortis du temps. Rien, peut-être ? Oui, peut-être rien... Ou peut-être quelque chose dont il est impossible de rien dire. Ce qu'il y a de remarquable, c'est cette coupure si franche entre, d'un côté, la vie et le temps, de l'autre, la mort et l'éternité. On pourrait presque soutenir que tout est organisé pour que nous ne sachions rien ni sur notre origine ni sur notre fin. J'ai consacré un petit livre à ce double mystère du rien qui nous encercle : le rien avant le big bang, de l'autre côté du mur de Planck, très loin dans le passé, et le rien après notre mort, demain ou après-demain.

Vivre nous occupe beaucoup. Rien de plus légitime. Spinoza, encore lui, nous rappelle que la philosophie est méditation de la vie, et non de la mort. Tout ce que nous avons à notre disposition, c'est la vie et le temps. C'est d'eux seuls qu'il nous est permis de nous servir, de jouir et de parler. Nous ne pouvons pas en sortir. Ou plutôt, nous en sortons avec évidence – rien de plus banal que la mort –, mais le mystère le plus profond entoure le passage obligé et ce qu'il y a derrière lui. À la mort comme à la naissance, on dirait que nous sortons de la réalité pour entrer dans un rêve. Ou peut-être que nous sortons d'un rêve pour entrer dans la réalité. Le début est un mystère et la fin est un mystère. Et le comble, c'est que l'entre-deux – la vie, le temps, l'histoire, l'univers – est un mystère aussi.

MOI : Je vois bien que pour tenter de vous en tirer, vous essayez de faire croire à la Cour que votre vie, si banale, est en réalité un mystère…

MOI : Elle est un mystère. Comme toutes les vies. Mais nous sommes si habitués à ce mystère que nous nous y sentons comme un poisson dans l'eau. L'éternité nous effraie et la mort nous fait peur. La vie et le temps, au contraire, nous semblent aller de soi. Rien de plus étrange pourtant que ce qui nous est si familier. Le simple fait d'être là m'a toujours étonné. Et le mystère du temps me paraît insondable.

Si j'ai accepté, trône de justice et de patience, insupportable vieillard, de me présenter devant cette Cour à laquelle j'aurais pu me dérober sans trop de peine, ce n'était pas pour vous raconter des fadaises sur les rives de l'Isar, sur les monastères de Bucovine, sur le Pain de Sucre et le Christ du Corcovado, sur la Grande Mademoiselle, sur la khâgne d'Henri-IV, sur une organisation culturelle, sur un grand quotidien, sur la Coupole du quai de Conti, sur de misérables aventures littéraires, c'était d'abord et surtout pour vous dire qu'au moins à mes yeux, rendus, je veux bien le croire, moins perçants par le temps qui passe et par l'âge, le monde est un mystère. Il est aussi, je le crois, une espérance et un secret.

MOI : Greffier ! Si vous dormez, surtout réveillez-vous. Et prenez note, je vous prie. C'est bien intéressant : non content de discerner un mystère dans l'histoire, le menteur professionnel croit à un secret de l'univers. Et il nourrit des espérances. Quel secret ? Quelles espérances ? On ne sait pas. Et peut-être ne le sait-il pas lui-même.

MOI : J'imaginais qu'un juge se devait d'être impartial. Et que l'usage n'était pas de se moquer d'un inculpé réputé innocent…

Je ne crois pas, bien entendu – qui pourrait le croire ? – que les hommes soient à l'origine de leur passage sur cette terre, qu'ils soient leur propre cause. La vie leur est donnée – ou plutôt prêtée –, ils ne la tirent pas d'eux-mêmes ni du néant. Je ne crois pas non plus qu'ils soient le fruit du hasard. Je suis persuadé que le hasard joue un grand rôle dans l'univers et surtout dans la vie où il se sent comme chez lui. J'ai du mal à croire qu'il suffise à expliquer la multitude presque infinie des miracles qui président à notre vie quotidienne et à la marche de l'histoire.

L'œil est un miracle et voir est un miracle. L'oreille est un miracle et entendre est un miracle. Le corps du scorpion, de la fourmi, de l'abeille, du dauphin et de l'homme est un miracle. La procession des astres dans un espace en expansion accélérée est un miracle et l'histoire est un miracle. Et il n'y a pas de miracle plus surprenant que le réglage si rigoureux des lois de l'univers. Cent fois, mille fois, le monde aurait pu, et peut-être dû, s'effondrer. Tout a toujours tenu. Et marché. Très mal, bien sûr. Et au mieux.

Voltaire, dans *Candide,* se moque avec talent de Leibniz qui soutient que tout est toujours au mieux dans le meilleur des mondes. Le meilleur des mondes est le plus souvent médiocre, injuste, cruel, et parfois atroce. Mais enfin, il est là. Il a de jolis côtés. Il affronte les tempêtes. Il tient le coup dans les désastres. Il peut même arriver, de temps en temps, un soir d'été très doux, une compagnie heureuse, un enfant quelque part, je ne sais pas, moi, un cigare, un verre de vin, un bon film, un mot d'esprit, ce que nos grands-mères appelaient « une bonne action », quelques brasses dans la mer au large de Kas ou de Girolata, qu'un peu de bonheur se glisse soudain dans nos vies. Le tout résiste et fonctionne. Est-il permis de mettre sur le compte du hasard l'aventure de l'univers et la suite de l'histoire ?

Un hasard, deux hasards, trois hasards, rien de plus banal ni de plus naturel dans un monde où n'en finissent pas de se croiser les chemins et les destins de la nécessité. Mais une avalanche de hasards allant tous dans le même sens d'une permanence et d'une marche en avant à travers récifs et périls, il faut pour accepter ce conte de bonne femme prise de vertige métaphysique une dose peu vraisemblable de naïveté et de crédulité.

MOI : Peut-être, au terme de ces journées épuisantes où vous n'avez livré à la Cour que des bribes d'insignifiance, pourrions-nous espérer savoir enfin quelque chose de ce que vous pensez – s'il vous arrive de penser – et de ce que vous proposez à la place du jeu classique du hasard et de la nécessité ?

MOI : Si je crois à quelque chose, funeste vieillard, c'est à un ordre des choses. En nous et autour de nous, avant la vie et les hommes et après la vie et les hommes, il y a un ordre des choses. Parce que nous sommes dans une histoire, cet ordre des choses ne cesse jamais de changer. Mais il ne cesse jamais non plus de durer et de régner sur notre tout et sur le temps qui passe. Il règne sur la matière inerte et il règne sur la vie. Il règne sur les hommes et sur leur pensée qui est liée au cerveau. Sous les masques les plus divers, derrière les déguisements les plus fous, il ne desserre jamais son étreinte.

Les hommes sont libres, bien entendu. En un peu plus de trois milliards d'années, la vie franchit avec lenteur et succès toutes les étapes successives entre l'inertie de la matière et la liberté de l'esprit, en passant par le mouvement, l'automatisme, le réflexe conditionné, l'organisation spontanée et réglée, le souvenir, la sensibilité, et enfin l'indépendance, le choix, le rêve, le projet, la liberté et l'amour. Oui, nous sommes libres. Nous pouvons aller à droite ou à gauche, accepter, refuser, inventer, faire à peu près ce que nous voulons d'une vie que nous n'avons pas choisie. Nous pouvons même mettre fin à cette vie. Chacun est maître de ses décisions et n'en fait qu'à sa tête – ou s'imagine n'en faire qu'à sa tête. Les mouvements de masse sont déjà plus aisés et presque faciles à prévoir. Mais surtout les limites de notre fameuse liberté surgissent soudain de partout – jusqu'à crever les yeux. Nous ne pouvons pas voler dans les airs par nos propres moyens, revenir en arrière, revivre le passé, refuser d'être né, faire que ce qui a été ne soit pas, être un autre que nous-même. Nous sommes enfermés dans l'histoire et en nous. Notre liberté ne nous permet pas d'échapper à l'histoire. Nous pouvons donner un sens nouveau au passé et, dans une certaine mesure, le modifier. Nous pourrons, dans l'avenir, changer tout de notre monde. Et nous pourrons, dans l'avenir, changer tout de nous-même, de notre corps, de notre pensée, de notre personnalité. Nous le ferons, pour le meilleur ou pour le pire. Mais nous serons toujours dans l'histoire. Selon la formule de Raymond Aron, les hommes font l'histoire, mais ils ne savent pas l'histoire qu'ils font. Nous sommes libres – mais dans l'histoire et dans le temps. Nous n'avons le droit d'échapper ni au monde, ni à nous-mêmes, ni à la mort.

Ce que je crois, cher et illustre maître, misérable vieillard – et c'est pour cette raison que je ne crois pas à grand-chose –, c'est que l'histoire de l'univers, de la vie et des hommes n'est pas seulement une aventure, un roman, une épopée, un opéra, mais une sorte d'immense théâtre qui était vide avant nous et dont nous sommes les acteurs. Nous montons sur les planches en naissant. Nous sortons de scène en mourant. Entre la naissance et la mort, nous débitons notre texte. Ce texte nous est dicté par l'espace et le temps, par l'histoire, par la géographie, par notre situation. Nous avons le droit d'improviser, bien sûr. Nous pouvons le retoucher. Mais dans des limites très étroites.

Il y a des rôles magnifiques et de grands acteurs. Et il y a des utilités. Tous les acteurs sont égaux. Mais il y a des vedettes dont on se souvient longtemps. Des acteurs comme Homère, Platon, Alexandre le Grand, Gengis Khan, Rembrandt, Shakespeare, Goethe, Napoléon Bonaparte, Chateaubriand, Tolstoï, Proust, Churchill, Staline ne sont pas oubliés. Nous avons en mémoire leurs gestes et leurs répliques. Leur talent. Leur génie. Le souffleur, l'ouvreuse, le machiniste dans la coulisse, le décorateur, la maquilleuse sont encore des acteurs. Et le public lui-même n'est composé que d'acteurs. Et la foule dans la rue, les étrangers de passage, les banquiers, les sans-abri, les malades à l'hôpital, les militaires dans leur caserne, les condamnés dans leur prison : tous des acteurs, rien que des acteurs. Les peintres, les sculpteurs, les architectes, les musiciens, les amants et les écrivains : des acteurs. Et les lecteurs des acteurs. Grands ou petits, heureux ou malheureux, de génie ou médiocres, puissants ou misérables. Tous des acteurs, avec leur rôle à jouer.

Jouer est obligatoire. Vous n'avez pas le choix. Vous pouvez vous taire et bouder dans votre coin : vous jouerez en silence le rôle du boudeur ou de la boudeuse. Vous pouvez rire de tout et vous moquer du monde et de vous-même : ce sont aussi de jolis rôles. Vous pouvez ne rien faire – et on vous oubliera. Vous pouvez râler, vous mettre en colère, maudire l'auteur ou le metteur en scène : si vous le faites avec force, vous laisserez un nom dans l'histoire du théâtre.

Chacun change de rôle au cours de sa vie. Les rôles d'enfant sont délicieux. Les chérubins sont légion. Les détestables vieillards tels que vous, perpétuel Sur-Moi, père de la patrie, en train de rabâcher leur texte, nous les connaissons par cœur. Il n'y a pas de relâche. Et il n'y a pas de retraite : nous mourons tous sur scène comme Molière. On passe directement du théâtre et de la tragicomédie, qui prend assez souvent des allures d'hôpital, aux mystères de l'autre monde. Sous les applaudissements, sous les sifflets, dans les larmes le plus souvent, ou dans une complète indifférence.

Vous imaginez bien, haut magistrat chargé d'honneurs, qu'un théâtre de cette sorte n'est pas l'œuvre du Saint-Esprit – à moins, justement, qu'il ne le soit. Il ne sort pas de rien. Il a besoin d'un projet, de plans, de devis, d'énergie. Il lui faut un architecte. Un scénariste. Un metteur en scène. Un romancier. Je crois que derrière le roman de l'univers, avec ses structures si précises et ses rebondissements, et derrière le grand théâtre de la vie, avec son intrigue si bien ficelée, ses dialogues si brillants, ses anecdotes sans fin, son style loué de toutes parts, son mélange si savant de tragique et de comique, il y a comme une puissance inconnue.

MOI : Quelle puissance ?

MOI : Quelle puissance ? Je n'en sais rien. Comment voulez-vous que je le sache ? Comme vous, comme tous les autres, j'appartiens au théâtre de l'univers et du temps. Il ne m'est permis d'en sortir que par la porte de la mort. Et il sera alors trop tard pour vous donner de mes nouvelles. Que nous ne dépendions pourtant ni de nous-mêmes ni du hasard, mais d'un pouvoir inconnu dont nous ne pouvons rien dire, je le crois avec force, j'en suis persuadé. L'univers tout entier nous le crie à tue-tête.

Quelle puissance ? Une énergie, peut-être ? Ou une équation mathématique ? Ou un flux quantique ? Quelque chose, en tout cas, d'inexprimable pour nous, d'inconcevable par notre cerveau, d'inouï aux yeux des hommes, quelque chose dont nous ne pouvons parler que dans l'imagination et par analogie. Très au-delà de nos mots. Très au-delà de ce monde et du temps. Avec, espérons-le, nous n'en savons rien du tout, mais il est toujours permis d'espérer, quelque chose de plus invraisemblable encore qui ressemblerait de loin, oh ! de très loin, à ce que nous appelons l'amour.

MOI : Mais dites-moi, mon cher ami…

MOI : Vous me l'avez assez répété : je ne suis pas votre ami. Vous instruisez mon procès. Je réponds comme je peux aux questions que vous me posez.

MOI : Mais dites donc, accusé, cette puissance au-delà de tout, dont on ne peut pas parler, d'où sortirait l'univers et qui serait mue par l'amour, ne serait-elle pas très proche de ce qu'il est convenu d'appeler Dieu ?

MOI : Ce dont nous ne savons rien et dont il est impossible de rien dire, vous pouvez bien lui donner le nom que vous voulez. Les juifs, qui refusent de le représenter – entrant pour la première fois dans le temple de Jérusalem, les légionnaires romains sont stupéfiés d'une sobriété qui va jusqu'à la nudité –, hésitent à lui donner un nom : ils l'appellent en tremblant et presque à contrecœur Jéhovah, ou Iahvé, ou Élohim, ou Adonaï. Les chrétiens le font descendre parmi les hommes. Les musulmans l'adorent sous le nom d'Allah. Platon parle du Souverain Bien ou de l'Idée du Bien. Aristote, d'un premier moteur. Spinoza voit en Dieu la totalité de l'être : « *Deus sive Natura* ». Pour Leibniz, Dieu est la monade des monades. Pour Hegel, la forme la plus haute de l'esprit absolu. Pour Kierkegaard, Dieu est le paradoxe, la vérité et le Christ.

MOI : Et vous, l'inculpé, le nain de jardin, l'inepte nageur des deux rives, que répondez-vous à la Cour qui vous pose la seule question qui vaille et que chacun doit affronter au moins une fois dans sa vie : oui ou non, croyez-vous à Dieu ?

MOI : S'il faut répondre par oui ou par non, je réponds : oui, sans balancer, comme Spinoza, comme Einstein, comme Jaspers, comme Bergson, comme saint Grégoire de Naziance dans sa prière si belle :

Ô toi, l'au-delà de tout,
Comment t'appeler d'un autre nom ?
Quelle hymne pourra te chanter ?
Aucun mot ne t'exprime.
Quel esprit pourra te saisir ?

Tu es au-delà de toute intelligence.
Seul, tu es indicible
Car tout ce qui se dit est sorti de toi.
Seul, tu es inconnaissable
Car toute connaissance est sortie de toi.

MOI : Comme Grégoire de Naziance, comme Augustin, comme Leibniz, comme Kierkegaard, croyez-vous, philosophe de nursery, théologien à la manque, que Dieu a créé le ciel et la Terre ?

MOI : Le mot *Dieu* est ambigu. Le mot *créé* est ambigu. Pour quelque pouvoir que ce soit, il n'est pas question, avant l'espace et le temps, de prendre soudain la décision de créer l'univers. Parce que toute décision se situe dans le temps. De la puissance inconnue, très loin audessus de nous, découlent de toute éternité les conditions nécessaires à la naissance d'une histoire. Et, d'un bout à l'autre de son histoire, le monde ne cesse jamais d'être créé et soutenu par cette puissance inconnue. En un sens, hors du temps, dans le vide de l'éternité, il n'y a pas vraiment de décision de créer l'univers. Et, en un autre sens, dans le temps, il est permis de parler d'une création continue.

En vérité, incapables de penser quoi que ce soit hors du temps, les hommes ne peuvent rien dire de Dieu. À peine ont-ils le droit de prononcer son nom. Grâce à la science, en revanche, ils peuvent tout, ou presque tout, savoir de ce monde dans le temps.

Pour nous au moins, tout commence avec le mur de Planck. Avec le big bang. Avec l'explosion primitive chargée de déclencher un espace qui n'existe pas encore et qui sort, minuscule par la taille, démesuré par la chaleur et la densité, d'un rien qui, dans l'éternité, c'est comme ça, c'est très simple, se confond avec le tout. À partir de ce rien qui était tout, au long d'un peu moins de quatorze milliards d'années, l'expansion de l'univers se poursuit à un rythme accéléré pour donner notre tout à nous – une autre sorte de tout, immense, dérisoire, passager, toujours en train de changer et de gonfler dans l'espace et dans le temps, et qui n'est peut-être presque rien. Une illusion peut-être ? Un rêve que nous appelons réalité ? La scène imaginaire et trompeuse où nous nous agitons ? En tout cas, puisque ce monde, au loin, les savants nous l'apprennent, va vers sa destruction, une parenthèse entre les deux grands riens immobiles et secrets qui constituent le grand tout que nous avons le droit d'appeler Dieu.

Pour résumer d'un mot le mythe fondateur de ce qu'il est convenu d'appeler la création de l'univers, on pourrait dire que Dieu ne tire le monde de rien – c'est-à-dire de lui-même qui est à la fois le rien et le tout – que pour le rejeter dans le rien.

MOI : La Cour vous écoute avec des sentiments mêlés, mais je dois reconnaître que vous finissez par m'amuser… Le monde avec vous prend volontiers l'allure d'une course-poursuite transcendantale où physique mathématique et Bible seraient interprétées par James Bond.

Votre science, dont vous ne savez rien mais dont vous parlez beaucoup, nous assure que le big bang crée l'espace. Croyez-vous, cosmologue des Folies-Bergère, philosophe en barboteuse, qu'il crée aussi le temps ?

MOI : Pernicieux vieillard, vous n'avez cessé de m'interrompre et de me dénigrer depuis les débuts de ce procès interminable. Me voilà contraint à un aveu de nature à vous enchanter parce qu'il me couvre de confusion.

Personne ne le conteste : le big bang est à l'origine de notre espace. C'est étrange, c'est invraisemblable, c'est plus difficile à croire que toutes nos fables pour enfants – mais c'est vrai. Il le crée à partir de la pointe d'épingle infiniment minuscule qui va donner naissance à notre espace en expansion. Est-il aussi à l'origine du temps ? La question est controversée. J'ai longtemps cru, dans le sillage de saint Augustin, que le temps était lié à l'éclosion du monde. Je le crois toujours. Mais que le temps sorte au même titre que l'espace de l'explosion primitive, je ne le crois plus. Pour tout dire d'une seule phrase, j'ai dû reconnaître à ma courte honte que la physique mathématique, dont je m'étais méfié à tort, avait raison contre moi : le temps – ce temps dont je me suis tant occupé comme d'une réalité presque vivante, divisée en trois hypostases qui se succéderaient sans se lasser : l'avenir, plongé dans l'ombre, l'étrange présent toujours en fuite, le passé dévorant, et qui coulerait comme un long fleuve emportant tout sur son parcours –, ce temps-là n'existe pas.

MOI : Il n'existe pas ! Mais vous lui avez consacré toute une partie de votre vie ! Et même de votre procès. Vous n'avez parlé que de lui. Hier encore, et avant-hier, vous voyiez dans le temps comme le fondement et la clé de l'univers, de la vie et de la pensée. Permettez-moi de vous le dire : un peu de votre fameuse réputation repose sur le long traitement que vous lui avez réservé. Je pressentais déjà que cette réputation était usurpée. Voilà que vous confirmez avec éclat et que vous justifiez mes pires soupçons.

MOI : Eh bien ! sur ce point au moins, votre procès n'aura pas été inutile. Je plaide coupable. Je viens à résipiscence. Le temps est tout. Mais il n'est rien. C'est un autre nom de l'univers. L'espace existe, et il peut être dominé. Le temps n'existe pas, et il est invincible.

Nous vieillissons, naturellement. Nous mourons. Tout

passe. Tout disparaît. Mais il n'est pas très surprenant que mathématiciens et physiciens ne trouvent pas trace dans leurs calculs de ce temps omniprésent – et pourtant impossible à cerner, à saisir, à définir et à expliquer. Il est omniprésent, il est le fondement et la clé de l'univers, de la vie et de la pensée – mais il n'a pas de réalité.

L'espace a une réalité. Dès ses débuts si modestes et si rapides, il se développe à un rythme hallucinant. Il est là. Il est possible de l'observer, de le parcourir, de l'imaginer, plein ou vide. Pour stupéfiant que soit un pareil événement, un pareil exercice, il est permis de concevoir son apparition et son extension. Il est impossible de se faire une idée, même approximative et figurée, de l'origine de cette abstraction portée à l'incandescence que serait un temps en train d'apparaître et de se mettre à couler. Il n'apparaît pas et il ne coule pas pour la raison la plus simple : il n'existe pas.

Ou, du moins, il n'existe pas en tant que tel. Il n'est pas une réalité. Il n'a pas d'existence propre. Il n'y a pas de temps vide comme il peut y avoir un espace vide. Le temps n'est rien d'autre qu'une dimension – ou plutôt *la* dimension – nécessaire et universelle de tout ce qui est appelé à exister à partir du big bang.

Il ne faut pas dire que le monde se produit dans le temps. Il faut dire que le temps se produit dans le monde. L'univers est une succession puisqu'il est une histoire. Chaque fragment, chaque instant, chaque détail, si mince soit-il, et tout l'ensemble de cette histoire est entraîné vers l'usure, la disparition et l'oubli. Le temps n'existe pas, mais tout ce qui existe, et nous, nous sommes emportés vers la mort. Le temps est plus proche de la mort que de la vie. Il est plus proche de l'absence que de la présence. Il est plus proche de Dieu que du monde. Il est comme la marque de la puissance inconnue sur les choses d'ici-bas. C'est cet élan vers le néant ou du moins vers autre chose que nous ramassons d'un mot sous ce vocable prestigieux qui ne couvre qu'une abstraction : le temps.

Le temps ne coule pas, tout seul et sans support, à la façon d'une vague qui emporterait tout sur son passage. Le temps est une propriété de la création. Il se confond avec elle. Il est la création même. Il n'existe que par et dans les facettes innombrables de toutes les choses créées. L'avenir surtout n'existe pas. Il n'est pas tapi quelque part, on ne sait où, pour nous tomber sur le paletot à tous les coups de l'horloge. L'avenir est à chaque instant créé à partir de rien, c'est-à-dire de ce présent qui n'existe pas non plus puisqu'il ne cesse jamais d'être déjà du passé. Créé par qui ? Par nous, bien sûr, au moins en seconde ligne, par les hommes, par leur pensée, par leur action. Mais d'abord, comme le big bang lui-même, comme l'espace, comme l'univers, comme tout, par la puissance inconnue que les uns appellent Dieu et les autres, le hasard. Dieu – ou le hasard – ne cesse de créer le monde, et les hommes sont associés par leur pensée à la création continue de ce monde sorti de l'éternité du rien et destiné, un jour ou l'autre, – qui en doute ? – à y retourner en détail ou en bloc, sous les espèces d'abord de la mort de chacun d'entre nous, ensuite de cette fin des temps dont nous parlent les textes sacrés et de cette fin du monde que nous prédit la science.

Le temps est un secret et un mystère. Il ne coule pas, mais tout tire vers sa fin et la mort nous attend. La vie est un élan vers la mort. Nous ne pouvons rien sur la mort. Mais nous pouvons, sinon tout, du moins beaucoup dans notre vie et sur notre vie. Vivre consiste à oublier la mort qui est notre seul destin et à profiter des quelques années, des quelques saisons qui nous ont été accordées dans un coin reculé de l'univers par la puissance inconnue.

C'est une affaire entendue : mystère entre deux mystères, la vie est une fête et elle est une épreuve. Pour moi et pour les autres, juge implacable, modèle de toutes les vertus, sinistre personnage, j'ai essayé d'en tirer du plaisir, et peut-être même du bonheur. J'ai aimé être heureux. J'ai compris assez vite que vouloir être heureux tout seul n'était pas seulement une bassesse, mais une illusion. Oui, ici ou là, j'ai peut-être donné aux autres un peu de ce bonheur que j'ai tant poursuivi. Je n'aurais pas détesté rester dans la mémoire des hommes pour leur avoir été utile d'une façon ou d'une autre. De loin au moins, l'épitaphe de Crillon, le compagnon d'Henri IV : « Le roi l'aimait. Les pauvres le pleurèrent » m'a toujours fait rêver. J'ai pourtant passé le plus clair de mon temps à être inutile. Vous m'avez accusé de médiocrité. C'est vrai : je n'ai pas fait grand-chose. Et dans les entreprises où je me suis risqué, j'ai échoué plus d'une fois. Je me suis souvent trompé. J'ai fait ce que j'ai pu. J'attends bien d'autres jugements que ceux de cette Cour de pacotille que je ne mets pas très haut.

MOI : Vous n'avez pas qualité, arrogant délinquant, à

vous prononcer sur les mérites de la Cour. Souvenez-vous que vous êtes et restez accusé. Et...

MOI : Écoutez, grand escogriffe, assez fait le malin. Vous vous êtes acharné, depuis plus d'une semaine maintenant – le temps a beau ne pas exister, il passe tout de même très vite –, à me houspiller et à nous emmerder. Le moment me semble venu pour votre blanche hermine, pour votre croix d'honneur et pour vous de vous taire un peu tous les trois et de rentrer dans votre coquille.

MOI : Quoi ! Quelle impudence ! J'étouffe. Je me disais aussi... Je ne me suis pas trompé... Vous n'êtes qu'un paltoquet... Gardes !...

MOI : Ça va bien comme ça. Nous sommes d'accord. Je ne suis pas grand-chose. Mais toi, tu es deux fois pas grand-chose. Un pas grand-chose au carré.

MOI : Pas grand-chose ! Toute une carrière au service de...

MOI : Ne te donne pas tant de mal. Tout le monde sait que la Cour n'a pas la moindre existence. Elle a moins de réalité encore que ce temps dont j'ai tant parlé à tort et à travers. Et toi, tu n'es rien du tout.

MOI (au bord de l'apoplexie, s'épongeant le front avec un mouchoir à carreaux) : Rien du tout !

MOI : Rien du tout. Ou alors, cette chose immense : un personnage de roman.

Hélas ! Tu n'es même pas M. de Pourceaugnac. Tu n'es même pas Scapin dans son sac ridicule. Tu es bien incapable de rivaliser avec le comte Mosca ou avec Charles Bovary ou avec notre narrateur bien-aimé. Quelle honte pour moi ! Tu n'es même pas Guignol. Tu es très loin d'être Didon abandonnée par Énée sur les rivages de Carthage ou Ariane laissée pour compte sur son île au milieu de la mer Égée par Thésée amoureux de sa sœur Phèdre. Tu n'arrives pas à la cheville de la belle Calypso, aux charmes inexprimables, à l'éternelle jeunesse. Ni de Circé, l'enchanteresse qui changeait les hommes en porcs. Encore moins de Nausicaa, semblable à un jeune palmier, inoubliable à jamais. Je n'ai pas eu la force ni le génie nécessaires pour faire vivre et agir un de ces personnages de rêve plus vrais que la réalité. Tu es une fiction. Je te laisse tomber. Voilà. La perte n'est pas si grande.

Même à moi, qui ne suis presque rien, tu dois pourtant quelque chose. J'ai fait passer ton ombre sur une scène minuscule. Je t'ai fait vivre – oh ! à peine. Juste ce qu'il faut pour occuper le terrain. Sans assez de muscles ni de nerfs. Avec trop peu de talent pour affronter les siècles. Le temps d'un soupir aux yeux de mes lecteurs.

Des gardes pénètrent dans la Cour et emportent sur une civière mon Sur-Moi qui se débat en proférant des flots de paroles solennelles et dénuées d'intérêt.

LE CHEMIN, LA VÉRITÉ ET LA VIE

Franchement, il n'y avait pas de quoi grimper au mât et rameuter tout le quartier. Il m'est arrivé une aventure assez banale qu'ont connue pas mal de garçons et de filles autour de moi ou ailleurs et dont j'ai peut-être eu tort de parler si longuement – mais je ne parviens pas à m'y faire : je suis né. Je me suis glissé quelque part dans l'espace et le temps. C'est une expérience très étrange. Je ne suis pas près de l'oublier.

Il me semble parfois que les choses se sont faites presque toutes seules et que je n'y suis pour rien. Je n'ai pas choisi de naître. Je ne suis pas arrivé n'importe quand. On ne m'a pas déposé n'importe où. Je n'ai pas débarqué hier devant Troie, entre Achille et Ulysse. Ni avant-hier pour la guerre du feu. Ni demain ou après-demain parmi des robots distingués et de plus en plus savants. Non. Je me suis retrouvé sans le vouloir entre deux guerres mondiales, au temps de Staline et d'Hitler, dans un corps qui, bon gré, mal gré, a été le mien pour toujours – c'est-à-dire pour un éclair.

Je suis tombé comme de la lune dans un vieux pays qui

vient de loin, chargé de gloire et de souvenirs, couvert de plaies et de bosses, perclus de querelles et de divisions, sûr de lui et de son charme, au bord de la suffisance, et déjà sur son déclin. Il a été pendant des siècles le plus fort, le plus riche, le plus séduisant. Il se retrouve appauvri et bougon. Tout semble se déglinguer de partout. Sa langue surtout, son bien le plus précieux, qui brillait de mille feux et régnait sur l'Europe qui régnait sur le monde, se défait de jour en jour. Confucius le savait déjà à l'époque de Platon et de Sophocle : il faut prendre garde aux mots. Une langue qui faiblit, c'est un pays qui vacille.

Nous nous imaginons toujours être le centre du monde. Mais la Chine, l'Inde, le Brésil, l'Afrique du Sud, des émirats improbables, hier encore regardés de très haut, se mettent avec férocité à nous manger des pâtés sur la tête. L'histoire se détourne de la terre des grands rois et des grands capitaines, de tant de peintres et de poètes, aux confiseurs de génie et aux femmes de légende. La fête est finie. On ferme. Les salons, les jardins, les calembours, la gaieté, la puissance et l'élégance, la hauteur et la grandeur sont tombés dans l'oubli. Il n'y a plus que l'argent pour faire encore le malin et tenir le haut du pavé. La crainte de l'avenir a remplacé l'insouciance et un air de chagrin se respire dans les rues.

Ah ! je vous entends d'ici. La fameuse ritournelle. Une sorte de long gémissement : « C'était mieux avant. » Non, ce n'était pas mieux avant. Avant, il y avait des guerres, tout le monde mourait plus tôt, les pauvres étaient plus pauvres encore, tous souffraient davantage. La vie était plus difficile. Personne ne supporterait de revenir en arrière. Les gens sont plus heureux aujourd'hui qu'ils ne l'étaient hier. Mais ils ne le savent pas. Ce n'est jamais mieux avant. Ni pire. C'est sans fin la même chose.

Le monde est rude autour de nous. Il l'a toujours été. Depuis le jardin d'Éden et la fin de Néandertal détruit par Cro-Magnon, il n'a jamais été paisible. Tout va le plus souvent assez mal – c'est-à-dire plutôt bien. Avec des catastrophes et avec des bonheurs. Tout oscille toujours entre ascension et déclin. L'histoire ne cesse jamais d'être un désastre et une fête. Le progrès frappe comme un sourd et à coups redoublés. Et il entraîne avec lui un cortège de souffrances toujours mêlées d'espérance.

La clé de l'affaire, c'est que le monde est en train de changer. Il a toujours changé. Mais – sauf tout au début où les choses, m'assure-t-on, se bousculent à une allure effarante – il changeait très lentement. On pouvait compter sur l'avenir. Avec quelques coups de théâtre qui vous laissaient pantois – la conquête du feu, l'invention de la roue, de l'agriculture, de la ville ou de l'écriture… –, demain ressemblait plus ou moins à hier. Voilà que le manège s'est soudain emballé. Tout s'est mis sous nos yeux à changer de plus en plus vite. Et peut-être un peu trop vite.

Dans ce tohu-bohu, je n'ai que trois convictions.

La première est la plus simple et la plus lumineuse : rien n'est plus beau que ce monde passager, si cruel et si gai, éclairé et réchauffé – quelle chance ! – par une étoile que nous appelons le Soleil et où – quelle chance ! – il y a de l'eau, des chèvres, des montagnes, des histoires de guerre et des chagrins d'amour, des chiffres, des livres, des secrets, ces oliviers et ces éléphants dont j'ai déjà trop parlé, des ambitions, des passions, des idées soudain nouvelles qui éclatent comme des grenades et des rêves de jeunes filles. En dépit de tant de malheurs et de tant de chagrins, c'est un bonheur d'être né.

Apparemment opposée à la première, la deuxième a quelque chose de plus sombre : naître, c'est commencer à mourir et la vie que j'ai tant aimée est une espèce d'illusion appelée avec évidence à se dissiper au plus vite et à périr à jamais. Cette deuxième conviction l'emporte de loin sur la première. Avec ses bonheurs et sa tristesse, avec ses drames et ses enchantements, l'existence sur cette terre m'apparaît comme un sas, une sorte de stage, une épreuve, un examen de passage – mais vers quoi, et vers où ?

Ma troisième conviction est la moins assurée et la plus contestable. Elle prend la forme d'un pari : je ne crois pas à un hasard qui aurait organisé, avec une rigueur et un génie surprenants, le monde autour de moi, et moi-même par-dessus le marché. Malgré tous mes doutes, je mets mon espérance dans une nécessité obscure et dans une puissance inconnue où je vois la source de cette vérité, de cette justice et de cette beauté dont nous ne connaissons que les reflets et qu'il est convenu d'appeler Dieu.

Il n'est pas sûr que Dieu soit mort ni que le monde soit absurde. Je penche plutôt pour un secret, une énigme, un mystère qui ne dépendent pas de moi, qui renvoient à autre chose et qui me restent obscurs.

Il n'y a, en fin de compte, qu'une seule chose de certaine : je vais mourir. La vie a été pour moi une aventure plutôt plaisante. J'attends, sans impatience, une autre espèce d'aventure, aussi banale et aussi excitante que mon arrivée sur les planches de cet illustre théâtre : l'heure de ma retraite et de mes adieux à la scène. J'imagine déjà le tableau, dans le genre, par exemple, de ces vignettes naïves où une famille effondrée s'abandonne au chagrin. Un peu d'exaltation. De la sobriété. De l'émotion. Beaucoup de dignité. Quelques larmes. Peut-être des dames en noir. Le défunt était si charmant. Et je me désole de mon absence à mes propres funérailles. Un peu de gaieté fera défaut.

Le temps va venir très vite où je vais me trouver devant Dieu. Où je vais me trouver devant Dieu... Pour nous, pauvres vivants, tout est sujet à caution et à doute dans ces mots incertains. Quand je me trouverai devant Dieu, il n'y aura peut-être plus rien du tout. Il n'y aura plus de temps. Je ne serai plus là pour comprendre qu'il n'y a rien. Et il n'y aura peut-être pas de Dieu.

Je ne sais pas si Dieu existe. Dieu, ou la nature, m'a refusé le don de la foi. Qui suis-je pour répondre par oui ou par non à une question qui nous dépasse ? Dieu, ou la nature, ne m'a pas permis de décider d'un secret et d'un mystère si loin au-dessus de moi. Dans le doute qui me harcèle et souvent m'envahit brille pourtant l'espérance. Unamuno dit quelque part que croire à Dieu consiste peut-être à espérer qu'il existe. Alors, oui, je crois à Dieu. Parce que j'espère qu'il existe.

Quand je paraîtrai devant ce Dieu à qui je dois tout – ma vie, mes bonheurs, mes chagrins, l'univers autour de moi, le soleil sur la mer, ma gaieté qui était vive et mes doutes qui étaient cruels –, je me jetterai à ses pieds et je lui dirai :

— Seigneur, pardonnez-moi. Je vous ai beaucoup trahi. J'ai été indigne de la grandeur et de la confiance que vous m'aviez accordées puisque, dans votre bonté, vous m'avez donné le jour et laissé libre de mes choix. Ma médiocrité, je la vomis avec force, mais hélas ! un peu tard. Je n'ai été ni un héros, ni un martyr, ni un saint. Je me suis occupé de moi beaucoup plus que de ceux que vous m'aviez confiés comme frères. J'ai été indigne des promesses dont vous m'aviez comblé. J'ai reçu beaucoup plus que je n'ai jamais donné. La paresse, la vanité, l'indifférence aux autres, le goût de gagner, le délire de vouloir être toujours au premier rang des premiers, je leur ai trop sacrifié. J'ai vécu dans le tumulte et dans l'agitation. J'ai recherché le bonheur, et trop souvent le plaisir.

« Vous le savez, mon Dieu. J'ai aimé les baies, votre mer toujours recommencée, votre Soleil qui était devenu le mien, plusieurs de vos créatures, les mots, les livres, les ânes, le miel, les applaudissements dont j'avais honte, mais que je cultivais. J'ai aimé tout ce qui passe. Mais ce que j'ai aimé surtout, c'est vous qui ne passez pas. J'ai toujours su que j'étais moins que rien sous le regard de votre éternité et que le jour viendrait où je paraîtrais devant vous pour être enfin jugé. Et j'ai toujours espéré que votre éternité de mystère et d'angoisse était aussi et surtout une éternité de pardon et d'amour.

« Je n'ai presque rien fait de ce temps que vous m'avez prêté avant de me le reprendre. Mais, avec maladresse et ignorance, je n'ai jamais cessé, du fond de mon abîme, de chercher le chemin, la vérité et la vie.

INDEX

INDEX DES NOMS DE PERSONNES

INDEX DES NOMS DE LIEUX

Œuvres de Jean d'Ormesson (suite)

Aux Éditions J.-C. Lattès

MON DERNIER RÊVE SERA POUR VOUS, *une biographie sentimentale de Chateaubriand.*

JEAN QUI GROGNE ET JEAN QUI RIT.

LE VENT DU SOIR.

TOUS LES HOMMES EN SONT FOUS.

LE BONHEUR À SAN MINIATO.

Aux Éditions Grasset

TANT QUE VOUS PENSEREZ À MOI (*Entretiens avec Emmanuel Berl*).

Aux Éditions Nil

UNE AUTRE HISTOIRE DE LA LITTÉRATURE FRANÇAISE, tomes I et II (« Folio », *n° 4252* et *4253*).

Aux Éditions Robert Laffont

VOYEZ COMME ON DANSE (« Folio », *n° 3817*).

UNE FÊTE EN LARMES.

ET TOI MON CŒUR POURQUOI BATS-TU (« Folio », *n° 4254*).

LA CRÉATION DU MONDE.

LA VIE NE SUFFIT PAS.

QU'AI-JE DONC FAIT ?

C'EST UNE CHOSE ÉTRANGE À LA FIN QUE LE MONDE.

C'EST L'AMOUR QUE NOUS AIMONS.

UN JOUR JE M'EN IRAI, SANS AVOIR TOUT DIT.

DIEU, LES AFFAIRES ET NOUS : CHRONIQUE D'UN DEMI-SIÈCLE.

Aux Éditions Héloïse d'Ormesson

ODEUR DU TEMPS : CHRONIQUES DU TEMPS QUI PASSE.

L'ENFANT QUI ATTENDAIT UN TRAIN.

SAVEUR DU TEMPS : CHRONIQUES DU TEMPS QUI PASSE.

LA CONVERSATION.

COMME UN CHANT D'ESPÉRANCE (« Folio », *n° 6014*).

Cet ouvrage a été composé par
Nord Compo
et achevé d'imprimer
par Normandie Roto Impression s.a.s.
61250 Lonrai, le 4 décembre 2015
Dépôt légal : novembre 2015
Numéro d'imprimeur : 1505494
ISBN 978-2-07-017829-2 / *Imprimé en France*

296343